W9-COV-793

아직도 가야 할 길

THE ROAD LESS TRAVELED
by M. Scott Peck

This korean edition published by arrangement with the original publisher,
Simon & Schuster Inc. trough KCC, Seoul.

아직도
가야
할
길

M. 스캇 펙

열음사

스캇 펙박사의 아직도 가야 할 길

초판 1쇄 발행일 1991년 1월 20일
2004 개정판 1쇄 발행일 2004년 1월 15일

지은이 · M Scott Peck
옮긴이 · 신승철 이종만
펴낸이 · 김수경
펴낸곳 · 열음사 www.yeuleumsa.co.kr

주소 · 부산시 동래구 낙민동 205-10
서울시 종로구 동숭동 1-8(우110-510)
전화 · 744-5441
팩스 · 744-7358
E-mail · yes@yeuleumsa.co.kr

값 12, 000원

열린마음 · 매운소리 · 알찬열매
y 열음사

ISBN 89-7427-205-9 03180

서문

이 책의 내용은 실제로 매일매일 환자를 치료하는 가운데 얻어진 것이다. 즉 환자들이 어떻게 자기 자신과 씨름하면서 보다 높은 차원으로 성숙해 나가는가, 또는 그런 씨름에 실패한 환자들은 어떤 길을 걷고 있는가를 관찰하면서 얻은 기록이다. 그러다 보니 이 책은 많은 실제 사례들로 이루어졌다.

환자의 비밀을 지키는 것은 정신과 의사의 가장 기본적인 윤리이므로 나는 각 사례들을 설명하는 데 있어 그들의 이름을 가명으로 바꾸어 썼다. 또 근본적인 것은 왜곡시키지 않고자 애쓰면서 상담 경험의 내용을 다소 고쳐 쓰기도 했다. 사례의 설명을 간결하게 하느라 혹시 왜곡이 있었을 수도 있지만, 고의는 아니다. 나아가, 정신치료라는 것이 그렇게 단순한 과정이 아니지만 어쩔 수 없이 각 사례의 중요한 부분들에만 초점을 두어 설명함으로써, 독자들에게는 정신치료가 하나의 드라마같이 명확한 과정이라는 인상을 주었을지도 모르겠다. 그러나 독자들의 이해를 손쉽게 하기 위해서 장기간의 정신치료 과정에서 생기는 혼란과 욕구불만 상태 등의 이야기들은 과감하게 생략하기도 했다.

또한 하느님에 대해서 기술할 때 계속해서 전통적인 남성적 이미지로 썼는데, 그것은 내용을 간명하게 설명하기 위해서이지, 하느님의 성(性)문제에 대해 어떤 편견을 가지고 있는 것은 아님을 이해해 주었으면 한다.

나는 우선 정신과 의사로서 이 책의 두 가지 기본 전제를 밝히고자 한다. 그 첫째는 정신적인 것과 영적인 것을 구별하지 않았다는 것이다. 따라서 정신적인 성장과 영적인 성장에 이르는 과정도 별도로 취급하지 않았다. 나는 이들을 동일한 개념으로 보고 있다. 두 번째는 이 '영혼과 정신의 성숙 과정'이란 복잡하고 험난할 뿐만 아니라 오랜 시간이 걸리는 평생의 일이라는 것이다.

정신치료가 궁극적으로 정신적이거나 영적인 성장 과정을 도와주고자 한다면, 결코 단순하거나 짧은 과정이 될 수 없다. 나는 어떠한 학파에도 속해 있지 않다. 나는 단순한 프로이트(Freud) 학파도 아니고, 융(jung) 학파도 아니고, 아들러(Adler) 학파도 아니며, 행동주의파도 경험주의파도 아니다. 물론 이들 학파에서 제시하는 간단한 정신치료가 도움이 될 수는 있으나, 그러한 도움은 피상적인 것일 뿐, 정신치료는 그렇게 단순하고 쉬운 일이 아님을 밝혀 두고 싶다.

영적 성장에 이르는 길은 머나먼 길이다. 나의 환자들이 그들 여정의 중요한 부분에서 내가 함께 동행하도록 특권을 준 데 대하여 감사하고 싶다. 그들의 여행이 바로 나의 여행이었고, 이 책에 쓴 대부분은 우리가 함께 배운 것을 적은 것이다.

나는 또한 내 스승들과 동료들에게도 감사드리며, 그 중에서도 특히 내 아내 릴리에게 감사하는 바이다. 지혜로운 여성인 그녀는 배우자로서, 어머니로서, 정신치료자로서, 또는 나의 사랑하는 사람으로서, 나의 오늘이 있기까지 말로 다 할 수 없는 도움을 주었다.

| 아직도 가야 할 길 25주년 기념 서문 |

어떤 이방인일지라도 꽤 괜찮은 감각의 소유자라면

내일이면 정확하게 말할 수 있을 것이다.

그동안 우리가 무엇을 생각하고 무엇을 느껴왔는지.

랄프 왈도 에머슨 (에세이 '자립' 중에서)

그 동안 많은 독자들이 나의 책 '아직도 가야 할 길' 에 대해 자신들의 의견을 보내왔다. 그들의 반응 중에 가장 공통적인 것은 내가 용감하다는 것이었다. 그들은 내가 새로운 것을 말하는 대신에 자신들이 오랫동안 생각하고 느껴왔지만 감히 드러내놓고 말하지 못하는 것을 용감하게 말했다고 지적하면서 그 점을 높이 샀다.

나 스스로는 '용감하다' 는 말이 정확하지 않다고 생각한다. '타고난 부주의함' 을 내포하고 있는 '용기' 라는 말을 더 적당한 단어로 바꿔야 하지 않을까? 책이 출판된 지 얼마 되지 않아 내 환자 한 사람이 우연히 칵테일 파티에 가게 되었고 내 어머니와 어떤 나이 든 부인 사이에 오가는 대화를 듣게 되었다.

나이 든 부인은 내 책에 대해 말하면서 우리 어머니에게 "당신은 스카티가 무척 자랑스러우시겠어요."라며 부러워했고 나의 어머니는 노인들이 때때로 내비치는 필요이상의 신랄함으로 이렇게 대꾸했다고 한다.

"자랑스럽다? 뭐 별로. 저는 그 애가 책을 쓰는 데 아무 것도 도와준 게 없어요. 자랑이야 그 애 몫이지. 자신의 재능이 자랑스럽겠지요."

내가 책을 쓰는 데 우리 어머니가 아무런 도움을 주지 않았다고 말한 것은 틀렸지만 나의 작가성을 인정해 준 것은 옳았다고 생각한다. 나의 책 '아직도 가야 할 길' 은 나의 재능의 소산이기 때문이다. —물론 재능에도 여러 종류가 있겠지만 말이다.

내가 가진 재능의 종류를 살펴보기 위해 잠시 기억을 더듬어야 한다. 아내 릴리와 나는 젊은 톰과 친하게 지냈다. 그와 나는 어린 시절 같은 휴양지에서 여름을 보내며 자랐다. 때문에 여름이면 그의 형들과 뛰어 놀았고 톰의 어머니는 어린 시절의 나를 잘 알고 있는 분이다. '아직도 가야 할 길' 이 출판되기 몇 년 전 어느 날 밤 톰은 우리집 저녁 식사에 초대되었다. 그때 톰은 어머니와 함께 살고 있었는데 '어머니, 내일 저녁에는 스캇 펙 씨와 저녁 식사를 하기로 했어요. 그가 누군지 기억나요?' 라고 물었고 그의 어머니는 조금의 망설임도 없이 "그 아이는 어렸을 때 사람들이 드러내놓고 말하지 못하는 것에 대해 말하기를 좋아했단다." 라고 대답했다.

이 정도면 내 과거를 통해 내가 가진 재능의 일면을 알 수 있지 않을까? 또 젊었을 때 역시도 지배적인 문화에서 약간 비껴난 이방인이었다고 여겨도 좋다.

알려지지 않은 작가였기 때문에 나의 책 '아직도 가야 할 길' 은 아무런 팡파르도 없이 출판되었다. 이 책의 놀라운 상업적인 성공은 따라서 점진적으로 이루어졌다. '아직도 가야 할 길' 은 1978년에 출판되어 5년 동안 베스트셀러 목록에 오르지 못했다. 이 점은 내가 대단히 다행스럽게 생각하는 일 가운데 하나이다. 하루아침에 유명하게 될 때 갑작스러운 명성을 다스릴 수 있을 만큼 내가 성숙한 사람인지 의심스럽기 때문이다. 어쨌든 내 책은 출판시장의 용어로 말하면 처음에는 '잠을 잤고' 점차 '입소문' 으로 팔려나갔다. 처음에는 천천히 책의 인지도가 몇 가지 경로로 퍼져나갔다. 그 경로 중의 하나가 익명의 알콜중독자들을 통해서였다.

사실 내가 받은 첫 팬레터는 이렇게 시작된다.

"친애하는 펙 선생님. 당신은 알콜중독자가 틀림없습니다."

그 사람은 아마 알콜중독자 명단에 포함되어 있지 않거나 오랫동안 알콜중독으로 고생해보지 않은 사람이 이런 책을 쓸 수 있을 거라고는 도저히 상상할 수 없었을 것이다.

'아직도 가야 할 길' 은 지난 20년 동안 계속 출판되었고 앞으로 더 성공하리라는 것은 의심할 여지가 없다. 익명의 알콜중독자들은 1950년대 중반 이후 사실상 지상 위로 자신의 모습을 드러낼 수 없었다(그렇다고 이 책의 독자들이 대부분 알콜중독자라는 것은 아니다). 더 중요한 사실은 심리치료를 받는 것조차 쉬쉬해야 한다는 사실이다. 그 결과 '아직도 가야 할 길' 이 출판되었던 1978년경에는 사람들이 '드러내놓고 말해서는 안 되는 종류의 것들' 로 인해 정신적으로 혹은 심리적으로 고통받는 미국 남녀의 숫자가 기하급수적으로 늘어났다. 그리고 그들은 누군가가 그것에 대해 큰소리로 떠들어

주기를 기다렸다.

그렇게 해서 '아직도 가야 할 길'의 인기는 눈덩이처럼 불어났고 책의 명성이 계속 유지되는 것은 바로 그 점 때문이다. 순회 강연에서 나는 청중들에게 이렇게 말하고는 한다.

"당신들이 미국인의 단면을 보여주는 평균적인 사람들은 아닙니다만 그러나 당신들이 상식이라고 생각하는 것에는 충격적인 것들이 숨겨져 있습니다. 그것들 중에 하나는 상당수의 사람들이 살아가면서 12단계 프로그램이나 전통적인 아카데미 트레이닝의 방법에 따라 심각한 심리치료를 받았거나 지금 받고 있는 중이라는 사실입니다. 그런데 내가 만약 이 자리에서 '심리치료를 받은 적이 있거나 받고 있는 사람들은 손을 들어보라' 라고 말하면 여러분들 대부분은 마치 내가 개인의 사생활을 침해하는 것처럼 느낄 겁니다."

당장 청중들의 95%가 손을 들었다.

"옆을 보세요."라고 나는 그들에게 말했다.

"이것은 중요한 의미를 내포하고 있습니다."

나는 계속해서 "이제 당신들은 지배적인 관습을 뛰어넘기 시작했다는 것입니다."라고 말했다. 지배적인 관습을 뛰어넘는다는 말은 다른 의미에서 드러내놓고 말하지 못하는 것에 대해 생각하기 시작했다는 의미이다. 그리고 그들은 내가 '지배적인 관습을 뛰어넘는다' 는 것과 그 현상이 가진 독특한 의미를 상세하게 설명하자 거기에 동의했다.

몇몇 사람들은 나를 전도사라고 부른다. 숭고한 의미를 담고 있는 그 호칭을 나는 기꺼이 받아들일 수 있다. 단지 많은 사람들이 전도사가 앞을 내다보는 능력을 가진 사람이 아니라 시대의 징후를 읽을 줄 아는 사람이라고 이해하고 그 점을 강조한다면 말이다. '아직도 가야 할 길'은 시대와 독자가 그 책을 성공으로 이끌었다는 이유에서 성공했다고 말할 수 있다.

25년 전 '아직도 가야 할 길'이 처음 출간되었을 때 전국의 모든 신문들은 나의 이 순진한 의도를 비평의 대상으로 삼았다. 사실대로 말하면 이에 대해 긍정적으로 칭찬해 준 곳은 딱 하나였다……. 그러나 그것은 참으로 훌륭한 비평이었다! 따라서 내 책이 성공할 수 있도록 큰 힘이 되어 준 필리 테로우에게 우정을 보내야만 한다. 필리는 매우 훌륭한 작가이자 당대의 뛰어난 책 비평가로 워싱턴 포스트지 편집국에 쌓여 있는 서평 촉탁본 책들 가운데 쓸만한 것들을 '우연하게 발견해 내는' 데 가히 뛰어난 재능을 가진 사람이다. 그녀는 책상 위에 쌓여 있는 책을 읽고 단 이틀만에 '비평요청서'를 제출한다. 대체로 편집자들은 어쩔 수 없이 이에 따르고 그때부터 필리는 그녀 말대로 '책을 베스트셀러로 만드는' 비평 기술을 발휘하는 것이다. '아직도 가야 할 길'도 그렇게 세상에 소개되었다. 그녀의 비평이 나가자마자 채 일 주일도 안 걸려 워싱턴시의 베스트셀러 리스트에 올랐고 몇 년간 각종 리스트에 올랐다. 그러나 나한테 중요한 것은 그렇게 해서 사람들이 내 책을 읽기 시작했다는 것이다. 그것으로 충분하다.

나는 필리에게 다른 이유로 감사한다. 책이 인기를 얻기 시작했을 때 나는 내가 발을 땅에 딛고 코를 도움이 되는 쪽으로 향하고 있는지 확신을 얻고 싶었다. 그때 그녀가 말했다. "이제 이 책은 당신

손을 떠났다는 것을 알아야만 합니다."

나는 즉시 그녀의 말뜻을 이해했다. 우리는 누구도 '아직도 가야 할 길'이 말 그대로 신의 계시라거나, 그렇지 않으면 신을 이해하기 위한 코드라고도 생각하지 않는다. 결국 나는 책을 끝마쳤고 책의 내용에 더 적확한 단어나 문장을 선택했으면 하는 바람을 가지고 있을 뿐이다. 이 책은 완전하지 않고 나는 끊임없이 이 책의 흠을 발견하게 된다. 그럼에도 불구하고 이 책이 필요하다는 생각에는 여전히 변함이 없기 때문에 내 좁은 사무실에서 고독과 싸워가며 이 책을 썼다. 그리고 그 고독은 나를 도와주었다. 그 도움에 대해서는 어떻게 설명할 도리가 없다. 다만 그런 경험이 그렇게 특별한 일은 아니라는 것을 덧붙일 뿐이다.

M. 스캇 펙
2002

차례

아직도 가야 할 길

The Road Less Travelled

하나 _ 훈련

인생은
문제와
고통에
직면하는
것

삶은 고해(苦海)다. 이것은 삶의 진리 가운데 가장 위대한 진리다(석가는 四海 가운데서 삶을 가장 큰 苦海라고 했다). 그러나 이러한 평범한 진리를 이해하고 받아들일 때 삶은 더 이상 고해(苦海)가 아니다. 다시 말해, 삶이 고통스럽다는 것을 알게 되고 그래서 이를 이해하고 수용하게 될 때, 삶은 더 이상 고통스럽지 않다. 왜냐하면 비로소 삶의 문제에 대해 그 해답을 스스로 내릴 수 있게 되기 때문이다.

대부분의 사람들은 삶이 어렵다는 이 쉬운 진리를 깨닫지 못하고 살아간다. 삶이란 대수롭지 않으며 쉬운 것이라고 생각한 나머지 살아가면서 부딪치게 되는 문제와 어려움이 가혹하다고 불평을 하게 된다. 사람들은 흔히 자신의 문제만 가장 특별하다고 믿으며, 왜 다른 사람들은 당하지 않는데 자신과 가족이나 자신이 속해 있는 집단만 이같이 고통스런 문제를 안고 살아가야 하는지 불평한다. 누구나 한번쯤은 이런 경험이 있기 때문에 쉽게 이해되리라 믿는다.

삶이란 문제의 연속이다. 그렇다면 우리는 끊임없이 다가오는 고통스런 삶의 문제들을 계속 안고 살아가야만 하는걸까? 아니면 이 문제들을 극복할 수 있는 것인가? 과연 고통을 안고 살아가고 있는 우리의 아들 딸들에게 이런 문제들을 해결할 수 있는 삶의 지혜들을 가르쳐 줄 수 있을까?

훈련이란 삶의 문제들을 해결하는 데 필요한 기본적인 방법 중의 하나다. 이런 과정 없이 우리는 아무 것도 해결할 수가 없다. 미약한 배움으로는 부분적인 문제밖에 해결하지 못하며 혼신의 힘을 다한 배움만이 모든 문제들을 해결할 수 있다. 삶의 문제에 직면해서 해결하는 과정은 삶 그 자체의 어려움과 마찬가지로 어렵다. 삶의 문제들은 우리를 괴롭고 비참하게 만들거나 외롭고 슬프게 하기도 하며, 때로는 죄책감, 분노, 두려움, 초조, 절망 속으로 던져 넣기도 한다. 삶의 문제들은 너무나 고통스러운 나머지 육체적으로 불편하고 아픈 것과 마찬가지로 우리를 불편하고 아프게 한다. 우리가 삶의 문제들을 문제라고 부를 수밖에 없는 이유가 바로 여기에 있다. 이렇듯 감당하기 어려운 문제들이 끊임없이 계속되므로 삶이란 항상 어렵고, 기쁨만큼이나 많은 고통으로 가득 차게 되는 것이다.

그러나 당면한 문제들을 해결하는 전체적인 과정 속에 삶의 의미가 있다. 삶의 승패는 그 문제들을 얼마나 해결하느냐에 달려 있다. 문제들은 우리에게 용기와 슬기를 요구할 뿐만 아니라, 없던 용기와 슬기를 만들어 내게까지 한다. 영적으로 정신적인 성장은 오직 문제에 직면함으로써 가능한 것이다. 우리의 정신적 성장을 자극하려면, 문제를 해결할 수 있는 역량과 도전적인 태도를 격려해야 된다. 이는 마치 우리가 학교에서 아이들에게 일부러 문제를 내주고 풀어 보도록 하는 것과 마찬가지다. 우리는 문제에 부딪쳐 해결해 보려고 애쓰는 가운데 배우게 되는 것이다. 벤자민 프랭클린의 말대로 "고통은 가르침을 준다." 그러므로 현명한 사람들은 문제를 두려워하지 않고 오히려 문제를 환영하며, 더 나아가서는 문제가 주는 고통까지 기꺼이 받아들인다.

그러나 우리는 대부분 그렇게 현명하지 못하다. 정도의 차이는 있지만 대체로 고통을 두려워하고, 가능한 한 문제들을 피하려고 한다. 우리는 문제를 질질 끌면서 저절로 없어지기를 바란다. 무시하거나 잊어버리려 하고, 문제가 없는 것처럼 여기려 한다. 심지어는 고통을 잊어버리기 위해 약물을 먹고 자신을 마비시키기도 한다.

우리는 문제들에 정면으로 대항하지 않고 주변을 맴돌면서 달아나려고만 한다. 그러나 문제와 고통을 피하려는 이 태도가 바로 정신건강을 해치는 원인이 된다. 우리들 대부분은 이러한 경향을 가지고 있으므로, 정신적으로 완전히 건강한 사람은 드물며 누구나 어느 정도는 문제가 있는 셈이다. 어떤 사람들은 자기의 문제와 고통스러운 것을 피해 쉬운 길을 찾으려다가, 오히려 건전하고도 지각있는 길에서 아주 멀리 벗어나 버리게 된다. 또 어떤 사람들은 스스로 만든 환상에만 안주하여 현실을 도피하기도 한다. 칼 융(Carl G. Jung)은 이것을 "노이로제(신경증)란 항상 마땅히 겪어야 할 고통을 회피한 결과다."라고 표현했다.

그러나 결국에 가서는 피하려고 했던 바로 그 고통보다도 피하려고 하는 마음이 더 고통스럽게 된다. 신경증 자체가 가장 큰 문제가 된다. 많은 사람들이 이러한 고통과 문제들을 회피하려 하는데, 이는 신경증을 점점 더 악화시키는 결과밖에 되지 않는다. 그러나 다행히도 어떤 사람들은 용기있게 신경증에 직면해서—보통은 정신치료의 도움을 받아서—어떻게 이 힘겨운 고통을 겪어 내야 할 것인가를 배우기 시작한다. 어떤 경우든 문제를 정면으로 다루어야 하며, 그때 생겨나는 고통을 회피한다는 것은 문제에 직면함으로써 성취할 수 있는 정신적 성장을 거부하는 것이 되고 만다. 그렇게 되면 만성 정신질환 상태에서 정신적 성장은 정지하게 되며, 이것을 치료하지 않으면 인간 정신은 시들어 가기 시작한다.

우리는 우리 자신과 자녀들의 정신적, 영적 건강을 성취할 수 있는 기술을 배워야 한다. 내가 여기에서 강조하고자 하는 점은 우리 자신과 자녀들에게 고통을 겪는 것이 필요하고 가치가 있다는 사실과, 문제들을 직접 당면해서 고통을 체험해야 할 필요가 있다는 사실을 가르치도록 하자는 것이다. 이러한 가르침은 우리가 삶의 문제를 직면하여 성공적으로 해결해 나갈 수 있고 또 그 과정에서 성장할 수 있도록 도와주는 기술이라는 것을 분명히 알게 될 것이다. 우리 자신과 자녀들이 스스로 이러한 가르침을 체득하려고 노력하는 태도를 가질 때, 비로소 우리는 고통을 감내하고 성장하는 방법을 배울 수 있게 된다. 그러면 이러한 방법이란 어떤 것이고, 고통을 이겨내는 슬기로운 기술이란 어떤 것이며, 고통스런 문제들을 건전하게 겪어 내는 수단이란 어떤 것인가? 이를 '배움' 이라 불러도 될까?

이것을 이루어 내는 데는 다음과 같은 네 가지의 기술이 있다고 말할 수 있다. 즉 즐거움을 나중에 갖도록 자제하는 것, 책임을 자신이 지는 것, 진실에 헌신하는 것, 그리고 균형을 맞추는 일이라고 하겠다. 이러한 기술들은 그리 복잡하지 않아서 실생활에 적용하는 데 엄청난 노력이 드는 것이 아니다. 오히려 그 반대로 이들은 단순한 방법이어서 열 살 가량의 아이들도 이 기술을 숙달시킬 수 있다. 그러나 대통령이나 권세있는 사람들은 대개 이런 방법들을 잊어버려, 인생에서 쓰라린 경험들을 하곤 한다. 그것은 이 방법들이 복잡하기 때문이 아니라, 그것을 사용하고자하는 의지 때문이다. 이 방법은 고통을 피하지 않고 직접 마주하는 기술이며, 만약 마땅히 겪어야 할 고통을 피하려 한다면 이러한 기술의 사용을 피하는 것이 된다. 그러면 이러한 방법들을 하나씩 설명해 본 다음에 이것을 사용하고자 하는 의지에 관해 생각해 보자. 나는 이 의지를 '사랑'이라고 생각한다.

즐거운 일은 나중에 하자

최근에 서른 살 된 한 경리사원과 몇 개월간 상담을 했는데, 그녀의 문제는 해야 할 일을 질질 끌고 미루는 경향을 어떻게 하면 고칠 수 있겠느냐는 것이었다.

우리는 함께 그 여사원의 직장 상사들에 대한 감정이라든지, 그런 감정이 일반적인 권위에 대한 그녀의 태도와 어떤 관계가 있는지, 특별히 부모에 대한 감정은 어떤지를 검토해 보았다. 또한 일에 대한 태도며, 일을 성취하는 데 대한 그녀의 반응들을 살펴보았다. 아울러 이런 것들이 결혼생활과 관계가 있는지, 또는 성적 자신감, 남편과 경쟁하려는 욕구와 그런 경쟁에서 오는 공포감들과도 서로 관계가 있는지를 검토했다. 이렇게 힘든 정신분석을 해보았음에도 불구하고 그녀는 여전히 일을 질질 끌고 게으름을 피웠다. 결국 우리는 처음부터 차근차근히, 가장 쉬운 일부터 따져 보기로 했다.

"케이크를 좋아합니까?" 하고 나는 물었다.

그녀는 좋아한다고 대답했다.

"케이크의 어떤 부분을 좋아합니까? 케이크에 바른 후로스팅(설탕 · 크림 등을 덮은 부분)을 좋아합니까?" 하고 계속해서 물었다.

"물론 후로스팅을 좋아하죠."하고 그녀는 신이 나서 대답하는 것이었다.

"그러면 케이크를 어떤 순서로 먹습니까?"

나는 나 자신이 아마도 이 세상에서 제일 정신 나간 정신과 의사일 거라는 생각을 하면서 질문했다.

그녀는 곧 "당연히 후로스팅을 먼저 먹죠." 라고 대답했다.

케이크 먹는 버릇부터 시작해서 우리는 그녀의 일 버릇을 검토해 보았다. 우리가 발견한 것은, 그녀는 언제나 주어진 시간 중에서 맨 처음 한두 시간에는 즐거운 일을 반쯤 미리 해치우고, 나머지 여섯 시간은 지겹고 하기 싫은 일들을 한다는 사실이었다. 그래서 나는 처음 두 시간에 재미없는 일들을 억지로라도 먼저 해치우고 나머지 여섯 시간은 자유롭게 즐기는 것이 더 낫지 않겠느냐고 충고해 주었다. 그녀도 스스로 공감하고, 예전의 버릇을 바꾸었다. 그 결과 더 이상 일을 질질 끌지 않게 되었다. 이는 그녀가 근본적으로 강한 의지의 소유자였기 때문에 가능했던 것으로 본다.

즐거운 일을 뒤로 미룬다는 것은 하루하루의 생활 가운데서 괴로운 일과 즐거운 일을 계획적으로 짜되, 고통을 먼저 겪은 뒤 즐거움을 갖게 되면 그 즐거움을 더 잘 즐길 수 있게 된다는 뜻이다. 이것이 삶을 풍요롭게 하는 유일한 방법이다.

이렇게 시간을 효율적으로 배분하는 기술을 우리는 아주 어려서

부터 배우기 시작한다. 심지어 다섯 살짜리도 그런 기술을 활용하는 것을 볼 수가 있다. 예를 들면, 친구들과 재미있는 놀이를 할 때 친구에게 먼저 하라고 하는 아이가 있다. 이 아이는 나중에 자기 차례가 왔을 때 기다린 만큼 더욱 재미있게 즐길 수 있음을 아는 것이다. 여섯 살쯤 되면 케이크를 먹을 때 맛없는 부분을 먼저 먹고 맛있는 부분을 나중에 먹을 줄도 안다. 초등학교에서는 즐거운 일을 뒤에 하는 습관을 조직적으로 훈련받게 되는데, 예를 들어 숙제하는 일 같은 것이다. 열두 살쯤 되면 엄마가 잔소리를 하지 않아도 숙제를 먼저 해치운 다음 텔레비전 앞에 앉을 줄 안다. 열다섯이나 열여섯 살 쯤 되면 이런 행동은 당연히 몸에 밴 생활습관이 된다.

그러나 실제로 청소년을 가르치는 선생님들은 이 나이의 많은 청소년들이 그러한 행동 기준에 전혀 미치지 못하고 있다는 현실을 목격하게 된다. 쉽고 편한 일을 제쳐 놓을 수 있는 역량을 잘 발달시킨 아이들이 있는가 하면, 어떤 아이들은 열다섯, 열여섯 살이 되어도 그런 능력을 기르지 못해 문제학생이 되고 만다. 보통 혹은 그 이상의 지적 수준을 가졌음에도 불구하고 성적이 나쁜 것은 공부를 하지 않았기 때문이다. 수업시간을 빼먹는다든지 결석을 마음 내키는 대로 한다든지, 순간적인 느낌에 따라 충동적으로 행동하는 학생들은 이 다음에 커서 사회생활을 할 때도 마찬가지로 충동적인 행동을 하게 된다. 그런 아이들은 싸움에 자주 끼어들기도 하고, 약물(마약류)을 남용하는 등의 문제로 경찰에 끌려가게 되기도 한다. 세상에 공짜는 없는 법이어서 이렇게 놀다가 결국은 심리 상담가나 정신과 의사의 치료를 받게까지 된다. 그러나 이 지경에 이르면 대개는 때를 놓쳤다고 볼 수 있다. 이런 청소년들은 흔히 자기들의 충동적인 생활양식에 개입하려는 어떠한 시도에도 반항을 하게 된다. 정신과 의사가 우호적이며 이해심 많은 태도로 그 반항심을 극복할 수 있도록 노력을 기울여도, 충동성이 심각한 지경에 이르면 치료과정을 뜻있게 밟아 나갈 수가 없어 일찌감치 중단하게 되어 버리는 수가 많다. 이들은 의사와의 면담시간 약속도 어기고, 마침내 치료를 제대로 할 수 없게 만든다. 이런 아이들은 결국 학교에서 정학이나 퇴학을 당하게 마련이고, 실패의 연속인 삶을 살아가게 되며, 때에 따라서는 파혼에 이르는 결혼생활을 하거나 사고를 저지르고 정신병원 또는 교도소 생활에 말려들어 가기도 한다.

왜 이렇게 되어야만 하는가? 왜 대다수의 아이들은 즐거운 일들을 뒤로 미룰 수 있는 능력을 기를 수 있었는데, 어떤 아이들은 잠재력을 지녔으면서도 그 능력을 성장시키지 못했는가? 이에 대한 절대적이고 과학적인 답은 아직 아무도 모르고 있다. 유전적인 요소가 작용한 결과인지도 명확하지 않다. 현실적으로 이와 관련된 많은 연구 자료들은 과학적으로 입증되지 않았다. 그러나 부모의 양육방식이 결정적인 요인이라고 보는 것이 지금으로서는 정답이다.

이런 부모가 잘못된 것이다

버릇없는 아이들이 반드시 가정에서 부모들이 제대로 가르치지 않아서 그렇게 된 것만은 아니다. 오히려 버릇없는 아이들은 자라면서 혹독한 처벌을 자주 받은 경우가 더 많다. 이렇게 혹독하게 벌을 주는 훈육방법은 무의미한 것이다. 왜냐하면 그러한 방법은 훈육의 효과가 없는 훈육이 되기 때문이다.

무의미하다는 이유 중의 하나는 부모들 자신이 스스로 자제할 줄 모르는 성격으로 인하여 아이들에게 제대로 된 모델이 되어 주지 못하기 때문이다.

"내 말대로 하되, 내가 행하는 대로 하지는 말아라."라고 하는 부모들. 그런 부모들은 아이들 앞에서 술취한 모습을 보여 준다든가, 참을성 없고 이치에 닿지 않는 모습을 보여 주기도 한다. 사실 그런 부모들은 되는 대로 살아가는 사람들이다. 그들 자신이 지키지도 못할 약속을 하기도 하고 무질서하고 난잡한 생활을 하면서, 아이들에게는 절제된 생활을 하도록 가르치는 것은 아무런 의미도 가질 수 없다. 아버지가 어머니를 구타하는 모습을 보이고 나서 그 아들에게 여동생을 때렸다고 매질한들, 그 아들이 무엇을 배울 수 있겠는가. 부모의 행동은 그렇지 못하면서 자녀에게 화나는 것을 참아야 한다고 백 번 일러 준들 그것을 어찌 알아듣겠는가? 어린아이들에게는 부모를 판단할 만한 분별력이 갖추어져 있지 않기 때문에 어린 눈에 부모란 무조건 하느님 같아 보인다. 그래서 부모들이 하는 일은 모두 그렇게 해야 하는 것이라고 생각한다. 만일 부모들이 자제하고 참고 단정하고 질서있는 생활을 영위해 나가는 것을 아이들이 보고 자란다면, 그 아이들은 '이것이 사는 도리이구나.' 하고 가슴 깊이 느끼게 될 것이다.

마찬가지로 부모들이 매일매일 참을성 없고 자제력 없이 사는 모습을 보여 주게 되면, 아이들은 '그런 것이 삶의 길인가 보다.' 하고 마음 속 깊이 믿게 될 것이다.

그러나 이러한 역할 모델보다도 더 중요한 것은 사랑이다. 아무리 무질서하고 혼란한 가정일지라도 그 속에 사랑이 있으면 자제력 있는 아이들이 나오기도 한다. 부모들이 전문직에 종사하는 사람들, 말하자면 의사, 변호사, 여류 사업가, 자선 사업가들 같은 사람들은 대개 자신들의 생활을 엄격하고 질서 정연하고 단정하게 해 나간다. 그러나 그런 부모들도 사랑이 모자라는 경우에는 아이들이 무질서한 가정에서 자란 아이들과 마찬가지로 버릇없고 파괴적인 문제아로 자라는 것을 볼 수 있다.

궁극적으로 말하면 사랑이 전부이다. 사랑의 기술은 이 책의 뒷

부분에 가서 검토해 보기로 하고 여기서는 부분적이긴 하나 사랑에 관해 설명을 하고, 그것이 훈련과 어떠한 연관을 가지고 있는가를 언급하겠다.

우리가 무엇을 사랑할 때 그것은 우리에게 가치있는 것이 되고, 그것이 가치가 있게 될 때, 우리는 거기에 많은 시간을 보내고 그것을 즐기며 보호하게 된다. 자신의 자동차를 사랑하는 사춘기의 청소년은 너무나 많은 시간과 정성을 들여서 차를 닦아 광을 내며 수선할 것이다. 정원 가꾸는 일을 사랑하는 노인도 그의 시간 대부분을 꽃을 다듬고, 거름을 주며 연구하는 데 보내고 있음을 볼 수 있다.

이와 마찬가지로 우리가 아이들을 사랑할 때에도 즐겁게 그들을 돌보는 데 많은 시간을 보낸다. 우리는 아이들에게 우리의 시간을 주는 것이다.

아이들을 제대로 가르치려면 시간이 필요하다. 아이들에게 내줄 시간이 없고 그럴 마음도 없으면, 아이들을 가까이 관찰할 수 없기에 언제 부모의 가르침이 아이들에게 필요한지도 모르게 되고, 또 그런 도움을 원하는 아이들의 무의식적인 표현을 부모가 제대로 알아차릴 수도 없게 된다. 아이들을 단단히 가르칠 필요가 있다고 뼈저리게 의식하면서도 우리는 "오늘은 애들을 봐줄 기력이 없어." 하며 저희들 마음대로 하도록 내버려두는 수가 많다. 그러다가 결국 아이들이 잘못되면 그때서야 부모들은 화를 내며 아이들을 가혹하게 야단치게 된다. 문제가 어떤 것인지 알아볼 여가도 없고, 그 문제에 대해서 어떤 방법으로 교육을 시키는 것이 가장 좋은지 곰곰이 생각해 보지도 않고 무작정 훈련시키려고 덤비게 되는 것이다.

보통 때 아이들에게 시간을 내서 돌봐 주는 부모들은 아이들이 큰 잘못을 저지르지 않아도 가르칠 필요가 있다는 것을 잘 알고 있다. 그리하여 조심스럽게 달래고 염려해 주며 가르친다면 아이들은 순순히 호응을 해서 부모들이 장려하는 것이나 질책하는 것을 듣고, 무엇이 옳고 그른가를 판단하여 그대로 따라 줄 것이다. 이런 부모들은 자기 아이들이 케이크를 어떻게 먹는가도 살펴보고 어떻게 공부하는가도 관찰해 보며, 언제 살짝 거짓말하는가, 언제 문제들에 부딪치고도 해결하지 않고 도피하는가도 알게 된다. 그런 부모들은 시간을 내서 아이들의 얘기를 들으며 사소한 문제들을 고쳐 주기도 하고, 문제에 따라 대응해서 약간 조이기도 하고 느슨히 풀어 놓아 주기도 하며, 얘기를 해주든지, 감싸 안아 주기도 하고 키스해 주기도 하고, 훈계를 하거나 등을 툭툭 쳐 격려해 주기도 한다.

그러므로 사랑이 넘치는 부모들의 훈육방식은 사랑이 없는 부모들의 훈육방식보다 질적으로 월등히 낫다. 그러나 이것은 시작에 불과하다. 넘쳐나는 사랑으로 틈틈이 아이들을 관찰하여 그들이 무엇을 필요로 하는지 생각해 볼 때, 부모는 진정으로 아이들과 함께 고민하며 괴로움을 나눌 수 있게 된다. 아이들이 이런 것을 아주 모르는 것은 아니다. 아이들은 부모들이 자기들과 함께 고통을 나누려 한다는 것을 알고 있으며, 그 당장에 고마움을 표현하지는 않을지라도 마음 속 깊이에서 부모가 얼마나 함께 고민하고 괴로워하며 문제를 해결해 나가는지 배우게 된다. 그들은 "우리 부모가 기꺼이 나와 함께 고통을 당해 준다면 고통이란 그리 어려운 것이 아닐 것이고 나도 기꺼이 그 고통을 견뎌 내야겠다."고 생각할 것이다. 이것이 바로 자기 훈련의 시작이다.

부모들이 아이들을 위해 보내는 시간, 그것이 바로 아이들이 부모로부터 얼마만큼 귀중하게 취급받고 있는가를 가늠하게 해준다. 사랑이 없는 부모들은 자기들의 사랑이 부족한 것을 감추려고 아이들에게 자주 사랑한다는 말을 기계적으로 반복해서 아이들을 소중히 여긴다고 느끼게끔 하고는 있으나 애정에 가득 찬 마음으로 아이들을 위해 시간을 내주지는 않는다. 자녀들은 결코 그런 말들에 속지 않는다. 부모들이 사랑한다고 믿기를 원하므로 의식적으로 그 말에 집착하기도 하나, 무의식적으로는 부모들이 말로만 그럴 뿐 진심과는 다르다는 것을 잘 알고 있다.

이와 반대로, 진실로 사랑을 받고 자란 아이들은 불쾌한 순간들을 겪을 때 부모가 자신을 잘 돌봐 주지 않는다고 의식적으로 느끼고 불평을 할지라도 무의식적으로는 자신이 사랑받고 있음을 알고 있다. 이것은 매우 가치있고 중요한 일이다.

아이들은 자신들이 소중히 취급되고 있다는 것을 알고, 또 그들 자신의 마음 깊이 존중받고 있다는 것을 느낄 때, 자기들이 귀중한 존재임을 깨닫게 된다.

자신을 스스로 존중하는 느낌은 정신건강의 가장 중요한 요인이며, 자기 훈련의 주춧돌이다. 이것은 부모 사랑의 직접적인 산물이다. 이러한 신념은 어렸을 때 얻어져야만 한다. 어른이 되어서 얻는다는 것은 참으로 어려운 일이다. 또한 어렸을 때 부모의 사랑을 통해 자신들이 귀중하다는 느낌을 가지게 되었을 때, 어른이 되어 파란과 곡절을 겪더라도 그러한 정신은 파괴되지 않는다. 스스로를 귀중하다고 느끼는 그런 감정이 자기 훈련의 주춧돌이 된다고 했는데, 자신이 귀중한 사람이라고 생각하는 사람은 언제나 자기를 돌보고 가꾸게 마련이다. 예를 들어—우리가 지금 즐기는 일을 뒤로 미룬다든지, 시간을 짜서 일을 순서있게 하는 것을 논하고 있으므로—시간에 대한 것을 검토해 보기로 하자. 우리 자신이 귀중하다고 생각하면, 우리의 그 시간을 유용하게 쓰고 싶게 된다. 일을 질질 끌던 경리사원의 예를 다시 생각해 보면, 그녀는 자기의 시간을 중요하게 여기지 않은 것이었다. 시간을 귀하게 여겼더라면 자신의 하루를 그렇게 불쾌하고 비생산적으로 보내지는 않았을 것이다.

이것은 그녀의 어린 시절과 관련이 있다. 그녀의 부모들이 조금만 성의가 있었다면 그녀를 잘 돌볼 수 있었을 텐데 그러지 않고 방학만 되면 그녀를 아이들을 돌봐 주는 시골 캠프 비슷한 데로 보내곤 했던 것이다. 그녀의 부모는 어린 딸을 소중하게 돌봐 주지 않았다. 그래서 그녀는 스스로를 가치없는 존재라고 느꼈고 자신을 잘 가꾸지도 않았다. 그녀는 자신을 훈련시킬 가치가 없다고 느꼈던 것이다. 그녀가 분명히 지적이고 유능함에도 불구하고, 자기 훈련에 있어서는 아주 저급한 초등학교 교육 수준으로 보이는 이유는 자기 자신과 자기 시간을 존중할 수 없었기 때문이다. 일단 그녀가 자신의 시간이 귀중하다고 지각할 수 있게 되자, 자연스럽게 시간을 계획적으로 짜기를 원하게 되었고, 그렇게 함으로써 시간을 최대한 유용하게 쓰게 되었다.

어린 시절에 부모의 사랑과 보살핌을 받은 행복한 아이들은 성년기에 들어서도 그들 자신의 소중함뿐만 아니라 내적 안정감을 깊이 느끼게 된다. 대개의 아이들은 버림받을까봐 두려워하는데 거기에는 정당한 이유가 있다. 버림받는 것에 대한 이런 공포는 대개 아기가 6개월째 접어들 무렵, 즉 자신이 부모와 분리된 별개의 개체라는 것을 인식할 수 있을 때부터 시작된다. 개체로서 자신을 인식한다는 것은, 개체로서의 자신은 무력하고 전적으로 의존적이어서 자기 자신을 생존시키고 유지하기 위해서는 부모에게 완전히 의존할 수밖에 없다고 지각하게 된다는 뜻이다. 어린아이에게 있어서 부모로부터 버림을 받는다는 것은 죽음과 마찬가지이다. 대개의 부모들은 때로 다소 무지하고 냉담할 때가 있기는 해도, 본능적으로 아이들의 버림받는다는 것에 대한 공포에는 민감해서 매일매일 수십 수백 번씩 되풀이해서 아이들에게 확인시켜 준다.

"엄마 아빠가 너 혼자 내버리고 가지 않는다는 거 알지?"

"물론, 엄마 아빠가 돌아와서 너를 데려갈 거야."

"엄마 아빠가 너를 잊어버리지는 않을 거야."

이런 말들이 시간이 지나서도 여전히 행동과 일치하면 아이들이 자라 소년기가 되면 어느새 버림받는 것에 대한 공포는 잊어버리게 되고, 대신 마음 속 깊이 세상은 안전한 곳이고, 필요할 때에는 보호받을 수 있을 것이라는 느낌을 갖게 된다. 이렇게 세상이 언제나 안전하다고 깊이 느끼는 아이들은 자유자재로 즐거운 일을 뒤로 미룰 수 있고, 부모와 함께 했던 가정에서처럼 필요할 때면 언제라도 즐거운 시간을 가질 수 있다는 안정감을 갖게 된다.

그러나 많은 아이들은 이렇게 행복하지 못하다. 실제로는 대부분의 아이들은 부모가 죽거나 혹은 말 그대로 버림받거나 앞에서 이야기한 경리사원의 경우처럼 사랑의 결핍과 같은 형태로 부모들로부터의 버림을 경험하게 된다. 또 어떤 경우에는 실제로 버림받지는 않았어도 부모들로부터 버림받지 않을 거라는 재확인을 받지 못한다. 어떤 부모들은 아이들을 훈련시킬 목적으로 '버리고 간다'는 위협을 공공연하게 사용하곤 한다. 그런 부모들이 아이들에게 주고자 하는 의미는 대개 이런 것이다.

"내가 하라는 대로 하지 않으면, 나는 너를 더 이상 사랑하지 않을 테야. 그게 무얼 의미하는 것인지 알겠지? 자, 그렇다면 이제 네가 해야 할 일은 뭐지?"

이런 부모가 시키는 대로 하지 않을 때 오는 결과가 무엇일까? 어린아이에게 있어서 그것은 버림받는 것이고, 죽음을 뜻하는 것이다.

이런 부모들은 자기 아이들을 조종하고 지배하려고 사랑을 희생시키는 것이고, 그 대가로 아이들은 장래에 대해 엄청난 공포심을 갖게 된다. 이런 아이들은 심리적으로 늘 버림받았다고 느끼기도 하며 세상이 안전하고 보호받을 수 있는 장소라는 믿음 없이 성인이 된다. 따라서 그들은 오히려 세상이란 위험하고 무섭다고 인식하게 되고, 현재의 어떤 즐거운 일이나 안전한 일을 미래에 약속된 어떤 즐거운 일이나 안전한 일을 위해 결코 양보하려 하지 않는다. 그들에게 미래란 참으로 의심스러운 것이기 때문이다.

한마디로 말하자면, 아이들에게 즐거운 일들을 나중에 할 수 있는 능력을 길러 주려면, 부모 자신이 자기 훈련이 잘된 역할 모델이 되어 주어야 한다는 것이다. 아이들이 자기 존중감, 자기들의 실존에 대한 안전감을 가지게 하려면, 부모들이 단순히 기계적으로 함께 시간을 보내는 것이 아니라 일관성있고 변함없는 진지한 관심과 사랑을 베풀어야만 한다. 이것이야말로 부모들이 자식들에게 줄 수 있는 가장 귀중한 선물이다. 이런 선물을 부모로부터 못 받는 경우에는 다른 데서 얻을 수도 있다. 하지만 그런 경우 그것들을 획득하는 과정이란 항상 힘에 부치는 투쟁의 과정이 되고, 때에 따라서는 평생이 걸리기도 하며, 혹은 평생 걸려서도 얻지 못하는 경우도 있다.

문제 해결에는 시간이 필요하다

지금까지는 부모들의 사랑이 충만하거나 결핍될 때 그것이 아이들을 양육하는 데 주는 영향을 살펴보았으며, 특히 즐거운 일을 뒤로 미룰 수 있는 능력을 길러 주는 데 사랑이 아주 중요한 역할을 함을 알아보았다. 그러면 여기서는 이 즐거운 일을 나중에 하도록 훈련시키는 데 문제가 있을 경우 어른이 되었을 때 어떻게 되는가를 살펴보기로 하자.

우리들 대부분은 다행히도 즐기는 일을 뒤로 지연시킬 수 있는 역량을 충분히 길러서 고등학교나 대학을 마치고 감옥에 붙잡혀 간 적 없이 성년기에 들어서긴 했어도, 우리가 길러 온 역량은 대체로 불완전하고 미숙하다. 그러므로 삶의 문제들을 해결하는 능력 또한 아직 불완전하고 미숙하다.

서른일곱 살에 이르러서야 나는 겨우 물건 수리를 어떻게 하는가를 알게 되었다. 그전에 내가 할 수 있었던 일은 배관 수리라든지 장난감을 고치는 일, 상자에 담겨 오는 가구들에 대해 그 설명서 쪽지만 믿고 맞추는 일이 고작이었는데, 그것도 나중에는 혼란스러워하면서 끝마무리도 짓지 못한 채 포기하곤 했었다. 의과대학을 제대로 마치고 다소 성공적인 정신과 의사로서 가정을 꾸리고 있음에도 불구하고 나는 자신이 수리하는 데는 전혀 소질이 없다고 생각했다. 심지어 내 유전인자에 어떤 문제가 있다고까지 생각했다. 어떤 자연법칙에 따라 저주를 받기라도 해서 내게는 선천적으로 기계를 잘 다루지 못하는 특질이 유전된 것이 아닌가 생각했다. 그런데 서른일곱 살이 끝나 가던 무렵, 어느 봄날의 일이다. 일요일에 산책을 하고 있는데 이웃집에서 풀 깎는 기계를 수리하고 있는 것을 보고 인사를 했다.

"참 장하시오. 나는 그런 종류의 일은 하나도 할 줄 모르는데."

그런데 이웃 친구는 내 말이 끝나자마자 퉁명스럽게 쏘아 붙이는 것이었다.

"시간을 들여 해보려 하지 않기 때문이죠 뭐."

마치 도사처럼, 단순하고 아무런 주저도 없이 정확하게 말하는 그의 대답에 나는 아무 말도 하지 못하고 묵묵히 산보를 계속했다.

'그 사람 말이 맞지, 그렇지?' 하고 나는 자문해 보았다.

어쩐지 그것이 잊혀지지 않고 기억 속에 남아 있다가 조그만 수리를 해야 할 일이 생겼을 때 되살아났다.

어떤 환자의 자동차가 브레이크 고장으로 움직이지를 않고 있을 때였다. 그녀는 무엇을 잠깐 만지기만 하면 곧 움직이게 할 수 있다는 것을 알고 있었으나 그게 무엇인지를 모르고 있었다. 그래서 나는 차 앞자리의 바닥에 누워서 편안한 자세를 취했다. 그리고 천천히 시간을 들여 어떻게 된 것인가 살펴보았다. 몇 분을 들여다보았다. 먼저 줄들과 튜브와 연결 막대들이 서로 엉켜 있는 모습이 보였다. 나는 도무지 그게 어떻게 돌아가는지 알 도리가 없었다. 그러나 브레이크 기계장치를 눈여겨보니, 곧 그것이 어떻게 연결되어 있는지를 알아볼 수가 있었다. 자세히 들여다보니 거기에 조그만 걸쇠가 있었는데 그것이 브레이크가 풀리는 것을 막아 주는 것이 분명했다. 이 걸쇠가 어떻게 된 것인가 천천히 궁리해 본 결과 손가락 끝으로 그것을 위로 올리면 쉽게 움직여서 브레이크를 풀어 주리라는 것을 알게 되었다. 그래서 그렇게 해보았다. 단 한 번의 움직임으로, 손가락 끝으로 누름으로써 문제는 해결되었다. 나는 최상급 수리공이 된 것이다. 실제로 나는 기계 수리를 할 만한 지식도 없었고 그걸 배울 시간도 없었다. 사실 나는 내 시간을 기계 만지는 일이 아닌 다른 일에 투자해 왔었다. 그래서 나는 언제나 기계에 문제가 생기면 가까운 수리공에게 뛰어가는 것이 예사였다. 그러나 이제는 내가 그렇게 된 것은 단순히 내 선택의 결과일 뿐, 내가 벌을 받아서라든지, 유전인자에 결함이 있어서라든지, 혹은 처음부터 무능해서 그런 거라고 생각하지 않는다. 그래서 이제는 시간을 들여서 해볼 마음만 있으면 무슨 문제든지 해결할 수 있다는 것을 믿는다.

기계 고치는 데 시간을 들이지 않았기 때문에 내가 수리공으로서 역량이 부족한 것과 마찬가지로, 어떤 이들이 정신적 문제를 안고 있는 것은 그들이 인생에서 필요한 지적이며 사회적이고 영적인 많은 문제들을 해결하기 위한 시간을 내지 않고 있기 때문일 것이다.

시간을 들여 해보라는 이웃집 친구의 충고를 듣기 전이었다면, 아마도 나는 내 환자의 자동차 계기판 밑에 내 머리를 어색하게 들이대고 무얼 어떻게 해야 좋을지 몰라 여러 가지 줄들을 대충 잡아당겨 보고는 쉽게 손들어 버렸을 것이다. "이건 도저히 내가 할 수 없어." 하고 고개를 저으며 말이다. 마찬가지로 많은 사람들은 매일매일 삶의 다른 문제들을 이런 식으로 접한다. 앞에 말한 경리사원을 보면, 그녀는 근본적으로는 사랑이 많고 헌신적이지만, 두 어린아이에게는 무능한 어머니였다. 그녀는 아이들에게 주의 깊게 관심을 쏟고 있어서 그들에게 어떤 심리적 문제가 생겼을 때나 자기가 아이를 기르는 데 무엇인가 잘못되고 있을 때에는 금방 알아챈다. 그러나 그럴 때 그녀가 아이들에게 취하는 대응이란 생각나는 대로 아무렇게나 일상습관을 바꾸게 하는 정도이다. 즉 애들에게 아침밥을 더 많이 먹인다든지 혹은 일찍 잠자리에 들게 한다든지 하는 것이다. 그런 조치들이 아이들의 문제행동과 아무런 상관이 없는데도 말이다. 그런 다음 그녀는 치료 시간에 나에게 와서는 실망해 가지고 "나는 도저히 해결할 수 없으니 어떻게 하면 좋지요?" 라고 한다. 그녀는 냉철하고 분석적인 능력이 뛰어나서, 일을 질질 끌지 않을 때에는 자기 직장에서 복잡한 일들도 곧잘 해결했다. 그러나 개인적인 문제를 당했을 때에는 완전히 이성을 잃은 사람처럼 행동했다.

문제는 시간에 있다. 일단 개인적인 문제라는 것을 알게 되기만 하면 그녀는 당황해서 어쩔 줄 몰라하면서 즉각적으로 문제를 해결해 버리려고 한다. 그녀는 문제를 분석해 볼 수 있는 충분한 시간을 가지고 불안감을 견뎌 내려고 하지 않았다. 그녀에게는 문제를 해결하는 것이 즐거운 일이어서, 이 일을 단 몇 분도 지체할 수가 없었다. 그 결과 그녀의 성급한 해결책은 부당하기가 일쑤였고, 그래서 그녀의 가족들은 만성적인 혼란에 빠지게 되었던 것이다. 다행히도 그녀 자신이 인내심을 가지고 치료를 꾸준히 받아, 차츰 가족 문제를 분석하는 데 필요한 시간을 충분히 내어 심사숙고하는 태도를 배울 수 있게 되었고, 이후에는 효과적인 해결 방법들을 찾을 수 있게 되었다.

나는 여기서 문제를 해결해 나가는 과정에서 은근슬쩍 드러나는 작은 결함들이 정신장애를 지닌 사람들에게서만 발견되는 것이라고 얘기하고 있는 것이 아니다. 그 경리사원의 경우는 우리 모두의 모습의 일면이라고 할 수 있다. 우리 중에 누가, 가정에서 아이들 문제나 긴장되는 삶의 문제들에 대해 심사숙고하면서 해결하려고 노력했다고 할 수 있겠는가? 아무리 자기 훈련이 잘된 사람이라도 가족 문제에 직면하게 되었을 때 "이것은 내 능력 밖이야. 어쩔 도리가 없어."라고 한번쯤 포기해 보지 않은 사람이 있겠는가.

그런가 하면 어떤 사람들은 문제 해결을 시도하기도 전에 체념해 버리기도 하는데, 이것은 즉각적인 해결책을 찾으려고 서두르다가 적절치 못한 시도를 하는 것보다도 더 어리석고 파괴적인 것이다. 그러한 패배의식은 누구에게서나 나타나고 있고 세계 어디를 가나 마찬가지다. 이는 문제가 저절로 사라져 버리기를 바라는 소극적인 태도이다.

한 조그마한 마을에 집단치료에 참여하는 서른 살의 총각 외판사원이 있었다. 그는 같은 집단치료 멤버인 한 은행가의 전부인과 데이트를 하기 시작했다. 그 외판사원은 은행가가 화를 잘 내는 사람이라는 것과, 부인이 자기를 버리고 간 것에 대해 얼마나 분개하고 있는가를 알고 있었다. 또한 그는 은행가 부인과의 은밀한 관계를 숨기고 있는 자기 자신이 그 집단에게나 은행가에게 잘못을 저지르고 있는 것임을 잘 알고 있었다. 그는 조만간 그 은행가가 그들의 관계를 알게 될 것이 분명하다는 사실도 알고 있었다. 뿐만 아니라 그는 그 해결책으로, 그녀와의 관계를 집단에게 고백함으로써 집단의 지지를 얻고 그것으로 은행가의 분노를 풀어 내야 한다는 것도 알고 있었다.

그러나 그는 아무 것도 하지 않았다. 3개월 후에 그 은행가는 외판사원과 자기 부인 사이의 친밀한 관계를 알게 되었고 예상했던 대로 분개했으며, 그로 인해 집단치료도 그만 두고 말았다. 집단 멤버들이 그의 파괴적인 행동에 대해 문제를 삼자, 그 외판사원은 이렇게 말했다.

"그 얘기를 하는 것이 얼마나 시끄럽고 복잡한 문제를 일으키게 될까를 상상하니 두려웠습니다. 그리고 혹시 내가 가만히 있으면 아무런 일도 일어나지 않고 그냥 넘어갈 수 있지 않을까 하는 생각이 들었어요. 내가 아무 말도 않고 있으면 언젠가는 문제가 그대로 사라져 버릴 것이라고 생각했던 것입니다."

문제란 그대로 사라져 버리지 않는다. 문제들은 직면해서 해결을 하지 않으면 그대로 남는 것이며, 영원히 정신적인 성장과 발전의 장애물이 되고 만다.

그 집단의 멤버들은 외판사원에게, 당신의 근본적인 문제는 '문제가 저절로 사라져 버리기를 바라면서 문제를 무시해 버림으로써 문제 해결을 피하려 했던 바로 그 점' 에 있다고 지적해 주었다.

넉 달이 지난 이른 가을이었다. 그 외판사원은 갑자기 직장을 그만 두고 가구 수리업을 시작하면서 자기 소원을 성취했다고 떠들어 댔다. 집단의 멤버들은 그가 가진 것을 모두 쏟아 부어 사업을 시작하는 것에 대해 안타까워하며 겨울이 닥쳐오는데 직장을 바꾸는 짓이 현명한 것인지 의문을 제기했다. 그는 새 사업을 잘 꾸릴 수 있다고 장담했다. 그런데 이듬해인 2월 초에 더 이상 치료 비용을 낼 수가 없어 집단치료를 그만 두어야겠다고 말했다. 그는 일전 한 푼 없이 망해서 다른 직장을 구하지 않으면 안 되었던 것이다.

5개월 동안 그는 통틀어 8개의 가구만을 수리했을 뿐이었다. 왜 미리 다른 직장을 찾아보지 않았느냐고 물었더니 그는 대답하기를,

"6주 전에 나는 내 돈이 점점 줄어들고 있다는 것을 알았지만, 이 지경에까지 이르리라고는 믿지 않았습니다. 모든 일이 그렇게 절박하다고 생각지 않았는데…… 아, 참 이젠 정말 절박하군요."

그는 당면한 문제를 또다시 무시해 버린 것이다. 그리고 서서히 깨닫게 되었다. 문제를 무시해 버리는 그의 문제를. 그는 이러한 문제를 해결하기 전에는 한 발자국도 앞으로 나아갈 수 없을 것이며, 어떤 치료도 효과를 거두지 못할 것임을 인식했다.

문제를 무시해 버리는 이러한 태도는, 다시 말해 즐거운 일을 뒤로 미루겠다는 의지가 없다는 것을 표현한 것이다.

문제에 직면한다는 것은 이미 말했듯이 고통스러운 일이다. 직면

한 상황 때문에 어쩔 수 없이 문제를 다루지 않으면 안될 상태에 이르기 전에, 미리 기꺼운 마음으로 고통스런 문제를 대면하는 것은 즐거운 일들을 나중으로 제쳐 놓는다는 말과 같다. 이것은 앞으로 즐거운 일을 즐기게 되기를 기대하면서 현재의 고통을 자발적으로 택하는 것이기도 하다.

외판사원의 경우, 그가 이렇게 환히 보이는 문제들을 무시했던 것은 심리적으로 미숙했거나 정신적으로 나약했기 때문이다. 그러나 이러한 모습은 그 사원만이 지닌 특징이 아니다. 우리 모두에게도 그와 같은 미숙함과 나약함이 숨겨져 있다.

한 육군 참모총장이 내게 이런 얘기를 해준 적이 있다.

"군대에서 가장 큰 문제는, 참모들이나 대부분의 지휘관들이 문제를 가만히 앉아서 들여다보고만 있다는 것입니다. 그들은 그렇게 들여다보고 있으면 언젠가는 문제들이 저절로 사라질 것처럼 생각하고 아무 것도 하지 않는 것입니다."

이 장군은 정신적으로 약하거나 정신장애를 지닌 사람에 대해 이야기하고 있는 것이 아니다. 그는 유능하다고 인정받고 군대에서 철저히 훈련을 받은 능숙한 여러 대령과 장군들에 대해 이야기하고 있는 것이다.

부모들도 이와 같은 지휘관에 비유할 수 있는데, 대부분의 부모는 부모로서의 역할을 충분히 수행해 낼 만한 준비가 부족하다. 그럼에도 불구하고 그들의 역할은 회사운영만큼이나 복잡하다. 그런데 대개의 부모들은 앞서 말한 군대의 지휘관들처럼 아이들에게 무슨 문제가 있거나 아이들과의 관계에서 무슨 문제가 생겼다는 것을 알면서도 수개월, 혹은 수년이 지나서야 효과적인 행동을 취하고자 하면서 이렇게 말한다.

"우리는 아이가 크면 저절로 해결되리라고 생각했어요."

이것은 오랫동안 문제를 방치해 두었다가 문제행동이 심각해지고 나서야 정신과 의사에게 찾아와 도움을 구하는 대부분 부모들의 모습이다. 부모의 역할이 어려운 것은, 부모가 결단을 내리는 것이 어려울 뿐 아니라 아이들이 자라면서 문제가 그냥 없어지는 경우도 더러 있기 때문이다. 어쨌든 문제가 없어지도록 도와주는 데 힘쓰고 문제를 더 가까이 주시해 보는 것은 아이들한테 해롭지 않을 것이다.

자라면서 문제가 사라지는 경우가 있다고 해서 아이들의 문제를 오랫동안 무시해 버린다면, 문제는 더욱더 커지고 더 고통스럽게 되어 해결하기가 훨씬 어려워진다는 것을 명심해야 할 것이다.

책임진다는 것

문제를 악화시키지 않기 위해서는 삶의 문제들을 그때그때 해결해 나가는 것 이외에는 별다른 방도가 없다. 이런 얘기는 말 같지도 않은 뻔한 얘기로 들릴지도 모르나, 대부분의 사람들은 아직도 이것을 미처 깨닫지 못하고 있다. 그 이유는 우리가 문제들을 해결하기 전에 먼저 그것에 대한 책임을 받아들여야 하기 때문이다. "그건 내 문제가 아니야." 하는 식으로는 문제를 해결할 수 없다. '다른 사람이 해결해 주겠지.' 하는 생각으로는 문제 해결이 안 된다. 오로지 "이것은 내 문제이고, 이를 해결하는 것도 내게 달렸다."고 말할 때에만 그 문제를 해결할 수 있는 것이다.

그런데 대개의 사람들은, "이 문제는 다른 사람들, 혹은 내가 조정할 수 없는 사회적 상황 때문에 생긴 것이므로, 다른 사람들이나 사회가 나를 위해 이 문제를 해결해 주어야 한다. 이것은 정말로 나 개인의 문제가 아니다."라고 말함으로써 자기 문제로 인한 고통을 회피하려고 한다. 사람들은 심리적으로 자기의 문제에 대해 지나치게 비참해하거나 우스꽝스러울 정도로 책임지는 것을 피하려 하고 있다.

오키나와에 주둔했던 한 직업군인은 지나친 음주 문제로 진단과 치료를 받고자 나를 찾아왔다. 그 군인은 자신이 알콜중독자라는 것을 부인할 뿐만 아니라 술 마시는 것이 자신의 문제라는 것도 부인하면서 다음과 같이 말했다.

"오키나와에서 저녁에 할 수 있는 일은 술 마시는 일 이외에 아무것도 없습니다."

"독서를 좋아하십니까?" 하고 나는 물었다.

"그렇고말고요. 독서, 참 좋아하지요."

"그럼 왜 술 마시는 대신에 저녁에 독서를 하지 않습니까?"

"영내에서 독서를 하기에는 주위가 너무 시끄러워서요."

"그러면 왜 도서관에 가지 않습니까?"

"도서관은 너무 멀어서요."

"도서관이 술집보다 더 멀리 있습니까?"

"글쎄, 사실 저는 책을 그리 많이 읽지 않습니다. 책 읽는 데는 취미가 없거든요."

"낚시질을 좋아하십니까?"

"그럼요, 낚시를 좋아하지요."

"그런데 왜 술 대신 낚시를 하지 않습니까?"

"하루 종일 일을 해야 되는걸요."

"밤에 낚시하러 갈 수 있잖아요."

"아니죠, 오키나와엔 밤에 낚시할 만한 곳이 없지요."

"밤낚시 모임이 몇 군데 있는 것으로 아는데요. 내가 그 사람들을 소개해 드릴까요?"

"뭐, 그다지 낚시를 좋아하는 것도 아닌데요 뭘."

이때 나는 분명히 따져 말했다.

"당신 말에 의하면 오키나와에서 술 마시는 일 이외에 다른 할 일이 없어서가 아니라, 있기는 있는데 다 하기 싫고, 당신이 제일 즐기는 일은 술 마시는 일이라는 거죠?"

"네 그런 것 같아요."

"그럼 술이 문제군요. 이제 진짜 문제가 무엇인가를 직면하게 되었군요. 그렇죠?"

"이 빌어먹을 놈의 섬이 누구든 술을 마실 수밖에 없게 만든다구요."

나는 얼마 동안 계속 노력해 보았으나, 그 군인은 술 마시는 것이 누구 탓이 아니라 자기가 마음만 바꾸면 해결할 수 있는 개인적 문제라고는 털끝만치도 생각지 않았다. 그래서 나는 안타깝지만, 그의 사령관에게 그는 도움을 주어도 고칠 수 없는 상태라고 말해 주었다. 그는 계속해서 술을 마시다가 결국 퇴역당하고 말았다.

역시 오키나와에 있던 한 젊은 부인의 일인데, 그 부인은 손목을 면도칼로 살짝 그어서 응급실로 실려 왔다. 나는 왜 이런 짓을 했느냐고 그 부인에게 물었다.

"물론 자살하려고 그랬죠."

"왜 자살하려고 했습니까?"

"이 섬이 답답해서 견딜 수가 없었어요. 미국으로 나를 돌려보내주세요. 여기에 더 있어야 한다면 난 죽어 버리겠어요."

"오키나와에서 사는 게 뭐가 그리 괴롭습니까?" 내가 묻자 그 부인은 울기 시작했다.

"여기엔 친구가 하나도 없어요. 항상 나 혼자거든요."

"그것 참 안됐군요. 왜 친구를 못 사귀셨습니까?"

"저 바보 같은 오키나와인 거주지역에서 살아야만 했기 때문이에요. 이웃사람 중에 영어를 하는 사람이 하나도 없어요."

"미국인 거주지역으로 놀러 가든지, 낮에 주부클럽에 가서 친구를 사귈 수도 있었을 텐데 그러세요?"

"우리 남편이 직장에 차를 가지고 가기 때문이에요."

"남편을 직장에 데려다 줄 수도 있잖아요? 혼자 집에서 하루 종일 지루하실 텐데."라고 나는 말했다.

"차가 오토매틱이 아니라서 운전을 못해요. 나는 오토매틱밖에 운전할 줄 모르거든요."

"그럼 수동기어 조정법을 배우면 되지 않겠습니까?"

그러자 그 부인은 눈을 부릅뜨고 "이렇게 험한 길에서요? 정신나갔군요." 하면서 화를 벌컥 내는 것이었다.

노이로제와 성격장애

정신과 의사를 찾아오는 대개의 환자들은 모두가 노이로제(신경증)가 아니면 성격장애로 고생하는 사람들이다. 더 간단히 말해서 이 두 경우에 속하는 사람들은 책임지는 것에 대해 병적 장애를 가진 사람들이다. 그런데 삶의 문제들을 대하는 데 있어서 이들은 서로 상반되는 태도를 가지고 있다. 신경증인 사람들은 너무 책임을 지려 하고, 성격장애인 사람들은 응당 져야 할 책임을 지지 않으려 한다. 신경증 환자들은 세상과의 갈등이 생겼을 때 자기들에게 잘못이 있다고 생각한다. 그러나 성격장애의 사람들은 세상과 대결할 때 세상이 잘못됐다고 치부해 버린다.

내가 앞서 예로 들었던 두 사람은 모두 성격장애에 속한다. 즉 직업군인의 경우 그는 술 마시는 문제를 오키나와 탓으로 돌리고 자기는 잘못이 없다고 생각했으며, 부인의 경우도 역시 자신의 고독한 상태에 대해서 자신은 아무런 책임이 없다고 믿고 있었다.

마찬가지로 오키나와 섬에서 외로움으로 인해 신경증을 일으켰던 다른 한 부인은 이렇게 호소했다.

"나는 장교 부인 클럽에 매일 차를 몰고 가서 친구가 돼보려고 노력했지만, 거기서 별로 편안한 기분을 못 느꼈어요. 다른 부인들이 나를 좋아하지 않는다고 생각했어요. 무엇인가 내게 잘못이 있는 게 틀림없어요. 친구를 더 쉽게 사귈 수도 있을 텐데. 내가 더 활발해져야만 되겠지요. 나의 어떤 점이 나를 이렇게 인기 없게 만드는지 알고 싶어요."

이 부인은 자신의 고독이 전적으로 자기 책임이라고 탓하고 있었다. 그 부인의 치료 과정에서 알아낸 것은 그녀는 아주 영리하고 야심적인 사람이기 때문에 남편은 물론 다른 군인의 부인과도 원만하지 못하다는 사실이었다. 그러는 동안 그 부인은 자기의 고독함을 볼 수 있게 되었고 자기 문제가 꼭 자기 자신의 잘못이나 결함에서 기인된 것만은 아니라는 것을 알게 되었다. 결국 그녀는 이혼했고, 아이들을 키우면서 대학을 마치고 어느 잡지사의 편집인이 되더니, 나중에는 괜찮은 출판인과 재혼했다.

신경증과 성격장애를 가진 사람들 사이에는 말투에서도 서로 차이가 있다. 신경증인 사람들은 "내가 꼭 해야 했는데.", "내가 해야 할 도리였는데.", "내가 해서는 안 되었는데." 등의 말투로 알 수 있다. 이들은 한 개인의 자기 이미지를 열등한 존재로 자각하며, 자신은 항상 수준미달이라고 비하한다.

그러나 성격장애인 사람들의 말투를 보면 "나는 할 수 없어.", "나는 어쩔 수 없었어.", "나는 꼭 이렇게 해야만 돼.", "나는 꼭 이렇게 할 수밖에 없었어."라는 말을 자주 쓰는데, 이는 전혀 선택권이 없는 존재로서 자신을 받아들이고 있음을 보여 준다. 이는 그의 행동이 자신이 아닌 외부에서 오는 힘에 의해 좌우되고 있음을 암시한다.

신경증인 사람들은 성격장애인 사람들에 비해 쉽게 치료된다. 왜냐하면 그들은 어려움에 대해 책임을 지려 하고 자신에게 문제가 있다는 것을 알고 있기 때문이다.

성격장애를 가진 사람들도 치료가 불가능한 것은 아니지만, 신경증보다 다루기가 더 어려운 이유는 그들이 문제의 근본 원인을 인정하려 하지 않고 자기 자신보다도 오히려 세상이 변해야 한다고 믿고 있기 때문이다. 그래서 성격장애자들은 자신을 분석 · 진단할 필요를 인식하지 못한다.

실제로는 많은 사람들이 신경증과 성격장애를 둘 다 가지고 있는데, 이들을 '성격신경증 환자'라고 한다. 이들의 특징은 삶의 어떤 부분에서는 참으로 자기들의 책임도 아닌데 책임을 지려 함으로써 죄책감에 휘말려들게 되고, 그 반면에 다른 부분에서는 자기들을 위한 현실적 책임을 다하지 못한다는 것이다. 다행스럽게도 그런 사람들은 일단 정신치료를 받으면서 자신에 대한 신뢰를 얻게 되면, 그들 성격 중 신경증 부분을 적절하게 격려해 줌으로써 책임을 회피하려는 행동을 교정하는 것이 가능해진다. 우리들 대부분도 어느 정도의 신경증이나 성격장애는 피할 수 없다.

근본적으로 누구든지 진지하게 치료 과정에 참여할 용의만 있다면 정신치료의 혜택을 받을 수 있다. 우리가 경험하는 매일매일의 일상사 중에서 우리의 책임이 무엇이며, 또 무엇이 우리 책임 밖의 것인가를 분간하는 문제가 인간 실존의 가장 큰 문제인데, 그것을 완전히 해결할 수는 없다. 우리는 살아가는 동안 끊임없이 변화하는 과정에서 책임을 어디에 둘 것인지 평가하고 또 재평가해야만 한다. 이 평가와 재평가를 제대로 성실하게 하고자 하면 거기에는 반드시 고통이 따른다. 이러한 각각의 과정을 제대로 이행하기 위해서는 자기 자신을 스스로 돌이켜보고 반성하는 습관을 지니도록 노력해야만 한다. 이것은 선천적으로 주어진 능력이 아니기 때문이다.

어떤 의미로 보면 아이들은 모두가 성격장애를 가지고 있다. 아이들은 본능적으로 자신들이 당하는 혼란에 대해 책임지지 않으려고 한다. 가령 두 형제가 싸움을 할 때 서로 싸움의 책임이 상대방에게 있다고 주장하거나, 두 사람 모두 책임을 완강히 부인하는 것이 한 예다.

마찬가지로 아이들은 모두 신경증도 가지고 있는데, 그들은 체험하는 어떠한 경험에서도 아직 상황을 제대로 이해도 못하면서 자진해서 책임을 지려 한다. 그러므로 부모로부터 사랑을 받지 못한 아이는 항상 자기 자신이 사랑받을 가치가 없는 존재라 여기며, 부모가 사랑하는 능력이 부족하다고는 생각지 않는다. 혹은 사춘기 초에 아직 데이트나 스포츠에 능하지 못한 아이들은—늦게 피는 꽃과 같이 좀 늦지만 분명히 정상적으로 성장하고 있음에도 불구하고—자신들을 어떤 심각한 결함이 있는 존재라고 생각한다.

우리가 세상을 직시하고, 또 그 세상 속에서 자신의 위치를 현실적으로 볼 수 있는 능력은 많은 경험과 오랫동안의 성공적인 성숙 과정 속에서 이루어진다. 이렇게 해서 우리 자신과 세상에 대한 책임이 무엇인지 냉철하게 판단할 수 있게 되는 것이다.

부모들은 아이들이 경험하는 이러한 성숙 과정에 많은 도움을 줄 수 있다. 부모는 아이들이 자신들의 행동에 대한 책임을 회피하려 할 때 이를 지적해 줄 수도 있고, 그들의 잘못으로 인한 것이 아니라는 것을 아이들에게 재확인시켜 줄 수도 있다. 그러나 이런 기회들을 놓치지 않으려면 앞에서 이야기했던 것처럼 아이들에게 결핍된 것이 무엇이며 필요한 것이 무엇인가를 부모들이 예민하게 알아차려야 하고 기꺼이 시간을 내 귀찮더라도 아이들의 요구를 충족시켜 주도록 노력하는 자세가 필요하다. 이것은 다시 말해서 사랑이 필요하다는 것이고, 아이들의 성장을 북돋워 주기 위해 부모로서 적절한 책임을 지는 것이 필요하다는 것이다.

그러나 무감각하고 소홀한 태도를 지닌 부모들은 오히려 아이들의 성장 과정에 장애를 주는 경우가 많다.

신경증 환자들은 자기들이 솔선해서 책임을 지려는 사람들이므로 훌륭한 부모가 될 수 있을지도 모른다. 그러나 그것도 신경증적 갈등이 별로 심하지 않거나 불필요한 책임감에 심하게 짓눌려 있지 않아, 부모로서 마땅히 져야 할 책임을 질 만한 여력이 남아 있어야 한다.

한편, 성격장애인 사람들은 십중팔구 자식을 비참하게 만드는 부모가 된다. 그들은 자신도 모르는 사이에 자녀들을 잔인하게 다루고 있기 때문이다.

"신경증 환자들은 자기 자신을 못살게 굴고, 성격장애자들은 자기 이외의 사람들을 모두 못살게 군다."는 말이 있다. 성격장애의 부모들이 제일 못살게 구는 상대가 바로 그들의 아이들이다. 일상생활의 모든 면에서와 마찬가지로 부모 노릇 하는 데에서도 적절한 책임을 져야 하는데 이것을 하지 못하는 것이다. 그들은 아이들의 필요에 따라 돌보아 주기보다는 갖가지 핑계를 대면서 아이들에 대한 책임을 회피한다. 자기 아이들이 태만하거나 학교에서 문제를 일으키게 되면 성격장애의 부모들은 그것이 학교와 다른 아이들 때문이라고 비난할 것이다.

물론 이런 태도는 문제를 무시하는 것이다. 책임을 다른 데다 떠넘기기 때문에 이런 성격장애의 부모들은 아이들에게 무책임한 역할을 하는 모델로 나타나게 된다. 자신들의 삶에서 책임을 회피하는 성격장애의 부모들은 결국 이런 책임을 자기 아이들의 어깨에 지우기도 한다.

"애들아, 너희들이 정말 나를 미치게 하는구나."라고 하지 않으면,

"내가 너희 아버지(어머니)하고 이혼하지 않고 그대로 사는 건 오직 너희들 때문이다."라든지,

"너희 엄마가 신경쇠약이 된 건 무엇 때문인지 아니? 너 때문이란다."

혹은

"너를 돌보지 않아도 됐더라면, 대학을 졸업하고 성공할 수 있었을 텐데." 등등.

이런 식으로 그들은 모든 문제를 결국 자기 아이들 탓으로 돌리고 만다.

"내 결혼생활이 이 모양인 것도, 내 정신이 건강하지 못한 것도, 내가 성공하지 못한 것도 다 네 책임이야."

아이들은 이런 것이 얼마나 부당한 것인지 판단할 능력이 부족하

기 때문에 이런 책임을 그대로 받아들인다. 아이들이 이런 책임을 받아들이는 한 그들은 신경증 환자가 될 위험성이 크다.

이런 식으로 성격장애의 부모들은 또 다른 성격장애나 신경증의 아이들을 낳게 된다. 부모들이 자신의 죄를 자녀들에게 돌린다는 것은 결국 부모로서의 역할을 다하지 못한다는 것이다.

성격장애자들은 똑같은 성격 특징을 결혼생활이나 친구관계에서, 그리고 사업관계에서도 보여 준다. 그러므로 그들이 삶의 모든 부분에서 책임을 완수하지 못하는 것은 필연적인 결과다. 이미 말한 것처럼 어떤 문제이든 문제의 주체인 당사자가 이 문제에 대하여 책임을 지기 전까지 그 문제는 도저히 해결될 수 없다.

성격장애자들이 자기들 문제에 대해 외부―배우자, 자녀, 친구, 부모, 고용인, 환경, 학교, 정부, 인종차별주의, 남녀차별, 사회제도―로 책임을 돌리며 비난하는 한 문제들은 해결되지 않은 채 남아 있을 것이며, 아무 것도 성취할 수 없게 될 것이다. 자기들의 책임을 내던져 버림으로써 그들 자신은 편안할지 모르나 삶의 문제를 해결하는 일을 포기함으로써, 영적 성장이 멈추게 되고, 사회는 쓸모없는 짐만을 떠안은 꼴이 되고 만다. 결국 성격장애자들은 자기들의 고통을 사회에 던져 주는 것이다.

"네가 문제 해결에 참여하지 않으면 네가 문제의 일부가 되고 말 것이다."라는 격언에 주목하라.

자유로부터의 도피

정신과 의사가 성격장애라고 진단을 내리게 되는 환자는 책임을 회피하는 정도가 비교적 심한 사람이다. 그러나 정상적인 사람들도 자신의 문제들에 대해 책임을 지는 고통을 피해 보려고 애쓰는 경우가 종종 있다.

나도 서른 살 때 맥 베지리 씨 덕분에 숨겨져 있던 성격장애를 치료한 적이 있다.

그 당시 맥은 내가 정신과 수련을 받고 있었던 정신과 외래담당 과장이었다. 외래에서 같이 일하던 다른 의사들과 나는 교대로 새 환자를 보도록 할당받았다. 나는 다른 의사들에 비해 환자 진료와 교육에 대해 남달리 헌신적이었기 때문에 누구보다도 더 오랜 시간 동안 일하게 되었다. 다른 의사들은 환자를 보통 한 주에 한 번씩 진료했는데 나는 환자들을 한 주에 두세 번씩 진료했다. 그 결과로 동료 의사들이 매일 오후 4시 30분이면 집으로 돌아갈 수 있었던 데 비해 나는 밤 8시, 9시까지도 환자를 보게 되었다. 당시 내 가슴은 분한 감정으로 가득 차 오르기 시작했다. 그 도가 심해지고 더욱더 피곤해짐에 따라, 나는 무슨 조치를 취해야 한다는 사실을 깨닫게 되었다.

그래서 과장에게 가서 사정을 설명했다. 혹시 새 환자를 순번제로 보는 일에서 특혜를 받아 한 3,4주일 동안 새 환자를 보지 않아도 된다면, 그래서 그 동안 밀린 일을 해치울 시간을 가지게 된다면 어떨까……하고 생각했던 것이었다. 맥은 그렇게 할 수도 있다고 사정을 봐줄까? 그렇지 않으면 나를 위해 또 다른 해결책을 강구해 줄까?

맥은 내 얘기에 귀기울여 열심히 들어주며 한 번도 내 얘기를 중단시키지 않고 끝까지 경청했다. 내가 얘기를 끝마치자 그는 잠시 침묵을 지키더니 공감한다는 표정으로 이렇게 말을 꺼냈다.

"보아하니 당신이 문제를 가지고 있다는 것을 알 수 있겠군요."

나는 이해를 해주는구나 하는 느낌에 감격했다.

"고맙습니다. 선생님은 제가 어떻게 해야 한다고 생각하십니까?"

그러자 맥은 대답하기를, "스캇, 당신이 말한 대로 당신은 정말 문제가 있어요."라고 하는 것이 아닌가. 이것은 거의 기대하지 못했던 대답이었다.

"네, 그렇습니다."

나는 약간 화가 나서 말했다.

"제가 문제를 갖고 있다는 것은 잘 압니다. 그러니까 이렇게 찾아뵈러 온 것이 아니겠어요. 제가 무엇을 어떻게 해야만 된다고 생각하십니까?"

그러나 맥은 또다시 같은 소리를 되풀이했다.

"스캇, 정말 내가 무슨 소리를 하는지 못 알아듣고 있군요. 당신 얘기를 내가 다 들었고 또 당신과 동감인데, 당신은 정말 문제가 있어요."

"제기랄!" 하고 나는 욕을 했다.

"글쎄, 문제가 있는 걸 알고 있습니다. 제가 여기에 왔을 때 이미 알고 온 것이었으니까요. 문제는 제가 이 문제에 대해 어떻게 해야 할 것이냐가 아니겠어요?"

"스캇." 하고 과장은 부드럽게 내 이름을 불렀다.

"내 말을 좀 들어 봐요. 내 말을 잘 들어 보라니까. 다시 말해 두지만 나는 당신 말에 동의하고 당신 말대로 당신이 문제를 갖고 있다고 하지 않아요? 당신의 문제는 시간 때문에 생긴 겁니다. 당신의 시간 말이오. 내 시간이 아니고, 내 문제가 아니에요. 그건 시간 때문에 생긴 당신의 문제란 말입니다. 스캇, 당신은 당신의 시간 때문에 문제가 생긴 거예요. 그 문제에 대해 나는 이 이상 할 말이 없어요."

나는 잔뜩 화가 나서 맥의 사무실을 성큼 나와 버렸다. 그리고 한참 동안 분개해 있었다. 나는 맥 베지리 씨를 미워했다. 3개월 동안이나 그를 미워했다. 그를 심한 성격장애자라고 치부해 버렸다. 어떻게 그처럼 냉담할 수 있을까. 내가 그렇게 겸손하게 조금만 도와주었으면 하고 충고를 바랬는데, 외래 책임자로서 자기 책임의 일을 나 몰라라 하다니. 그가 하는 일이 외래 책임자로서 문제점을 파악하고 지도해서 도와주는 것이 아니라면 도대체 무엇이란 말인가?

그러나 3개월이 지난 후에 나는 맥이 옳았다는 것을 깨닫게 되었다. 성격장애를 가진 것은 나였지, 그가 아니었다. 내 시간은 내 책임이었던 것이다. 그것은 내 문제였으며 나만이 내 시간을 어떻게 사용하고, 어떻게 배정할 것인가를 결정할 수 있었던 것이다. 내가 내 시간을 동료들보다 더 많이 일에 쓰기를 원했다면, 그것은 내가 선택해서 한 일이므로 그 선택의 결과도 내 책임이었던 것이다. 동료들이 나보다 2,3시간 앞서 빨리 퇴근하는 걸 보기가 고통스러웠을지라도, 또 가족과 함께 좀더 많은 시간을 갖지 않는다고 아내가 불평하는 것을 듣기 괴로웠을지라도, 이런 고통이나 괴로움들은 다 내가 택해서 한 일의 대가였던 것이다. 내가 그런 고통을 원치 않는다면, 나는 자유롭게 선택하여 시간을 달리 짜면 되는 것이었다. 내가 열심히 일을 하는 것은 운명이나 외래 책임자가 부과한 괴로운 짐덩어리 때문이 아니었다. 그것은 바로 내가 살고자 하는 방식대로 중요한 순서를 정하여 선택한 것일 뿐이었다. 그래서 결국 나는 내 생활 스타일을 바꾸지 않기로 결정했다. 그리고 내 태도를 바꿈으로써, 동료들에 대해 품었던 원한들도 깨끗이 없어졌다. 내가 바란다면 나도 다른 동료들처럼 살아갈 수 있는데, 내가 스스로 저들과 다른 생활 스타일을 택한 것이니, 더 이상 그들에게 원한을 가질 이유가 없었다. 원한을 갖는다면, 곧 내 자신의 선택에 대해 원한을 가져야 하는 것이었다.

우리가 우리의 행동에 대해 책임을 지는 것이 어려운 이유는 그 행동의 결과로 받는 고통을 피하고 싶어하기 때문이다. 맥 베지리 씨에게 내 시간을 짜 달라고 함으로써 나는 긴 시간 일하는 고통을 피하려고 했고, 오랜 시간 일하는 것이 내 환자들을 위해 내가 취한 선택임에도 불구하고 나는 그 결과를 피하려고 했던 것이다. 게다가 그렇게 함으로써, 나는 나를 지배하는 맥의 권리를 더 증가시키려고 했던 것이다. 내가 그에게 내 권리와 자유를 주는 꼴이 될 뻔했던 것이다. 내가 말했던 것은 결과적으로 "나를 맡아 주시오, 당신이 나의 보스가 되어 주시오!"라고 한 것이었다.

우리는 자신의 행동에 따른 책임을 회피할 때, 그 책임을 다른 어떤 개인이나 조직 등에 준다. 그러나 이것은 자신의 권리를 양도하는 것을 의미한다. 그래서 에리히 프롬은 나치즘과 권위주의에 대한 그의 연구에서 이를 '자유로부터의 도피'라고 했다. 아주 적절한 표현이다.

책임지는 괴로움을 피하기 위해서 백만, 천만의 사람들이 매일매일 자유로부터의 도피를 시도하고 있다.

내 친구 한 사람은 매우 똑똑하지만 침울한 사람으로, 내가 가만히 놔두면 거침없이 그리고 유창하게 우리 사회의 압제적인 세력들에 대해 얘기를 토해 낸다. 인종차별, 남녀차별, 군비확장, 그리고 지방 경찰관들이 자기 같은 사람들이 머리를 길게 기른다고 귀찮게 구는 것에 대해 떠들며 얘기한다. 나는 여러 차례 그는 이미 어린아이가 아니라는 것을 지적해 주려고 애썼다.

우리가 부모에게 지나치게 의존하면 그만큼 부모들은 우리에게 지나친 지배권을 갖게 된다. 사실 부모들은 우리를 잘 기를 책임을 갖고 있으며, 그 때문에 우리는 부모의 사랑과 보살핌을 받고 있다. 부모들이 억압적인 태도로 아이를 가르치면, 아이들은 자발성과 선택 능력을 제대로 기르지 못하게 된다. 그러나 아이들에게는 선택의 기회가 제한적이지만 건강한 성인에게는 무한대로 많이 주어지기 때문에 선택 능력의 미숙은 큰 문제가 된다.

때로 우리는 두 가지의 나쁜 일 가운데 덜 나쁜 것을 선택해야 할 경우가 있다. 이런 선택 역시 우리가 결정할 문제다. 물론, 이 세상에 압제적인 세력이 있다는 점에는 나도 그 친구에게 동의한다. 그렇지만 우리는 이런 세력들에 대응하고, 다루는 방법들을 단계적으로 선택할 자유를 가지고 있다. 경찰이 장발을 싫어하는 지방에서 사는 것도 그의 선택이고, 긴 머리를 그대로 기르고 있는 것도 그의 선택이다. 그에게는 다른 도시로 이사할 자유도 있고, 긴 머리를 자를 자유도 있으며, 또 장발족들이 당하는 불이익에 항의하는 캠페인을 벌일 수 있는 자유까지도 있다. 그러나 그는 매우 영리함에도 불구하고 이런 자유들을 의식하지 못하고 있다. 그는 자기의 커다란 힘을 인정하지 않고, 자신이 정치적 세력을 가지지 못했다고 슬프게 여기는 쪽을 선택한 것이다. 그는 자기가 자유를 사랑한다는 것과 자유를 방해하는 압제적인 세력에 대해 이야기하고 있으나, 그런 얘기를 할 때마다 실제로는 자기의 자유를 포기하여 남에게 주어 버리고 있는 것이다. 언젠가는 선택을 하는 것이 고통스럽다는 그런 단순한 이유 때문에 삶을 적대시하는 그의 태도가 바뀌기를 나는 간절히 바라고 있다.

대다수의 환자들에게 존재하는 '무기력한 느낌' 은 자유에 대한 고통을 피하고 싶은 욕망에서 생겨난다. 그래서 그들은 그들의 삶이나 문제에 대해 책임질 줄을 모른다. 그들이 무력하게 느끼는 것은 사실 자신들의 권리를 포기했기 때문이다. 그들이 치유되고 건강해지려면, 조만간 성인의 생활 전체가 개인의 선택과 결정의 연속이라는 것을 배워야만 될 것이다. 그들이 이런 것을 전적으로 수용할 수 있을 때에만, 자유로울 수 있다. 이런 것을 수용하지 못하면 그들은 영원히 자신들을 희생자라고 느끼게 될 것이다.

현실에 충실하자

우리의 삶이 건실하게 되고 정신의 성장을 이루게 하는 세 번째 방법은 바로 진실에 충실하는 것이다.

진실이란 현실 그대로이기 때문에, 이 점은 명백한 사실이다. 거짓은 현실이 아니다. 우리가 세계의 현실을 보다 명확히 볼수록 우리는 세상을 살아가는 데 보다 나은 준비를 갖추게 된다. 우리가 세상의 현실을 보는 눈이 불투명할수록—우리의 마음이 허위, 착각, 환상에 의해 혼란스러워질수록—바른 행동을 하기 위한 현명한 결정을 하게 될 가능성은 점점 작아진다. 현실에 대한 우리의 견해란 지도(地圖)와 같아서 그걸 지표로 삶의 모든 영역을 판단하게 된다. 만일 지도가 참되고 정확하다면 우리는 우리가 어디에 있는지 알게 되고, 어떤 곳에 가야 할 때는 어떻게 그곳에 도달할 것인지 알게 될 것이다. 그러나 만약 지도가 거짓이고 부정확하다면, 길을 잃게 될 것이 자명하다.

이 모든 것은 틀림없는 사실인데도 대개의 사람들은, 정도의 차이는 있지만, 이를 무시해 버린다. 그 이유는 현실적으로 우리가 가는 길이 쉽지 않은 길이기 때문이다. 우리는 처음부터 지도를 가지고 이 세상에 태어나지는 않았다. 그래서 우리는 지도를 만들어야 하는데, 지도를 만드는 데는 노력이 필요하다. 현실을 감수하고 파악하려고 노력하면 할수록, 우리의 지도는 정확하게 될 것이다. 그러나 많은 사람들이 이러한 노력을 기울이지 않는다. 어떤 사람들은 청소년기 말에 그만 정지해 버리고 만다. 그들의 지도는 조그맣거나 대강 그려져 있으며, 세상에 대한 견해란 협소하고 오해로 가득 차 있다. 중년 말기에 가서 대부분의 사람들은 이런 노력을 기울이지 않는다. 그들의 지도가 완전하고, 그들의 세계관이 정확하다고(신성불가침일 정도로까지) 확신하여, 새로운 정보에 대해 더 이상 흥미를 가지지 않는다. 지친 듯이 보인다. 단지 소수의 사람들만이 다행스럽게도 죽을 때까지 현실의 미궁을 탐색하여 세계에 대한 이해와 진실이 무엇인가를 더욱더 넓히고 정리하며, 재정리하고 있다.

지도 제작에 있어서 제일 큰 문제는, 아무 것도 없는 데서부터 시작해야 하는 데 있는 것이 아니라 지도가 정확해질 때까지 우리가 계속해서 지도를 고쳐 그려야 한다는 데 있다. 현실은 계속해서 변화하고 있다. 빙하들도 오가고, 문화들도 흥망성쇠하며, 산업기술도 쇠퇴와 발전을 거듭하고 있다. 보다 극적인 것은 우리가 세계를 보는 관점도 계속해서 빠르게 변하고 있다는 사실이다. 우리가 어렸을 때는 어른들에게 의존할 수밖에 없었고 무력했었다. 어른이 됨으로써 우리는 힘을 갖게 되었는지도 모른다. 그러나 병이 들거나 허약하고 노쇠해져서 우리는 다시 무력해지고 의존할 수밖에 없어진다. 우리가 돌봐 줄 아이들을 데리고 있을 때에는, 그렇지 않을 때와는 세상이 다르게 보인다. 같은 아이라도 그 성장 과정에 따라 세상은 또 다르게 보이는 것이다. 또 가난할 때는 부유하게 살 때와 세상이 다르게 보인다. 우리는 매일 현실의 본질이 무엇인지에 대한 새로운 정보의 홍수 속에서 살아가고 있다. 이러한 새 정보들을 종합 · 흡수하기 위해서는 계속해서 우리가 가지고 있는 지도들을 수정해야만 하고, 새로운 정보가 충분히 축적될 때에는 본격적인 개정을 해야만 될 때도 있다. 수정을 한다든지, 특히 본격적인 개정을 하는 과정이란 괴로운 일이고 고문받는 것처럼 몹시 괴롭다. 이 속에 인류의 많은 정신질환의 주요한 근원이 놓여 있는 것이다.

오랫동안 애쓰고 노력해서 유용하고 쓸 만한 지도를 만들어 지니게 되었는데, 그가 가진 견해가 잘못되어서 지도의 대부분을 다시 그려야만 하는 새로운 정보에 당면하게 된다면 기분이 어떨까? 그런 작업은 대단한 고통이 요구되므로 공포와 두려움에 질려 버릴 것이다. 이런 경우 우리는 대개 무의식적으로 새로운 정보들을 무시해 버리려 한다. 이 무시하려는 행위는 아무 것도 안하려는 수동적인 행위보다 더 많은 문제를 일으키게 된다. 우리는 새로운 정보들을 거짓된 것이며, 위험하고, 이단적인 악이라고 거부해 버릴지도 모른다. 우리는 세상과 주위를 조작해서라도 자신의 현실에 대한 견해에 맞춰가려고 할 것이다. 지도를 수정하려고 애쓰기보다는 새로운 현실을 파괴하려고 시도할지도 모른다.

애석하게도 그런 사람들은 자기가 가지고 있는 구태의연한 세계관을 먼저 개편하거나 교정하기보다는 그 낡은 견해를 끝까지 지키는 데 막대한 에너지를 들이려고 하는 것이다.

전이 : 낡은 지도

현실을 보는 낡은 견해에 고집스러운 집착을 보이는 것은 더 심각한 정신질환의 원인이 된다. 정신과 의사들은 이를 일컬어 전이(轉移)라고 한다. 이 전이에 대한 정의는 정신과 의사의 수만큼이나 다양하고 많다. 내 자신의 정의를 말하면, 전이란 어린 시절에 형성된 세계관이, 어린 시절의 환경에는 매우 적합하나 변화된 어른의 환경에는 적절하지 못한데도 어린 시절의 것을 그대로 옮겨 적용하는 것을 말한다.

전이가 나타내는 증상은 깊이 내재되어 있어 파괴적이지만 대개의 경우 잘 드러나지 않는다. 그래도 정도가 심하면 반드시 겉으로 드러난다. 그런 예의 하나로 치료를 받다가 전이로 인해서 실패한 환자가 있다. 그는 30세가 조금 넘은 똑똑하기는 하나, 그다지 성공하지 못한 컴퓨터 기술자였다.

그가 나를 찾아온 것은, 아내가 두 아이를 데리고 그의 곁을 떠나버렸기 때문이었다. 그는 아내를 잃은 것에 대해서는 그다지 불행하게 느끼지 않았지만 깊이 정든 아이들을 잃게 된 것 때문에 마음이 상해 있었다. 그가 솔선해서 정신치료를 받기로 한 이유는 아내가 정신치료를 받지 않는다면 아이와 함께 다시는 돌아오지 않겠다고 주장하자, 아이를 되찾아 오리라는 희망에서 할 수 없이 선택한 것이었다. 남편에 대한 아내의 주된 불만은, 그가 계속해서 이치에 닿지 않게 부인을 질투하며 멀리하고 냉정하게 대하며, 거리를 두며, 서로 말도 통하지 않고 정이 없다는 것이었다. 그 아내는 남편이 직장을 자주 바꾸는 것도 불평했다.

그의 소년기 이후의 생활은 매우 불안정했다. 소년기에 그는 대수롭지 않지만 가끔 경찰과 언쟁을 하기도 했고 세 번이나 감옥에 들어갔었는데, 술에 취해서 근무중인 경찰한테 시비를 걸었기 때문이었다. 그는 대학에서 전기공학을 공부하다가 중퇴했는데 그의 말에 의하면 "우리 선생님들은 모두 경찰들이나 다름없이 위선자들"이라는 것이다. 컴퓨터 기술 면에서는 퍽 영리하고 독창적이어서, 기업체들은 그를 필요로 하고 있었다. 그러나 그는 진급은커녕 일 년 이상을 한군데서 꾸준히 일을 계속하지도 못했다. 때로는 파면당하기도 했는데 대개는 윗사람들과 싸움을 벌였기 때문이었다. 그는 직장상사들을 "거짓말쟁이들이고 자신을 보호하는 데만 관심이 있다."고 욕하면서 직장을 그만 두곤 했던 것이다.

그는 자주 투정하는 소리로 말했다. "이 세상에서 믿을 수 있는 사람은 하나도 없어." 그는 자신의 어린 시절이 '정상적'이었고 부모들은 '평범'했다고 말했다. 그러나 짧은 기간이긴 했지만 나와 함께 지낸 시간 동안 그는 수차례에 걸쳐 어렸을 때 부모가 실망시킨 일들을 무의식적으로 얘기했다. 부모들이 생일에 자전거를 사준다고 약속했었으나 그걸 잊어버리고 다른 것을 선물했다고 한다. 한번은 부모가 그의 생일을 까맣게 잊어버렸지만 그는 이것을 부모들이 너무 바빠서 생긴 일이라고 그리 대수롭게 여기지 않았다. 또 부모가 주말을 그와 함께 보내기로 했다가는 너무 바빠서 약속을 어긴 일도 자주 있었다고 한다. 그의 부모는 모임이나 파티가 끝난 후 그를 데리러 오는 것을 잊어버리기 일쑤였는데 그때마다 "우리 부모는 여러 가지 마음 쓰는 데가 많아서……."라고 생각했다. 그는 어렸을 때 부모들이 충분히 돌봐 주지 않아서 괴로워하고 낙심하며 고통을 받았던 것이다. 점차적으로 혹은 돌연히—어느 쪽인지 나는 잘 모르겠다—그는 어느 날 부모를 믿을 수 없다는 것을 알고 괴로워했다. 그러나 한번 이를 깨닫고 나자 그의 마음은 편안해졌고 생활도 점점 안정을 되찾게 되었다. 더 이상 부모에게 기대하지 않았고, 또 부모가 무얼 약속해도 그리 희망을 걸지 않았다. 부모를 믿지 않게 되자 그가 자주 겪었던 극심한 실망감이 저절로 줄어들었다.

그러나 이러한 적응방식은 장차 문제의 소지를 안고 있는 것이다. 아이들에게 부모란 이 세상의 전부다. 아이들에게 있어 부모는 세상과 같다. 아이들은 다른 부모들이 자신의 부모와 전혀 다르다는 사실을 모른다. 자기 부모가 하는 방식은 세상 모든 사람들이 하는 방식이라 생각한다. 그러므로 "나는 우리 부모를 믿을 수 없다."는 현실 인식은 "나는 사람들을 믿을 수 없다."는 것으로 나아간다. 사람들을 믿지 못하는 것이 '지도'가 되어서 이걸 가지고 청소년기와 성년기로 들어간다. 이 지도와 많은 실망의 경험으로 인해 잔뜩

쌓인 반감을 가지고 있다면 각기 권위를 지닌 다른 사람들—경찰, 선생, 고용인 등—과 갈등을 갖게 되는 것은 불가피한 일이다. 그리고 이러한 갈등은 이 세상에서 무엇인가 주는 사람들은 아무도 믿을 수 없다는 그의 지도를 더욱 확고하게 해줄 뿐이다.

앞에 예로 든 사람은 자기가 가진 지도를 개편할 기회들이 많았으나 다 지나쳐 버렸다. 왜냐하면 그가 어떤 사람들은 믿을 수 있다는 것을 배울 수 있는 단 하나의 방법은 사람들을 믿어 보는 모험을 해야 하는 것인데, 그러려면 우선 그가 가진 지도에서 벗어나야 하기 때문이다. 또 다른 방법은 '다시 배우는 것' 이다. 즉 자기 부모에 대한 그의 견해를 바꾸는 것이다. 부모들이 그를 사랑하지 않았던 것을 인식하고, 그래서 그가 정상적인 소년기를 갖지 못했으며 부모들이 보통 이하로 자신의 요구에 냉담했다는 것을 알게 되는 것이다. 그러나 이렇게 인식하는 일은 참으로 괴로운 일이다.

사람들을 믿지 않는 것이 그에게는, 어렸을 때의 상황에서는 적절한 적응방법이었다. 그것이 그의 아픔과 고통을 덜어 주는 데 도움이 되었던 것이다. 때문에 그는 계속해서 사람들을 믿지 않았고 무의식중에도 그것이 옳은 선택이었음을 확인시켜 주는 상황을 만들어 자기 자신을 다른 사람으로부터 분리시키고, 스스로 사랑 · 따스함 · 친근함 · 애정을 즐기는 것을 불가능하게 만들었다. 그는 자기 아내까지도 믿지 않았다. 그가 친근한 관계를 가질 수 있었던 사람은 단지 두 아이들뿐이었다. 그 아이들만이 그가 지배할 수 있고, 권위를 내세우지 않으며, 이 세상에서 그가 믿을 수 있는 유일한 존재였다.

대체로 그러하듯 전이를 다룰 때, 정신치료란 '지도'를 수정해 가는 과정이라고 할 수 있다. 환자들이 치료받으러 오는 것은, 그들의 지도가 분명히 통용되지 않기 때문이다. 그러나 그들은 부적당한 지도에 매달려서 치료 경과의 단계마다 저항하기 일쑤다. 때로는 그 정도가 심한 나머지 치료가 불가능하게 될 때도 있다. 컴퓨터 기술자가 꼭 이 같은 경우였다. 처음에 그는 토요일 시간을 요청해 왔다. 그러나 이것은 3주 만에 끝났다. 토요일, 일요일에 정원 가꾸는 직업을 갖게 되었다는 것이 이유였다.

그래서 나는 목요일 저녁 시간을 제안했다. 그는 두 번 오더니 또 공장에서 잔업을 하게 되었다고 그만 두었다. 월요일 저녁에는 괜찮을 것이라고 해서 하는 수 없이 시간표를 조정해 주었다. 그러나 두 번 오고 나서는 월요일 저녁 잔업이 생겨서 또 못 오겠다는 것이었다. 나는 이런 태도로는 도저히 치료가 불가능하다고 얘기했다. 그는 자기가 잔업을 꼭 해야만 했던 것은 아니었음을 스스로 인정했다. 그러나 치료보다도 돈이 더 필요하기 때문에 일하는 것이 중요하다고 말했다. 그는 월요일 저녁에 잔업이 없을 때만 올 것이므로 매주 월요일 오후 4시에 내게 전화를 해서 그날 저녁에 올 수 있는지를 알려 주겠다고 했다. 그러나 나는 그런 제안은 곤란하다고 말했다. 내 형편상 그가 올 수 있을지 없을지도 모르면서 매주 월요일 저녁을 내 할 일까지 제쳐 놓고 기다릴 마음은 없다고 한 것이다. 그는 내가 자기가 원하는 것에 별로 관심이 없고, 오로지 내 시간에만 관심을 둔다고 느끼고, 그래서 나를 믿을 만한 사람이 못된다고 생각했다. 그래서 우리가 같이 치료하려고 노력했던 시도는 결국 그의 '지도'가 옳은 것임을 인정해 주는 또 하나의 이정표를 표시한 채로 중단되고 말았다.

전이의 문제는 단순히 정신과 의사와 환자들 간에 생기는 문제만은 아니다. 이 문제는 부모와 자녀, 부부, 고용주와 고용인, 친구, 그룹들, 심지어는 국가들 간의 문제이기도 하다. 예를 들어 국제적인 문제에서 전이의 문제가 어떤 역할을 하고 있는지 모색해 보는 것은 참으로 흥미있는 일이다. 아무리 위대한 지도자들도 모두 어린 시절을 거쳤고, 그때 형성된 어린 시절의 경험들을 가지고 있다. 히틀러는 어떤 지도에 따라 행동했을까? 미국 지도자들은 무슨 지도에 따라 베트남에서 전쟁을 일으키고 집행하고 지속시켰던 것일까? 분명히 그 지도는 다음 세대의 지도와는 전혀 다른 것이었을 것이다. 대공황 때의 국가적 경험은 그들의 지도에 어떤 영향을 주었을까? 또 1950, 60년대의 경험이 다음 세대의 지도에 어떠한 공헌을 했을까? 만약 1930, 40년대의 국가적 경험이 월남전을 치른 미국 지도자들의 행동에 영향을 주었다면 그 경험은 1960, 70년대의 현실에 적절한 것이었을까?

진실이나 현실이 고통스러울 때는 피하게 마련이다. 우리 자신의 지도를 개편하려면 그러한 고통을 극복할 수 있는 훈련을 해야만 한다. 그런 훈련을 하기 위해서 우리는 전적으로 진실에 충실해야 한다. 현재의 편안함보다 궁극적으로 옳은 일들을 추구하기 위해 우리는 언제나 진실 앞에 솔직해야 한다. 우리는 언제나 개인적인 불편을 대수롭지 않게 여겨야 하며, 현재의 진실을 찾는 데 도움이 된다면 그 불편을 오히려 적극적으로 수용해야 한다. 정신건강은 모든 희생을 무릅쓰고라도 오늘의 진실에 충실하려는 진행형의 과정이다.

과감히 도전하자

진실에 충실한 삶이란 무엇을 의미하는 것일까? 첫째로 이는 계속적이고 끊임없이 엄중한 자기 성찰을 하는 삶을 의미한다. 우리는 우리가 세상과 관계하고 있는 방식을 통해서만 세상을 알게 된다. 따라서 세상을 알려면 우리는 세상을 잘 살펴볼 뿐만 아니라 동시에 세상을 살펴보고 있는 자신을 살펴야만 한다.

정신과 의사들은 자신의 전이와 갈등들을 이해하지 못하고는 환자들의 갈등과 전이를 현실적으로 이해할 수 없다는 것을 수련 과정에서 배우게 된다. 이런 이유로 정신과 의사들은 훈련의 일부로서 반드시 그들 자신이 먼저 정신치료나 분석을 받도록 장려되고 있다. 그러나 모든 정신과 의사들이 이 방식을 따르고 있지는 않다. 많은 정신과 의사들은 세상을 신중하게 고찰하지만 자신들에 대해서는 면밀하게 고찰하지 않는다. 세상 사람들은 그들을 유능하다고 판단할지 몰라도 그들이 전부 현명한 사람들은 아니다. 현명한 생활이란 생각과 행동이 일치하는 생활이어야만 한다. 과거의 미국 풍속으로는 심사숙고하는 것을 그리 높이 평가하지를 않았다. 1950

년도에 사람들은 당시의 대통령 후보였던 아들라이 스티븐슨에게 '달걀 대가리' (지식인을 경멸적으로 부르는 말)라는 별명을 붙였는데, 그 이유는 그가 너무 신중하고 생각이 깊은 탓에 대통령으로는 그리 좋은 인물이 못 된다고 믿었기 때문이다.

나는 부모들이 청소년에게 "너는 생각을 너무 한다."고 진지하게 말하는 소리를 많이 들어 왔다. 이것은 정말로 잘못된 얘기다. 우리를 가장 인간답게 만드는 것이 무엇인가? 우리의 생각하는 능력, 자신을 성찰해 보는 능력이 바로 우리를 인간답게 만들고 있다는 사실을 모르고 하는 소리다.

다행히도 이런 태도가 요즈음에 와서 점점 바뀌고 있는 듯하다. 우리는 세상에 존재하는 위험의 근원들이 우리들 안에 있지 밖에 있는 것이 아니며, 살아가는 데 가장 중요한 것은 부단한 자기 성찰과 사색의 과정이라는 것을 이해하기 시작했다.

세상을 외적으로 성찰하는 것은, 내적으로 성찰하는 것에 따르는 그런 고통은 없다. 자기를 성찰하는 생활이란 지극히 고통스러운 삶으로 걸어 들어가는 것이어서 대다수의 사람들이 이를 피해 가려 한다. 그러나 진실에 충실한 사람에게는 이런 고통이 그리 중요하지 않다. 따라서 그런 고통이 상대적으로 중요한 것이 아니므로(따라서 점점 덜 고통스럽게 되고) 점점 더 자기 성찰의 길로 나아가게 된다.

또한 진실에 전적으로 헌신하는 생활이란 자진해서 다가오는 변화들을 적극적으로 수용하는 생활을 말한다. 우리가 가진 현실에 대한 지도가 정말 유효한지 확인해 볼 수 있는 단 하나의 방법은 다른 지도 제작자들의 비판과 도전을 받게끔 자신의 지도를 내보이는 것이다. 그렇지 않으면 우리는 꽉 막힌 세계 안에서 살게 된다. 시인 실비아 플라스의 비유를 사용해 보면, 진공의 병 속에 있는 것처럼 우리는 자신의 악취 나는 공기를 되풀이하여 호흡하면서 점점 더 깊은 자아도취에 빠지게 되는 것이다. 그럼에도 불구하고 우리가 가진 현실에 대한 지도를 수정하는 과정에는 반드시 괴로움이 따르기 때문에 우리는 지도의 타당성에 대한 어떠한 도전이라도 대개는 피하고 멀리한다.

우리는 아이들에게 말한다.

"말대꾸하지 마라. 누가 부모한테 꼬박꼬박 말대꾸하니!"

아내나 남편에게는 또 이렇게 화를 낸다.

"그저 되는대로 삽시다. 당신이 나를 비판하면 할수록 나는 점점 못된 사람이 될 거고 그러면 당신은 후회하게 될 거요."

노인들은 가족들과 세상에게 이런 식으로 말하곤 한다.

"나처럼 늙고 허약한 늙은이한테 대드는 것은 옳지 않아. 난 견디다 못해 쓰러지고 말 거야. 그렇게 되면 내 여생을 비참하게 만든 책임으로 너 또한 괴로울 거야."

종업원들에게 우리는 이렇게 말한다.

"그렇게 배짱을 부리려면 일찌감치 다른 직장을 구해 보는 게 나을 거야."

도전을 피하려는 경향은 인간이라면 누구에게나 내재되어 있는

개인뿐만이 아니다. 어떤 조직이나 집단도 도전을 받지 않으려 하며 자신들을 보호하려 하는 것이 통례다. 한번은 군대의 참모가 내게 미라이촌 만행 사건과 그에 따른 은

본성이라고 할 수 있다. 그러나 그것이 인간의 본성이라고 해서 변화시킬 수 없다는 의미는 아니다. 바지에다 똥을 싸고 이를 닦지 않는 것도 본능적 또는 인간적인 것이라고 할 수 있다. 그러나 성인인 우리들은 바지에 똥을 싸거나 오물을 옷에 묻힌 채로 돌아다니지 않는다. 이렇게 볼 때 우리는 비본능적인 것을 배워 비본능적으로 살아가고 있는 셈이다. 자기 훈련이란 비본능적인 것을 하도록 자기에게 가르치는 것이라고 정의해도 좋을 것이다. 인간 본능의 다른 특징은—아마도 이것이 우리를 가장 인간적으로 만드는 것이겠는데—비본능적인 것을 행하고, 본능을 초월하여 우리 자신의 본능을 개선하는 능력이다.

정신치료도 마찬가지다. 그것은 자연스러운 행동이며 이보다 더 인간적인 행동이 있을 수 없다. 그러므로 우리는 일부러 다른 인간

폐 행위들의 심리적 원인을 분석해 보라고 했다. 이 연구는 장래에 그런 행동을 되풀이하지 않도록 예방하기 위해 제안된 것이었다. 그러나 이것은 군 장군들과 부대 직원들에 의해 거부되었다. 제안된 연구는 비밀을 지킬 수 없다는 이유 때문이었다. "그런 연구를 하면 우리는 많은 도전을 받게 될 것입니다. 지금 대통령과 군대는 더 이상의 도전이 필요 없습니다."라고 하는 것이었다. 그래서 사건이 은폐된 원인의 분석이 그대로 은폐되고 말았다. 이런 행동은 군대나 백악관에만 있는 것은 아니다. 의회, 다른 연방정부 기관들, 기업체들, 대학과 자선사업 기구들 및 모든 민간 기구 단체에 보편적으로 존재하는 것이다. 개개인들이 현명하고 힘차게 성장하려면 반드시 그들의 지도에 대한 도전을 용납하고 환영하면서 수정해야 하는 것과 마찬가지로, 조직들도 활동적이고 발전적인 조직이 되려면 도전을 받아들이고 환영해야만 된다. 이러한 점이 점점 깊이 인식되어 가고 있는데, 특히 존 가드너 같은 사람이 대표적이다. 그가 보기에 앞으로 오는 수십 년 동안에 사회가 당면하게 될 가장 자극적이고 근본적인 일이란 현재 우리의 조직의 관료체제 안에 전형적으로 나타나고 있는 조직적인 배타성 대신 개방성을 받아들이는 것이다.

의 도전에 개방적일 수 있도록 하기 위해, 돈을 지불해 가면서 다른 사람의 정밀한 조사와 판단을 받는 것이다. 이와 같은 도전에 대한 개방적인 태도는 정신치료를 받을 때도 꼭 필요하다. 정신치료를 시작하는 것은 가장 용감한 행동이다. 사람들이 정신치료를 받지 않는 가장 큰 이유는 돈이 없어서가 아니라 용기가 없어서이다. 이것은 많은 정신과 의사들도 마찬가지다. 그들은 직책상 다른 사람들보다 더 많은 치료가 필요한데도 불구하고 치료를 불편하게 여긴다. 그들도 이런 용기를 가지고 있지 못하기 때문일 것이다. 그와 반대로 많은 정신과 환자들은 외적으로는 치료를 받는 상태이기는 하지만 다른 사람들보다도 근본적으로 강하고 건강한 사람인 이유는 치료받을 용기를 지녔기 때문이다.

정신치료를 받는 것이 도전에 대한 개방의 극단적인 예라면, 평상시 사람들과의 사교도 위험을 무릅쓰고 개방적 태도를 가져야 하는 비슷한 기회를 제공하고 있다. 즉 시원한 물가에서, 회합에서, 골프장에서, 저녁식탁에 앉아서, 불 끄고 잠자리에 들어가서 등 모든 일상사 속에서 동료들과 함께, 지배인과 종업원들, 친구와 친지들, 애인들, 부모들과 아이들이 함께 갖는 접촉에서 그런 기회가 생겨난다.

머리를 단정하게 장식한 한 부인이 내게 치료를 받으러 왔는데, 어느 날 치료가 끝난 후 긴 의자에서 일어나며 그 부인은 수선스럽게 머리를 빗기 시작했다. 나는 이러한 그녀의 새로운 행동에 대해 말해 주었다. 그랬더니 "몇 주 전에 내가 치료를 마치고 집에 돌아갔을 때 우리 남편이 내 뒷머리가 납짝해진 것을 발견했답니다." 하고 부인은 얼굴을 붉히며 설명했다.

"나는 그이에게 왜 그렇게 됐는지 얘기하지 않았어요. 내가 여기서 긴 의자에 누웠던 것을 알면 나를 놀릴지도 모르니까요."

그래서 우리는 뜻밖에도 다른 문제를 하나 더 다루어야만 되었다. 정신치료에서 가장 가치있는 일이란 '50분' 동안에 어떻게 해서 좀더 환자들의 일상적인 일들과 접촉을 하게 되는가이다. 도전에 개방적인 태도를 가지는 것이 생활 속에서 자연스럽게 우러나올 때 비로소 정신치료는 완전해진다. 이 부인의 경우 내게 그랬던 것처럼 그의 남편에게도 솔직하고 당당하게 되기 전까지는 완전히 건강해졌다고 할 수 없다.

정신과 의사나 정신치료자에게 오는 모든 환자들 중에서 극소수만이 처음부터 의식적으로 도전을 받아들이는 훈련에 주력한다. 그 밖의 사람들은 대개 단순히 '위안'을 찾는다. 도전받게 될 것이라는 사실을 알게 되면 많은 사람들이 도망가거나 도망가고 싶어한다. 그들에게 도전과 훈련을 통해서만 진정한 '위안'을 찾을 수 있다는 것을 가르쳐야 한다. 그러나 이 과정은 아주 섬세하고 시간이 걸리므로 실패할 가능성도 크다. 그렇기 때문에 정신과 의사는 환자들을 인도해 정신치료를 받게 한다는 말을 하게 되는 것이다. 그래서 우리는 일 년이나 혹은 그 이상 오랫동안 치료받고 있는 환자들에 대해서도 "그들은 아직 진짜 치료에 들어가지 못했어."라고 말하는 것이다.

정신치료에서 자유연상 기법을 적용할 때는 솔직하고 개방적인 태도가 요구된다(때로는 보는 각도에 따라 강요되는 것으로 보이기도 한다). 이 기법을 쓸 때에는 환자들에게 이렇게 말한다.

"무엇이든지 마음에 떠오르는 것을 말로 표현해 보세요. 그것이 아무리 중요하지 않아 보이고 부끄럽고 고통스럽거나 혹은 무의미한 것같이 보이더라도 그대로 말해 보세요. 동시에 마음에 떠오르는 생각이 두 가지 이상이면 그 중에서 얘기하기 싫은 것을 택해서 말해 보도록 하세요."

사실 이것은 말로 하기는 쉬워도 실제 행동하기는 어렵다. 의식적으로 해보려고 노력하는 사람들은 보통 빠른 진전을 보이지만, 어떤 사람들은 도전에 강력하게 저항하느라고 자유연상을 꾸며서 이야기하곤 한다. 그들은 수다스럽게 이것저것 말을 많이 하지만, 결정적으로 중요한 사실들은 슬그머니 빼놓는다. 어떤 부인은 한 시간 내내 자기 어렸을 때의 재미있던 경험들은 얘기했지만 바로 그날 아침에 은행에서 천 불이나 과다 인출했다는 사실 때문에 남편과 싸운 얘기는 하지 않았다. 그런 환자들은 정신치료 시간을 일종의 기자회견으로 취급한다. 그런 식으로는 아무리 열심히 해봐야 시간을 허비하는 데 불과하며, 환자들은 미묘한 거짓말쟁이가 될 뿐이다. 개인이든지 단체이든지 도전에 대해 열린 태도를 취하려면 그들이 가진 현실에 대한 진짜 지도를 공개해서 반드시 공개심사를 받을 필요가 있다. 기자회견 이상의 것이 필요한 것이다.

그러므로 진실에 충실한 생활의 세 번째 의미는, 정직한 생활이다. 다시 말해서 진실과 현실을 우리가 아는 그대로, 가능한 한 정확하게 우리의 대화에 반영하고 있는가를 끊임없이 스스로 성찰해야 한다는 것이다.

그러한 정직은 고통 없이 오는 것이 아니다. 사람들이 거짓말하는 이유는 도전과 그에 따르는 고통을 피하려 하기 때문이다. 닉슨 대통령이 워터 게이트 사건에 대해 거짓말한 것은 네 살 된 아이가 어떻게 램프가 테이블에서 떨어져 깨졌는지를 어머니에게 거짓말하는 것과 별다를 것도 없고 더 세련될 것도 없다. 마땅히 도전에 맞닥뜨려야 함에도 불구하고 거짓말하는 것은 당연히 겪어야 할 고통을 우회해 보려는 시도로, 결국 그 때문에 정신질환이 생기게 되는 것이다. 거짓말은 '정당치 못한 지름길로 가서 문제를 빨리 해치우려는' 문제를 야기시킨다. 우리는 어떤 장애를 우회하려고 할 때마다 목적에 더 쉽고 빠르게 도달할 수 있는 길, 즉 지름길을 찾고 있는 것이다. 인간의 정신적인 성장이 인간 실존의 목적이라고 믿기 때문에 나는 발전이라는 것에 대해서도 충실히 따르려고 한다. 될 수 있으면 빨리 성장하고 발전해야 한다는 것은 정당하고 당연하다. 그러므로 인간적 성장으로 가는 정당한 지름길을 찾는 것도 옳고 적절한 일이다. 그러나 여기서 중요한 것은 '정당하다'는 말이다. 대체로 인간은 정당하지 못한 지름길을 찾아내려는 경향과 마찬가지로, 정당한 지름길을 묵살하려는 경향이 있다. 예를 들자면 학위시험을 준비하기 위해 원본 전체를 읽는 대신에 요약된 책으로 공부하는 것은 정당한 지름길이다. 만일 그 개요가 잘된 것이면 상당한 시간과 노력을 절약해서 자료들과 기본 지식을 얻을 수도 있다. 그러나 컨닝을 하는 것은 정당한 지름길이 아니다. 컨닝을 하는 것이 요약된 책을 보는 것보다 더 짧은 시간 내에 성공적으로 시험에 통과하여 학위를 얻게 될지도 모르겠다. 그러나 근본적인 지식은 얻지 못한다. 그렇게 해서 받는 학위는 거짓이다. 그러한 학위를 토대로 한 인생도 거짓이요 사기며, 때로는 그 거짓말을 은폐하려고 노심초사해야 할 경우도 자주 생길 것이다.

진정한 정신치료는 인간적 성장에로의 정당한 지름길인데, 가끔 이것이 무시되고 있다. 정신치료를 무시하면서 이를 합리화하는 사람들은 다음과 같이 정신치료의 정당성에 문제를 제기한다.

"난 정신치료가 목발처럼 될까봐 두려워요. 목발에 의존해야만 하는 것은 원치 않거든요."

그러나 이런 태도는 보다 중요한 공포심을 감추고 있는 것이다. 인간성장에 정신치료를 사용하는 것은, 집을 짓는 데 망치와 못을 사용하는 것과 같은 중요한 기능을 한다. 망치와 못 없이 집을 짓는 것도 가능하긴 하지만, 그 과정은 대체로 효율적이지 않으며 바람직하지도 못하다. 목수가 망치와 못에 의존해서 일하는 것을 보고 실망할 사람은 거의 없다. 마찬가지로 정신치료 없이 개인적 성장을 이룰 가능성도 있기는 하나, 정신치료 없이 성장하기란 힘이 들고 또 시간도 오래 걸린다. 그래서 일반적으로는 지름길로 쓸 수 있는 도구들을 이용하는 것이다.

그러나 정신치료가 부당한 지름길로 이용되는 경우도 있다. 보통 부모들이 아이들을 위해 정신과 의사를 찾고 있는 경우가 그러하다. 부모들은 어떻게 해서든지 아이들이 나쁜 버릇을 고치기를 원한다. 마약 사용을 금지시킨다든지, 떼쓰지 않게 한다든지, 공부를 잘할 수 있게 한다든지 등이 그 예이다. 어떤 부모들은 힘을 다해 아이들을 도와주려고 애쓰다가 지쳐서 정신과 의사에게 찾아온다. 그러나 어떤 사람들은 아이들의 문제가 무엇이지도 모르면서 정신과 의사가 무슨 마술이라도 써서—문제의 근본적인 원인은 간과한 채—아이들을 변화시켜 주기를 바라는 일이 자주 있다.

예를 들면 어떤 부모들은 터놓고 말하기를 "우리는 결혼생활에 문제가 있는 것도 알고, 또 이것이 우리 아들의 문제와도 관계가 있다는 것을 알고 있습니다. 그렇지만 부질없이 우리 결혼생활을 들춰 내서 바꿔 볼 마음은 없으니, 우리와 상관없이 아이만 치료를 해서 보다 행복하게 살도록 도와주시기 바랍니다."

그리 노골적이지 않은 사람도 있다. 그들은 필요한 것이면 무엇이든지 다 하겠다고 말하면서도, 내가 아이의 증세가 부모의 전체 생활방식에서 기인된다는 것을 설명해 주면 그들은, "우리가 그 애를 위해 우리들의 속을 다 뒤집어서 보여 주어야만 하나요. 그건 정말 바보처럼 생각되는데요."라고 한다. 그리고는 혹시 누군가 고통 없는 지름길을 제공해 주지 않을까 하고 다른 의사를 찾으러 간다. 그들은 아마 친구들이나 자신에게도 이같이 말할 것이다.

"우리는 아이를 위해서 할 수 있는 것은 모두 해보았어. 우리 아이를 네 명의 정신과 의사에게 데리고 갔었지만 어떤 것도 도움이 되지 않았지."

거짓말은 남들에게뿐만 아니라 우리 자신에게도 할 수 있다. 우리 자신의 양심과 현실적인 인식에 비춰 볼 때, 우리의 지도를 변경시켜 적응해야 할 도전들이라면 감당하기에 너무 고통스러울는지도 모른다. 사람들이 흔히 자신에게 하는 거짓말이지만 잠재적이면서도 가장 파괴적인 말에는, "우리는 정말 아이들을 사랑합니다."라는 것과 "우리 부모는 참으로 우리를 사랑했습니다."라는 것이 있다. 부모가 우리를 사랑했고 또 우리가 우리 아이들을 사랑한다. 그러나 그렇지 않을 경우 사람들은 그 사실에 대한 인식을 피하려고 쓸데없이 오랜 시간을 보낸다.

나는 가끔 정신치료를 가리켜 '진실게임' 혹은 '정직게임' 이라고 한다. 그 이유는 모든 일 중에서도 특히 거짓말과 대결하도록 환자들을 도와주는 일이기 때문이다. 정신병의 근본적인 원인 중의 하나는 우리가 들어온 거짓말과, 또 우리가 자신에게 해온 그런 거짓말이 서로 엉키기 때문이다. 이런 원인은 오로지 정직한 분위기에서만 뿌리째 뽑아 버릴 수 있다. 이러한 분위기를 만들기 위해서 치료자가 제일 근본적으로 해야 할 것은 환자들과의 관계를 솔직하고 진실한 신뢰할 수 있는 관계로 만드는 것이다. 우리가 고통을 견디지 못한다면 어떻게 환자가 현실과 대결하는 괴로움을 견뎌 내기를 기대할 수 있겠는가? 우리가 앞서 가는 만큼만 남을 인도할 수 있는 것이다.

진실을 숨기는 것

거짓말에는 두가지 타입이 있다. 하얀 거짓말과 까만 거짓말이 그것이다.

까만 거짓말은 우리가 알고 있는 것을 거짓으로 말하는 것이다. 하얀 거짓말은 우리가 말하는 그 자체는 거짓이 아니지만 진실 가운데 중요한 부분을 빼 버린 말이다. 하얀 거짓말이라고 해서 덜한 거짓말이라든지 혹은 더 용납할 수 있다든지 하는 뜻은 아니다. 하얀 거짓말도 까만 거짓말과 마찬가지로 파괴적일지도 모른다. 정부가 정보를 검열하고 국민에게 감추는 것은 거짓말을 하는 것만큼 비민주적이라 할 수 있다. 앞에서 말한 가족의 은행통장에서 돈을 너무 많이 인출한 것을 얘기하지 않은 여자의 경우는, 치료 과정에

C.I.A는 이 방면에 있어서 특별한 전문지식을 가지고 있는데, 더 복잡한 분류체계를 사용하고 있다. 거짓말은 이 분류체계에 의하면 백색, 회색, 흑색 선전으로 나뉜다. 회색 선전이란 단순한 까만 거짓말이고, 흑색 선전은 까만 거짓말이긴 하나 이는 어떤 다른 출처에서 나왔다고 하는 거짓말을 뜻한다.

서 그녀가 직접 거짓말을 한 것만큼이나 치료의 진전을 방해한 셈이다. 비난받지 않기 위해 중요한 정보를 말하지 않는 것은 가장 흔히 볼 수 있는 거짓의 한 형태이다. 그리고 이러한 하얀 거짓말은 탐지해 내기가 더욱 어렵기에, 때에 따라서는 까만 거짓말보다도 더 치명적이다.

하얀 거짓말은 "사람들의 마음을 상하게 하는 것을 원치 않는다."는 것을 전제하므로 보통 인간관계에서 사회적으로 용납된다. 그렇기는 하나 우리의 사회적 인간관계들이 그런식으로 피상적이라는 사실은 슬픈 일이다. 부모들이 아이들에게 하얀 거짓말로 속임수를 쓰는 것은 용납될 뿐만 아니라 애정의 표시이며 유익한 것으로 받아들여진다. 부부들 간에 용감하게 서로 탁 터놓은 사이일지라도 아이들과 터놓는 것은 어려워하는 사람들도 있다. 부모들은 아이들에게 자기들이 마리화나를 피우는 것을 얘기하지 않고 또 전날 밤에 싸운 것을 얘기하지도 않으며, 할머니 할아버지가 엄마 아빠 일에 끼어드는 것을 싫어한다는 것, 혹은 의사가 그들 중 한 사람에게나 둘 다에게 신경성 질환이 있다고 얘기한 것, 또 그들이 위험한 투자를 하고 있다는 것, 심지어 그들이 은행에 돈을 얼마나 가지고 있는가 하는 것도 얘기하지 않고 있다. 그렇게 터놓고 얘기하지 않는 것은 아이들이 불필요하게 걱정하지 않도록 보호하고 감싸 주기 위한 사랑에서 기인된 행동이라고 보통 정당화된다. 그러나 다른 예를 보면 그러한 '보호'가 결코 좋은 성과를 가져오지 못한다는 것을 알 수 있다. 아이들은 어떻게 해서든 엄마 아빠가 마약을 사용한다는 것을 알고 있고, 부모들이 전날 밤에 싸운 것과 할머니 할아버지가 미움을 받고 있다는 것, 엄마가 신경이 예민하고, 아빠가 돈을 잃고 있다는 것을 알고 있다. 그래서 그 결과는 보호가 아니라 사랑의 박탈인 것이다. 아이들이 돈에 대해서, 질병, 마약, 성, 결혼, 그들의 부모, 조부모, 그리고 다른 사람들에 대해서 얻을 수 있었던 지식을 박탈하는 것이다. 이런 일들을 공개적으로 의논했더라면 얻을 수 있는 안도감을 아이들은 박탈당하는 셈이 된다. 또한 아이들은 솔직하고 정직한 부모의 역할 모델도 본받지 못하게 되고, 그 대신에 부분적으로 정직한 것, 불완전한 개방, 제한된 용기를 본받게 되는 것이다. 어떤 부모들의 아이들을 보호하려는 욕망은 그 동기가 지배하려는 잘못된 사랑에 기인되는 경우가 있다. 그러나 어떤 부모들은 아이들이 부모에게 반항하는 것을 피하고 아이들로부터 오는 도전을 피하려는 욕망, 그리고 아이들에 대해 자기들의 권위를 유지하려는 욕망을 합리화시키는 데 사랑을 내세운다. 그런 부모들은 이렇게 말하곤 한다.

"애들아, 좀 보아라. 너희는 아직 어리니 너희 자신에 대한 걱정이나 하고, 어른들 걱정은 우리 어른들에게 맡겨라. 우리가 얼마나 강하고 사랑이 풍부하며, 도모하는 일들이 얼마나 합리적인가를 믿어라. 어른들 일에 간섭 말고 너희는 그저 편안한 마음으로 우리를 믿기만 하면 될 것이다."

하지만 경우에 따라서는 정직한 행동이 다른 사람을 보호해 주지 못하므로 어떻게 행동해야 할지 갈등이 일어날 수도 있다. 예를 들면 훌륭한 결혼생활을 하고 있는 부모들도 때로는 이혼을 생각할지 모른다. 그러나 그들이 이혼할 생각이 거의 없을 때에도 아이들에게 그런 이야기를 들려 주는 것은 아이들에게 불필요한 짐을 지게 해주는 것이 된다. 이혼에 대한 생각은 아이의 안전감을 극도로 위협하는 것이다. 너무나 위협적이므로 아이들은 이 사실을 넓은 마음으로 헤아리지 못한다. 이혼이 머나먼 일일지라도 아이들은 부모가 이혼할지도 모른다는 생각에 의해서 심각한 위협을 받는다. 만일 부모들의 결혼생활이 결정적으로 불안한 상태에 있다면 부모들이 이혼에 대해 얘기를 하든 안 하든 아이들은 이혼이라는 두려운 가능성에 대처하고 있을 것이다. 그러나 아이들이 보기에 자기 부모의 결혼생활이 근본적으로 건전한 토대에 있음에도 불구하고 그 부모들이 "엄마 아빠가 어젯밤에 이혼한다는 데 대해서 얘기를 했는데, 지금은 이 문제에 대해 그리 신중하게 생각하고 있지는 않다."고 아이들에게 얘기해 주면, 솔직한 그 태도가 오히려 아이들에게 해를 끼치는 일을 하는 것이 된다.

또 다른 예를 들면 정신치료자들은, 치료 초기에는 환자들에게 치료자의 생각과 의견 등을 얘기하는 것을 보류할 필요가 있다는 것이다. 왜냐하면 환자들이 아직 그런 것을 받아들이고 취급할 준비가 되어 있지 않기 때문이다. 내가 정신과 수련을 받던 첫 해의 일이다. 환자가 네 번째 내게 찾아왔을 때 자기의 꿈에 대해서 얘기하는데 가만히 들어보니 분명히 동성연애와 관련된 것을 표출하고 있었다. 나는 내가 훌륭한 치료자인 것을 보여 주고 싶었고 빨리 치료를 하고 싶어서 그에게 이렇게 말했다.

"당신의 꿈이 무엇을 제시하느냐 하면, 당신이 동성연애자일지도 모른다는 두려움을 갖고 있다는 것입니다."

그 사람은 눈에 보일 정도로 초조해 하더니 다음 예약을 세 번이나 어기고 내게 찾아오지 않았다. 여러 가지로 애를 쓰고 권고한 결과, 다행스럽게도 그는 치료에 돌아오게 되었다. 그가 직장을 옮겨 이사할 때까지 스무 차례 더 치료 시간을 가졌다. 그 동안에 다시는 동성연애 문제를 꺼내지 않았음에도 불구하고 그 만남은 그에게 상당한 도움이 되었다.

그가 무의식중에 동성연애 문제에 대해 염려하였던 것이 의식적인 수준에서 이 문제를 다룰 준비가 충분히 되어 있다는 것을 뜻하는 것은 아니었다. 그런 그에게 내 견해를 보류하지 않고 얘기함으로써 상당히 큰 상처를 입혔고, 내 환자로서뿐만 아니라 어느 다른 의사의 환자로서도 그를 영영 잃어버릴 뻔했던 것이다.

역시 사업의 세계나 정치세계에서도 실력자들에게 잘 보이려면 가끔씩 자신의 의견을 부분적으로 감추어야만 한다. 만약 어떤 사람이 크고 작은 문제들에 대해 자기들의 마음 그대로를 항상 얘기한다면 대개 윗사람들은 그를 순종적이지 않다고 간주하고, 관리자들은 그를 위험 인물로 간주하게 된다. 그러다 보면 그는 남과 마찰을 잘 일으키는 것으로 유명해지고, 그 기관의 대변인으로 지명되기에는 너무도 신중성이 없다고 평가될 것이다. 한 조직에서 유력한 사람이 되려면 달리 특별한 길이 없다. 남자든 여자든 개인의 의견을 표시하는 데 조심성 있게 하고, 때로 자기의 정체성을 조직의 정체성에 융합시키면서 부분적으로 '그 조직 사람'이 되는 수밖에 없다. 한편 한 조직에서 조직의 목적을 위해서만 행동하는 사람이면 파란을 일으키지 않는 의견만을 표현할 것이다. 목적을 위해서 수단 방법을 가리지 않는 사람이 되고, 전적으로 조직의 사람이 됨으로써 개인의 인격과 정체감을 잃게 될 것이다. 위대한 행정가가 자기 정체감과 인격을 보존하느냐 상실하느냐 하는 중간을 가는 길은 너무도 좁고 험난하며 아주 적은 소수의 사람만이 참으로 이 길로의 성공적인 여행을 하게 된다. 이야말로 엄청난 도전이다.

그러므로 자유로운 의견, 느낌, 사상의 표현이나 지식의 표현까지도 삶에 있어서는 경우에 따라 억제될 수밖에 없는 것이다. 그러면 진실에 충실한 사람이라면, 어떤 규칙에 따라 행동해야 하는가? 첫째로 결코 거짓말하지 말 것이고, 둘째로 진실을 숨기는 행위가 항상 거짓말을 하는 셈이 될 수 있다는 것을 마음에 두어야 한다. 상당히 의미있는 도덕적인 결정을 해야 할 필요가 있을 때가 아니라면 진실을 숨겨서는 안 된다. 셋째로 진실을 숨기는 결정은 개인적인 필요에 토대를 두어서는 안 된다. 즉 권력, 호감, 혹은 도전으로부터 자신의 이익을 보호하기 위한 것이어서는 안 된다. 넷째로, 진실을 숨기는 결정은 상대방 입장에 서서 내려야 된다. 다섯째로, 다른 사람한테 필요한 것이 무엇인지를 알게 해주는 능력은 오직 진정한 사랑에서만 나온다는 것을 명심하라. 여섯째, 다른 사람의 필요를 평가하는 데 있어서 가장 중요한 요인은 그 사람이 자기의 영적 성장을 위해 진실을 유용하게 쓸 능력이 있느냐에 대한 평가이다. 끝으로 다른 사람의 능력을 평가할 때 대체로 우리는 과대평가보다는 과소평가하기가 쉽다는 점을 유념해야 한다.

이러한 모든 것이 비정상적인 일처럼 보이고, 완전하게 완성하기는 불가능한 것처럼 보이며, 끝없이 짊어져야 하는 짐처럼 보이고,

질질 끌려가고 있는 것처럼 보일 것이다. 이것은 참으로 끝이 없는 자기 훈련이라는 짐인 것이다. 그래서 많은 사람들은 자신의 지도를 감추면서 정직하거나 개방적이기보다는 오히려 폐쇄적으로 살아간다. 사실 덜 개방적이고 폐쇄적인 삶은 정직하고 개방적인 삶보다 쉽다. 그러나 정직하고 진실한 생활에 따르는 보답은 생각보다 훨씬 더 많은 것이다. 개방적인 사람들은 그들의 지도가 계속적으로 도전을 받도록 함으로써 끊임없이 성장하는 사람들이다. 그들은 마음이 활짝 열려 있으므로 친근한 인간관계를 폐쇄적인 사람들보다 더 효과적으로 이룩할 수 있고 유지할 수 있다. 그들은 전혀 거짓말을 하지 않기 때문에 이 세상의 혼란에 아무런 책임이 없으며, 세상을 계몽하고 정화하는 데 봉사했다는 것으로 인해 안정감과 자부심을 가질 수도 있다.

또한 그들은 완전히 자유로운 존재가 될 것이다. 그들은 무엇인가를 감추어야 할 부담도 없다. 그들은 어둠 속에서 살금살금 걸어다니지 않아도 된다. 예전의 거짓을 감추기 위해 새로운 거짓말을 꾸밀 필요도 없다. 그들은 거짓말을 감추거나 유지하느라고 정력을 낭비할 필요도 없다. 이들은 궁극적으로는 정직하려는 자기 훈련에 요구되는 에너지가, 비밀을 유지하기 위해 요구되는 에너지보다 훨씬 적게 든다는 것을 발견하는 것이다. 이것은 정직하면 할수록 계속 정직하기가 더 쉽고, 거짓말을 하면 할수록 거짓말을 더욱더 할 필요가 있는 것과 마찬가지이다. 얼마나 개방적이냐 하는 것은 얼마나 진실되게 살려는 자세가 되어 있느냐와 관계되며, 이는 또한 얼마나 용기있는 사람이냐를 나타내게 된다.

균형잡기

지금쯤은 훈련을 한다는 것이 유연성과 결단성을 둘 다 요구하는 힘들고 복잡한 과제라는 것에 동감했을 것으로 믿는다. 용감한 사람들은 계속해서 완전히 정직하려고 애쓰고, 그러면서도 필요할 때는 적절히 진실을 숨길 수 있는 능력도 가져야만 한다. 자유로운 사람이 되려면 우리는 자신에 대해 전적으로 책임을 져야만 하고, 동시에 진실로 우리의 책임이 아닌 것은 거절할 줄 아는 능력도 소유해야만 한다. 규모있고 효과적이며 현명하게 생활하려면 우리는 매일매일 즐거운 일들을 뒤로 미루고 미래를 내다보아야만 한다. 하지만 기쁘게 살려면 파괴적이지 않은 한도 내에서 현실적이고 자발적으로 행동할 수 있는 능력도 가져야만 한다. 다시 말해서 훈련 자체가 또한 훈련되어야만 하는 것이다. 훈련하는 데 필요한 훈련을 나는 '균형잡기' 라고 부른다.

'균형잡기' 란 우리에게 융통성을 주는 훈련이다. 성공적인 생활을 위해서는 모든 활동 분야에서 비상한 융통성이 요구된다. 그 한 가지 예로, 화내는 것에 대해 생각해 보자. 화내는 것은 인간이라는 유기체 안에서 자신의 생존을 돕기 위해 키워진 본능적인 감정이다. 우리는 다른 사람이 우리의 지리적 혹은 심리적 영역을 침해하려 하거나 짓누르려고 하는 것을 자각할 때는 언제나 화를 내게 된다. 그렇게 해서 우리는 같이 싸움을 하게 된다. 우리가 화를 내지 않으면 정말로 계속해서 짓밟히고 드디어는 완전히 짓눌리고 말살되기까지 할 것이다. 화를 내야만이 우리는 생존할 수 있게 된다. 그런데 많은 경우에, 처음에는 다른 사람이 우리를 침해하려 한다고 인식했지만 더 자세히 고찰해 보면 그들이 의도적으로 그런 것은 아니었다는 사실을 깨닫게 될 때가 있다. 혹은 남들이 참으로 우리를 침해하려 하는 것이 분명할 때에도 화를 내며 대응하는 것이 우리를 위해 최상의 이익이 되는 것은 아니라는 걸 인식하게 될 것이다. 그래서 우리 머리의 고차원적인 기능인 이성이 하위 기능인 감정을 규제하고 조절할 필요가 있게 된다. 복잡한 세계에서 성공적으로 살아가려면 우리는 분노를 표현할 줄 아는 능력뿐만 아니라 표현하지 않을 줄 아는 능력도 소유해야 한다. 더 나아가 분노를 여러 가지 다른 방법으로 표현할 줄 아는 능력을 소유해야만 할 것이다. 때로는 심사숙고해서 자기 평가를 한 다음에 감정을 표현할 필요가 있다. 또 어떤 때에는 직접적으로 자연스럽게 표현하는 것이 더 유익할 때도 있다. 어떤 때는 아주 냉정하고 침착하게 표현하는 것이 최선이며, 어떤 때는 소리 지르고 불같이 화를 내는 것이 제일 나을 때도 있다. 그러므로 우리에게는 분노를 여러 다른 방법으로, 알맞은 때에 알맞은 스타일로 가장 적절하고 유능하게 조절하기 위해 여러 가지 융통성 있는 대응체계가 요구된다. 물론 분노를 조정하는 것을 배우기는 매우 어려워서, 대개의 경우는 어른이 된 뒤에

나 가능하거나 때로는 죽을 때까지 배울 수 없는 사람도 있다.

다소의 차이는 있으나, 모든 사람들이 그들의 대응체계가 불균형하고 유연하지 못해서 고생을 한다. 그러므로 정신치료의 많은 부분은 환자들로 하여금 자기들의 대응체계를 더 유연하게 유지할 수 있도록 도와주려고 하는 것이다. 일반적으로 환자들이 죄책감과 불안감에 억압받는 정도가 심할수록 치료하는 일이 더 어려워진다. 언젠가 나는 서른두 살 된 용감한 정신 분열증 환자를 치료했는데, 이 부인은 치료를 통해서 어떤 남자들은 문 안에 들이지도 말아야 하고, 어떤 남자들은 안방까지 들여도 괜찮으나 침실은 안 되고, 또 어떤 남자들은 침실에 들일 수 있다는 정말로 의외의 새로운 사실을 배우게 되었다. 이전에는 그 부인은 하나의 대응체계만을 가지고 누구든지 자기 침실로 들어오게 했으며, 이 대응이 듣지 않을 때는 또 누구든 문 앞에도 얼씬거리지 못하게 했었다. 그래서 그녀는 저속한 난혼 생활과 외로운 고립생활 사이에서 우왕좌왕했었다. 또 이 부인은 감사를 표시하는 문제를 집중적으로 치료받을 필요가 있었다. 그 부인은 자기가 받는 선물이나 초청장에 각각 일일이 답변을 하는데 손수 길게 쓴 감사편지를 보내야만 한다고 느끼고 있었다. 물론 그 부인은 그런 부담스러운 일을 계속해서 수행할 수가 없었으며 결국에는 아무 답장도 쓰지 않든지, 그렇지 않으면 모든 선물과 초청들을 거절했던 것이다. 얼마 후 그녀는 어떤 선물들은 감사편지를 쓰지 않아도 되고, 또 감사편지를 써야 하더라도 때로는 간단히 써도 충분할 때가 있다는 것을 알고 퍽 놀랐다. 이와 같이 성숙한 정신 건강에 필요한 것은 상충되는 필요성들, 목적, 의무, 책임, 방향 등을 융통성있게 균형잡는 능력이다.

이러한 균형잡는 훈련에서 근본적으로 배워야 하는 것은 '포기'를 하는 것이다. 나는 아홉 살 때의 어느 여름 아침에 이런 진실을 처음 배웠던 것으로 기억된다. 나는 그때 자전거 타기를 배운 지 얼마 안 되어서, 새로 배운 것을 신나게 이리저리 해보고 있었다. 우리 집에서 일 마일쯤 되는 지점에서 길은 급경사를 이루고 있었다. 나는 그날 아침에 신나게 언덕을 내려오면서 점점 빨라지는 속력에 황홀감을 느꼈다. 브레이크를 걸어서 이런 황홀감을 포기한다는 것은 이상하게 자기 처벌을 하는 것처럼 고통스러운 일로 느껴졌다. 그래서 나는 속력을 그대로 유지하면서 언덕 아래의 커브길을 돌아보기로 마음먹었다. 그러나 내 황홀감은 몇 초 안 되어서 길에서 12피트 떨어진 숲으로 나가떨어짐으로써 끝났다. 나는 형편없이 긁히고 피가 났으며, 새 자전거의 앞바퀴는 나무에 부딪쳐 심하게 뒤틀어졌다. 나는 균형을 잃었던 것이다.

균형을 잡는다는 것은 하나의 훈련이다. 무엇인가를 포기하는 행동이란 괴로운 일이기 때문이다. 내가 커브길에서 균형을 유지하려면 그 황홀한 속력을 포기하는 고통을 겪어야 했다. 나는 균형을 유지하기 위해 무엇인가를 포기하는 고통보다 균형을 잃는 것이 궁극적으로 더 고통스럽다는 것을 배웠다. 어쨌든 이것은 내가 일생을 통해 계속 되풀이하여 배워야 했던 교훈이 되었다. 누구든지 삶의 여러 가지 길과 협상할 때에 자신의 일부를 포기해야만 한다. 이러한 포기 대신에 할 수 있는 유일한 선택은 인생이라는 여행을 아예 그만 두는 일이다. 이상하게 보일지도 모르지만 대개의 사람들이 이런 대안을 택해서 그들 평생의 여행을—얼마간 더 가야 할 길을 남겨 둔 채—그만 두곤 한다. 그들 자신의 일부를 포기하는 고통을 피하기 위해서이다. 이것이 이상하게 보인다면 그 이유는 여러분이 거기에 담겨진 고통의 깊이를 이해하지 못하기 때문이다. 대개 포기하는 것은 인간 경험들 중에서 가장 괴로운 일이다.

지금까지 나는 작은 형태의 포기에 대해 말해 왔다. 속력을 포기한다든지, 자연스러운 분노, 혹은 안전하게 감춰진 분노, 정연한 감사의 표시 등을 포기하는 것을 말했다. 이제 성격상의 특징, 잘 발달된 행동양식, 훌륭한 이상, 또 전체 생활 스타일을 포기하는 데로 돌려 보자. 이런 것들은 인생의 여로에서 긴 여행을 해야 할 사람이라면 아주 중요한 포기가 되는 것들이다.

며칠 전 저녁에 있었던 일이다. 나는 열네 살이 된 딸아이와 좀더 행복하고 친근한 관계를 가져 보려고 자유시간을 함께 지내기로 결정했다. 몇 주일 동안 그 애는 체스를 같이 하자고 졸라 오던 터라 나는 게임을 한 번 해보자고 했다. 그 애는 열광적으로 응해서, 우리는 자리잡고 앉아 아주 팽팽한 시합을 벌였다. 그날은 평일로 다음날 학교에 가야 했는데, 아홉 시가 되자 딸 아이는 좀 빨리 두자고 청했다. 내일을 위해 자러 가야 할 시간이 다가오고 있었기 때문이다. 다음날 아침 그애는 여섯 시에 일어나야 했다. 나는 그애가 꼭 제 시간에 자는 습관이 몸에 배었음을 알고 있었다. 그러나 나는 이런 엄격한 버릇을 좀 포기할 수도 있지 않겠나 싶었다. 나는 그애에게 말했다.

"글쎄, 한 번쯤 조금 늦게 잘 수도 있지 않겠니? 끝마치지 못할 게임을 하려면 무엇하러 시작을 했니."

우리는 15분 더 게임을 했는데, 그 동안 그애가 당황해 하는 것이 눈에 보일 정도였다. 마침내 그애는 애걸을 하는 것이었다.

"제발, 아빠 좀 빨리…… 아빠 차례를 서둘러 해보세요."

"아냐," 나는 대꾸했다. "체스는 신중한 게임이라서 천천히 해야만 되는 거야. 신중히 해볼 생각이 없다면 아예 다 집어치우는 게 나을 거다."

그래서 그애의 마음을 상하게 하면서, 계속해서 10분 가량을 더 하던중 갑자기 딸애는 울음을 터뜨렸다. 그리고 이런 바보 같은 게임에는 져주는 게 낫겠다고 소리 지르며 이층으로 뛰어 올라가 버렸다.

그 순간 나는 다시 아홉 살이 된 것처럼 느껴졌다. 자전거와 함께 숲속으로 나동그라진 채 피를 흘리며 누워 있던 그때로 돌아간 느낌이었다. 분명히 내가 잘못했다. 확실히 나는 딸아이와의 팽팽한 대립으로 들어가는 그 길에서 방향을 바꾸도록 했어야 했는데 못했다. 처음에는 딸과 함께 즐거운 시간을 가지기 원해서 그날 저녁 체스를 시작했던 것이었으나, 90분 후에 그애는 나한테 너무 화가 나서 말도 거의 할 수 없을 정도였다. 무엇이 잘못되었던 것일까? 대답은 분명했다. 그러나 나는 그 대답을 찾기 싫었고, 그래서 체스 게임에 이기고 싶은 욕망이 우리 딸애와 좋은 사이를 이룩하는 것보다 더 중요한 것이 되게 만듦으로써 그날 저녁을 망쳤다는 사실을 두 시간이나 지나서야 시인했다. 이것은 너무나 고통스러운 사실이었다. 그때 나는 정말로 침울했었다. 어떻게 내가 그다지도 균형을 잃었을까? 나는 이기고 싶은 욕망을 좀 포기해야만 했었다. 그런데 이렇게 조그만 것을 포기하는 것조차도 그때에는 아주 불가능하게 보였다. 일평생 나의 이기고 싶은 욕망이 내게 이익이 되어 왔다. 이기기를 원치 않고 어떻게 체스 게임을 할 수가 있을까? 나는 무슨 일이든지 열심히 하지 않으면 결코 편치가 않았다. 그런데 어떻게 체스 게임에 열중하면서도 진지하지 않게 체스를 둘 수 있을까? 이러한 모든 고집에도 불구하고 어쨌든 나는 내 생각을 바꿔야만 했다. 내 열정, 내 경쟁심, 내 신중성이 내 행동양식의 일부분이므로 이것이 계속해서 우리 애들을 나로부터 멀어지게 하고 내가 이런 내 행동을 바꾸지 않으면 아이들에게 불필요한 상실감과 증오심을 갖게 만들 것이라는 점을 알기 때문에 고쳐야만 한다. 내 우울증은 계속됐다.

지금은 우울증에서 벗어났다. 나는 게임에서 이기고 싶은 욕망을 포기해 버렸다. 나의 그런 부분이 이제는 사라져 버렸다. 그것은 죽었고, 죽어야만 했으며, 내가 죽였다. 내가 어렸을 때는 게임에서 이기고 싶은 욕망이 나를 잘 되게 해주었다. 그런데 부모로서는 그것이 방해가 된다는 것을 인식하게 되었다. 그래서 그것은 사라져야만 했다. 때가 바뀐 것이다. 변화하는 시기에 발맞추어 나는 그것을 포기해야만 했다. 그것이 아쉽지 않다. 경쟁심에 대한 포기가 내게 커다란 상실감을 안겨 주리라고 생각했던 것은 하찮은 오해에 불과했던 것이다.

정상적인 우울증

앞에서 다루었던 예들은 용기있게 스스로를 '환자'라고 나설 수 있었던 사람들이 겪었던 변화에 대한 이야기들이다. 이들은 정신치료를 오랫동안 받아야만 하는 사람들에 비교하면 아주 작은 예에 불과하다. 철저한 정신치료의 기간은 집중적으로 성장이 되는 기간이어서, 이 동안에 환자가 경험하는 변화들은 다른 사람들이 평생 동안 경험하는 것보다도 더 많을지도 모른다. 이러한 급속한 성장을 위해서는 이에 맞먹는 양의 '낡은 자신'이 포기되어야만 한다. 이는 성공적인 정신치료에서 불가피한 요소이다. 사실 대체로 포기하는 과정은 환자가 정신치료자와의 첫 번째 약속(치료를 위해 언제 만나자고 하는 시간 약속)을 하기 이전부터 시작된다. 정신과적인 치료를 받아야겠다고 결정하는 그 행동 자체가 "나는 괜찮다, 나는 아무렇지도 않다."고 하는 자기상을 포기하는 것이다. 이러한 포기는 미국 문화권 내의 남성들에게 특히 어려운 일일지도 모르겠다. 그들은 "나는 지금 어려운 상태에 있고, 그것을 어떻게 하면 벗어날 수 있나를 알기 위해서는 도움이 필요하다."는 사실을 "나는 약하고 남자답지 못하고 부적절한 인간이다."와 똑같은 말이라고 생각한다. 그래서 포기한다는 문제가 가끔 환자가 정신과적 치료를 받아야 되겠다는 결정에 이르기도 전에 시작되는 것이다. 이미 얘기했던 것과 같이 항상 이겨야만 한다는 욕망을 포기하는 동안에 나는 우울했었다. 그 이유는 사랑했던 어떤 것을 포기하는 것과 관련된 느낌, 우리 자신의 일부분이거나 혹은 우리와 친근한 것의 일부분인 것을 포기하는 것과 관련된 느낌이 바로 우울이기 때문이다. 정신적으로 건강하기 위해서는 성장을 해야만 하고, 그러기 위해서는 낡은 자아를 포기하는 과정은 필수적인 것이므로, 우울증은 근본적으로 정상적이고 건강한 현상인 것이다. 무엇인가를 포기하는 과정에 장애가 생기면, 그 우울증은 비정상적으로 건강을 해치게 된다. 그 결과로 우울증은 오래 계속된다.

사람들이 정신과적 치료를 받아야 되겠다고 생각하게 되는 주요한 동기 중의 하나는 바로 우울증이다. 다시 말하면, 환자들이 흔히

포기 과정을 방해하는 요인들이 많은데, 이것들은 정상적이고 건강한 우울증을 오래 끌음으로써 병적인 우울증으로 만든다. 모든 방해 요인들 중에서 가장 일반적이고 확실한 것은 어린 시절의 경험이다. 부모들이나 운명이 아이의 요구들을 채워 주지 않고, 아이가 심리적으로 가지고 있는 것을 포기할 준비가 되기도 전에, 또는 욕구를 잃어버리는 것도 괜찮다고 용납할 수 있을 만큼 마음이 강하게 되기도 전에 가진 것들을 빼앗아 버리는 것이다. 이런 식의 어린 시절 경험이 아이로 하여금 잃는 경험에 아주 민감하게 반응하도록 만든다. 그래서 그들은 보다 더 강하게 '소유물'에 매달리게 되어, 잃어버리거나 포기하는 고통을 회피하게 하는 습관을 만든다. 이러한 이유 때문에 모든 병적 우울증은 포기 과정에 어떤 장애가 포함되어 있다. 그 중에서도 장기적인 신경성 우울증이 있는데, 이것은 포기할 수 있는 기초적인 능력에 충격적인 상처를 받아 생기는 것으로, 이런 우울증에 대해 나는 '포기 신경증'이라는 이름을 붙이고 싶다.

정신치료를 결심하기 전에 이미 '포기' 라고 하는 성장 과정을 경험하게 되는데, 바로 이때 생겨나는 우울증 때문에 치료자를 찾게 되는 것이다. 그러므로 치료자의 역할은, 환자가 이미 시작한 성장 과정을 완수하도록 도와주는 것이다. 이는 환자들이 때로 자기들에게 무슨 일이 일어나고 있는지를 알고 있다는 말은 아니다. 그 반대로 흔히 환자들은 단지 우울증의 증세에서 벗어나기만을 원하며, '그래서 일들이 이전처럼 될 수 있기를' 바란다. 그들은 이제 더 이상 '이전처럼' 될 수 없다는 것을 알지 못한다. 그러나, 무의식중에는 알고 있다. 정확히 이 무의식은 '이전에 있던 것 그대로' 라는 것은 더 이상 소유할 수 없다는 것을 알기 때문에, 이러한 생각이 무의식의 수준에서 작용되기 시작하여 우울증을 경험하게 되는 것이다. 아마도 이와는 달리 환자는 "나는 왜 내가 우울한지 알 수가 없다." 라고 말하거나, 당치도 않은 원인들에다가 우울증을 설명해 붙일 것이다. 아직 환자들이 '낡은 자아' 와 '옛날에 있던 일 그대로' 가 불가능하다는 사실을 인식하려는 의사도 없거나 준비가 되어 있지 않기 때문에, 우울증의 회복을 위해 큰 변화가 있어야만 한다는 것을 모르고 있다. 무의식이 의식보다 한 발자국 앞서 있다는 사실이 일반 독자들에게는 이상하게 보일는지도 모르겠다. 그러나 그것은 이러한 특별한 경우뿐만 아니라 모든 기본적인 정신작용에도 적용된다. 이에 대해서는 이 책의 결론 부분에 가서 더 깊이 있게 논의할 것이다.

근래에 우리는 '중년의 위기' 에 대해서 많이 이야기한다. 실제로 이것은 에릭 에릭슨이 30년 전에 우리에게 가르쳐 주었던 것처럼

—에릭슨은 인생에는 여덟 개의 단계가 있으며 각기 그 위기가 있다고 보았지만, 아마도 사실은 그보다도 더 많을 것이다—인생의 많은 위기들 중의 하나이다. 인생 여정에 있어서의 전환기들이 왜 이렇게 위기들—그것은 문제성이 있고 괴로운 것이다—을 만들어 내느냐 하면, 그 전환기를 성공적으로 지내기 위해 우리는 예전에 중히 여기던 것들과 옛날에 써 오던 방법들, 사물을 보던 방법들을 포기해야만 하기 때문이다. 많은 사람들은 저버릴 필요가 있는 부적합한 것들을 포기하는 괴로움을 감당해 낼 마음도 없거니와 또 감당해 낼 수도 없는 형편이다. 그들은 때에 따라서는 영원히 그들의 예전 그대로의 생각과 행동에 매달리는 쪽을 택하게 되고, 그 결과로 위기를 극복해 내지 못하고, 참으로 성장하지도 못하며, 더 큰 성숙으로 이어지는 전환에 뒤따르는 재생의 기쁨을 체험하지도 못한다. 인생의 각 단계에 대해서는 책을 한 권 쓸 수도 있을 것이다. 그러나 여기서는 성공적인 삶을 위해서 발달과정상 포기해야만 했던 주된 조건, 욕구 등을 발달 순서대로 간략히 열거해 보이겠다.

유아기, 여기에서는 어떤 외부의 요구에도 대응할 필요가 없음

무엇이든지 할 수 있다는 환상

부모를 완전히(성을 포함해서) 소유하고 싶은 욕망

유년 시절의 의존심

부모에 대한 왜곡된 이미지들

청소년기의 가능성과 불가능성

책임 없는 '자유'

청년기의 민첩함

청년기의 성적 매력 혹은 능력

불멸에 대한 환상

아이들을 지배하려는 권위욕

일시적으로 갖게 되는 여러 가지 권력

신체적 건강의 독립성

궁극적으로는 자신, 그리고 생명 자체

포기는 부활이다

앞에서 나열한 것 중 마지막 것에 관해 말해 보자. 이것은 인간이 궁극적으로 해야 할 일이 인간 자신을 포기하고 생명도 포기해야 한다는 뜻인데, 하느님이나 운명의 신이 강요하는 가혹한 운명을 말한다. 이로 인해 우리의 존재는 하잘 것 없는 것이 되어 버린 셈이므로, 그 운명을 결코 완전히는 받아들일 수 없다. 이러한 태도가 특히 현재의 서양문화에서는 지배적인 현상으로, 개인 자신이란 신성하게 받들어야 하는 존재이며 죽음이란 말할 수 없는 손상으로 간주되고 있다. 그러나 진실은 정반대다. 자신을 포기함으로써 인간 존재들은 가장 황홀하고, 영구적이고, 확고하며 끝없는 인생의 기쁨을 발견할 수 있다. 그리고 죽음이 바로 모든 생의 의미와 더불어 생명을 제공하는 것이다. 이것이 종교의 중심적 지혜이다.

자신을 포기하는 과정이란(이것은 사랑의 현상과 관련된 것으로 이 책의 다음 부분에서 논의될 것이다) 급격한 변화가 아니라 완만히 이루어지는 점진적 과정이 대부분이다. 어떠한 형태의 일시적 자기 포기라도 거기에는 특별한 해설이 필요하다. 그 이유는 그것을 실천하는 것이 성년기에 배워야 하는 많은 훈련과 정신의 성장을 위해서는 필수적이기 때문이다. 아무리 자그마한 형태의 포기라도 인간의 중요한 영적 성장을 위해 필수과제가 된다.

그럼 이제부터 내가 '괄호로 묶기' 라고 부르는 균형잡기 훈련방법에 대해 이야기하겠다. '괄호로 묶기' 란 근본적으로 개인이 안정감을 느끼고, 자기 주장을 하고자 하는 욕구를 잠깐 포기하고, 그 대신 새로운 자료에 적응하여 새로운 성장을 이룸으로써 균형을 이루게 해주는 행동을 말한다. 다시 말하자면 자신을 한편에 제쳐놓음으로써 새로운 재료들을 자신에게 혼합시켜 집어넣을 여지를 만드는 것이다. 이 훈련에 대해서는 신학자 샘 킨이 그의 책 『춤추는 신에게 To a Dancing God』에서 잘 설명하고 있다.

두 번째 단계는 즉각적인 경험에 대한 특이하고도 이기적인 인식을 뛰어넘어야만 한다는 것이다. 성숙한 깨달음이란 지난 세월 내가 갖게 된 선입견과 편견을 이해하고 개선할 때만 가능해진다. 나에게 내재한 존재를 깨닫기 위해서는 두 가지에 모두 주의를 기울여야 한다. 곧 익숙한 것에 대해서는 침묵을 지키고 낯선 것에 대해서는 환영하는 것이다. 매번 내가 이상한 물건이나 사람, 혹은 사건을 접할 때, 나의 현재 욕구와 과거 경험, 혹은 미래에 대한 기대를 기초로 내가 본 것을 이해하고 결정하게 한다. 이처럼 괄호로 묶어놓고, 개선하고 침묵케 하는 훈련에는 섬세한 자기 인식과 용기있는 정직이 요구된다. 이러한 훈련 없이는 현재의 순간도 이미 보았거나 경험된 어떤 것의 반복에 지나지 않는다. 순수하게 새로운, 사물이나 사람들이나 사건들의 실재가 내 안에 뿌리내리게 하기 위하여, 자아의 탈중심화(脫中心化)를 겪어야만 한다.

이 '괄호로 묶는' 훈련은 포기와 훈련 일반에 관한 것을 제일 잘 설명해 주고 있다. 즉 모든 것을 포기함으로써 보다 많이 얻게 된다. 자기 훈련이란 자기 확장의 과정이다. 포기의 고통이란 죽음의 고통이고, 옛것의 죽음이란 새것의 출생이다. 죽음의 고통이란 생산의 고통이고, 생산의 고통이란 죽음의 고통이다. 우리가 새롭고 더 좋은 생각과 개념, 이론, 이해를 발육시킨다는 것은 옛 생각과 개념, 이론, 이해를 버려야만 한다는 것을 의미한다. T.S. 엘리어트는 시 「매기의 여행」의 결혼에서 세 사람의 현자(賢者)가 기독교를 받아들일 때 어떻게 그들의 옛 세계관을 포기하느라고 고통을 받았는가를 잘 묘사함으로써 이러한 의미를 구체적으로 보여 주고 있다.

> 내 기억컨대, 이것은 모두 오래 전 일이다.
> 그래서 그런 일을 다시 한 번 하고 싶다.
> 그러나 이런 말을 하고 싶다.
> 이런 말을—즉, 우리가 거기까지 이끌려 간 것은
> 그 목표가 결국
> 탄생이었더냐 죽음이었더냐? 확실히 탄생이었다.
> 우리는 증거가 있었고 의심치 않았다.
> 탄생과 죽음을 전에 본 일이 있었지만,
> 그 두 가지는 다르다고 생각했었다.

이 그리스도의 탄생은
우리에게 괴롭고 가혹한 고뇌였다.
십자가의 죽음처럼, 우리의 죽음처럼
우리는 우리의 고장, 이 왕국으로 돌아왔었다.
그러나 여기에선 더 이상 편안치 못하다.
저희들의 신에 매달리는
이교도 천지인 이 낡은 율법 하에선
또 한번 달갑게 죽어야 할까보다.

삶과 죽음이 동전의 양면과 같으므로 서양문화권에서 부활의 개념에 주의를 기울이는 것은 결코 불합리한 것이 아니다. 우리가 서양에서 보통 부활의 개념에 대해 듣는 것은 더 귀를 기울여 가까이 들어보면 전혀 불합리한 것만은 아니다. 우리가 자연적으로 우리의 신체적인 사망과 더불어 일어나는 어떤 부활의 가능성에 대해 진지하게 받아들일 의사가 있든 없든 현재의 이 삶이라는 것이 삶과 죽음이 서로 꼬리를 맞물고 일어나며 자연스럽게 공존하는 현상임은 부인할 수 없는 사실이다. "평생 동안 우리는 사는 방법을 배워야만 한다."고 세네카는 2천 년 전에 말했고, 에리히 프롬은 "더욱이 흥미를 돋우어 주는 것은, 생을 통해서 인간은 죽기를 배워야만 한다는 사실"이라 했다. 인간은 살아가면 갈수록 더 많은 것들을 체험할 것이고, 따라서 더 많은 죽음들도, 더 많은 기쁨과 더 많은 고통들도 체험할 것이다.

그러면 이 삶의 정신적 괴로움으로부터 자유롭게 될 가능성이 과연 있을까 하는 의문이 제기된다. 좀더 완곡한 표현으로 말하자면, 적어도 생존의 고통이 감소되는 의식의 단계로 정신은 성장해 나갈 가능성이 있는가? 그 답은 그렇다와 아니다, 둘 다이다. "그렇다."고 하는 이유는 고통을 완전히 받아들이면, 더 이상 고통은 고통이 아니기 때문이다. 또한 끊임없는 훈련이 바른 길에 이르게 하기 때문이다. 정신적으로 성숙된 사람은 아이에 비해 어른이 더 완전하다는 것과 같은 의미에서 미숙한 사람보다 훨씬 고통을 잘 견딘다고 대답할 수 있다. 아이에게 큰 문제들과 고통을 주는 일들이 어른들에게는 아무런 고통과 문제를 주지 않을지도 모른다. 또한 그 대답이 "그렇다."고 한 이유는 정신적으로 성숙한 사람은 남을 무한히 사랑할 수 있는 사람이며, 그 사랑이 자신에게 행복과 기쁨을 되돌려 주기 때문이다(이 점에 관해서는 다음 장에서 설명하겠다). 그러나 그 대답이 "아니다."라고 하는 이유는, 이 세상에는 그러한 능력으로 해야 할 일들이 산재해 있기 때문이다. 즉 절실하게 도움을 필요로하는 일들로 가득 찬 세상에서 뛰어난 능력과 사랑이 있는 사람은, 배고픈 아이에게 음식을 거절할 수 없는 것과 마찬가지로 지체없이 그의 능력과 사랑을 베풀어 주어야만 한다.

정신적으로 성숙된 사람은 엄격한 자기 훈련을 통해 사랑할 능력을 갖춘 사람이며, 그 사랑의 능력 때문에 세상은 그들의 도움을 절실히 청하게 된다. 그러면 그들 또한 그 부름에 응하여 사랑을 실천할 수밖에 없다. 사랑이 있기 때문에. 그들은 위대한 힘을 가진 사람들로서 세상은 일반적으로 그들을 보통사람으로 보겠지만 그들은 조용히 숨어서 그들의 힘을 행사하고 있다. 그렇지만 그들도 자신의 능력을 발휘하고자 할 때는 크게 고통을 당하고 위험할 정도로까지 괴로움을 당한다. 권력을 행사한다는 것은 결정을 해야 하는 것이고, 모든 점을 인식하면서 결정을 하는 과정이란 제한된 범위 내에서 어리숙한 인식을 가지고 결정하는 것보다(대개의 결정들이 이렇게 이루어지고 있고 그래서 궁극적으로 이런 결정은 잘못이라는 것이 증명되고 있다) 더 고통스러운 것이다. 두 장군이 자기 휘하 군인들을 전투에 나가게 할 것인지 아닌지 각각 결정을 해야 한다고 상상해 보라. 한 장군에게는 군단이 전략의 도구에 지나지 않는다. 그러나 다른 장군은, 전략의 도구라는 점도 인정하기는 하지만, 각 개인의 생명을 일일이 인식하고 있고 또 각 개인의 가족의 생명까지도 일일이 인식하고 있다. 어떤 장군이 결정을 더 쉽게 할 수 있을까? 인식을 어리숙하게 하는 장군이 더 쉬울 것이다. 그 이유는 정확히 말해서, 보다 완전하게 인식하는 것에 따르는 고통을 견뎌 낸다는 것은 결코 쉬운 일이 아니기 때문이다. 독자들은 이렇게 말하기가 쉬울 것이다.

"아, 그렇지만 정신적으로 성숙한 사람은 처음부터 아예 장군이 되지 않을 것입니다."

그러나 똑같은 문제가 기업체의 회장이나, 의사, 선생, 부모가 되는 데에도 내포되어 있다. 그들은 다른 사람들의 생활에 영향을 끼치는 결정을 항상 해야만 한다. 가장 결정을 잘 하는 사람들은 자기들의 결정에 따르는 고통을 기꺼이 감수할 용의를 가진 사람들이다. 한 사람의 위대성의 척도는 고통을 감수하는 능력이라고 할 수 있다. 위대한 사람은 고통을 기쁘게 생각한다. 그래서 고통은 곧 기뿜이라는 역설이 성립하는 것이다. 불교신자들은 석가의 고통을 무시하고, 기독교인들은 그리스도의 기쁨을 잊고 있다. 그리스도가 십자가 위에서 고통으로부터 해방된 것과 석가가 보리수 밑에서 해탈을 한 것은 마찬가지다.

그래서 만약에 괴로움을 피하고 고통에서 도망치는 것이 당신의 목적이라면, 나는 당신에게 높은 수준의 의식이나 영적인 성장을 촉구하지 않을 것이다. 왜냐하면 우선 고통 없이는 이와 같은 것을 달성할 수 없고, 둘째, 이와 같은 것을 달성한다 하더라도 당신은 지금 상상할 수 있는 것보다도 더 고통스럽게 봉사하도록 요청받게 되기 때문이다. 또 그것은 최소한 당신에게는 큰 짐이 될 수 있다. 그러면 왜 정신적 발전을 갈망하겠느냐고 물을지도 모르겠다. 당신이 이런 질문을 한다면 아마도 그것은 당신이 기쁨이 무엇인지 충분히 알지 못하기 때문일 것이다. 이 책의 다음 부분에서 당신이 이 답을 찾을지도 모르고, 못 찾을지도 모르겠다.

균형을 잡는 훈련과 그 근본이 되는 포기에 관하여 마지막으로 말하고 싶은 것은, 당신이 이미 아무 것도 가진 것이 없으면 당신은 포기하기 위하여 무엇인가를 먼저 소유해야만 한다는 것이다. 가진 것 없이는 아무 것도 포기할 수가 없다. 당신이 이긴 적도 없으면서 이기기를 포기하면 당신은 처음 시작했던 그 자리에 그대로 있게 되는 것인데, 그것은 바로 실패자인 것이다. 당신 자신을 위해 정체감을 포기하기 전에, 어쨌든 먼저 그것을 만들어 놓아야만 한다. 당신의 자아를 발달시켜 놓아야만 그것을 잃을 수도 있다. 이것은 아주 기초적인 것으로 보이지만 나는 이것을 분명하게 말할 필요가 있다고 생각한다. 내가 알기에는 많은 사람들이 발전의 이상을 품고 있으면서도 아직 그것을 성취하기 위한 의지력은 결핍되어 있기 때문이다. 그들은 훈련을 하지도 않고 성자가 되는 지름길을 찾는 것이 가능하다고 믿을 뿐 아니라 바라기까지 한다. 가끔 그들은 그런 사람이 되기 위해 사막에 은거한다든지 목수일을 하는 식으로 성자의 겉모습을 모방하기도 한다. 어떤 사람들은 이러한 모방을 통해 그들이 정말로 성자가 되고 선지자가 되었다고 믿지만, 사실 그들은 아직도 어린아이들이어서 처음부터 끝까지 모든 과정을 꿰뚫고 나가야만 한다는 괴로운 사실을 알지 못한다.

훈련이라는 것은 문제 해결의 괴로움을 피하는 대신에 문제 해결의 괴로움을 건설적으로 취급하는 기술 체계라고 정의할 수 있다. 이런 식으로 해서 모든 생의 문제들이 해결될 수 있는 것이다. 지금까지 네 가지의 기본적인 기술들을 분리해서 설명하였다. 즉, 즐거운 일을 미루는 것, 책임을 지는 것, 진리와 현실에 충실한 것, 그리고 균형을 잡는 것이다. 훈련이란 이런 기술들의 체계라 하겠는데, 그 이유는 이 기술들이 서로 연관되어 있기 때문이다. 단 하나의 행동으로 둘, 셋 혹은 이 기술 전부를 동시에 사용할 수도 있다. 그러므로 각각의 기술들은 서로 구분되지 않을 수도 있다. 이 기술들을 사용할 힘은 사랑에 의해 제공된다. 이것은 다음 부분에서 설명될 것이다. 마지막으로 한두 가지 기초적인 기술들을 덧붙여 설명하면 다음과 같다.

바이오피드백(Biofeedback), 명상, 요가, 정신치료 자체와 같은 과정들이 훈련의 기술이 되지 않겠는가 하는 질문들은 물론 합리적이다. 그러나 내 생각으로는 이들은 기술적인 도움들이지 근본적인 기술은 아니다. 이들은 대단히 효과적일는지는 몰라도 보다 근원적인 것은 아니다. 그러나 이 책에서 이야기한 기초적인 기술들이 만약 끊임없이 진지하게 실행된다면 그것만으로도 충분히 훈련을 바르게 실천하는 사람이 될 수 있고, 영적으로는 더욱 높은 성자의 수준에까지 이르게 될 수 있을 것이다.

아직도 가야 할 길

The Road Less Travelled

둘 _ 사랑

사랑이란 무엇인가

앞에서 말했듯이 훈련이란 인간의 정신적 발달을 위한 하나의 수단이라고 하겠다. 지금부터 훈련을 하도록 격려해 주는 동기는 과연 무엇이며, 또 무엇이 그것을 추진해 나가게끔 힘을 주는가 살펴보겠다. 나는 그 힘의 정체를 사랑이라고 믿는다. 우리는 사랑을 아주 신비로운 그 무엇으로 여기면서 고찰해 나가게 될 것이다. 그러나 우리의 시도는 실제적으로는 조사할 수도 없고, 조사한다고 하더라도 결코 알아내지 못할 그 무엇에 관한 고찰이다. 사랑은 너무나 크고 깊어서 참으로 이해될 수도, 측량될 수도, 말로 표현할 수도 없다. 그럼에도 불구하고 사랑을 파헤쳐 보려는 것은 이와 같은 시도가 가치가 있다고 믿기 때문이며, 그렇게 생각하지 않았다면 이 글을 쓰지도 않았을 것이다. 그러나 아무리 가치가 있는 것이라 하더라도 이러한 시도가 어떤 면에 있어서는 부적절하리라는 것을 나는 충분히 알고 있다. 사랑은 신비롭기 이를 데 없는 것이다. 그러므로 내가 알고 있는 한에서는 어느 누구도 사랑에 대해 만족할 만한 정의를 내리지 못하고 있다. 하지만 사랑을 설명해 보려는 부단한 노력의 일환으로 에로스(eros), 필리아(philla), 아가페(agape), 완전한 사랑과 불완전한 사랑 등과 같은 다양한 범주들로 나누기도 한다. 나는 여기에서 이런 다양한 범주들을 무시하고, 다소 부적절하게 보일지는 모르나 사랑을 간단히 다음과 같이 정의하고자 한다. '자기 자신이나 혹은 타인의 정신적 성장을 도와줄 목적으로 자기 자신을 확대시켜 나가려는 의지' 라고 말이다. 하나하나 자세한 설명으로 들어가기 전에, 내가 내린 정의를 잠시만 변명해 보자. 첫째로 그것은 목적론적인 정의이다. 정신적 성장이 그 목적이다. 과학자들은 목적론적 정의를 탐탁치 않게 여기는데 이 경우도 예외는 아니리라 생각한다. 그렇지만 나는 미리부터 이런 결론을 예상하면서 사랑의 정의를 탐구한 것은 아니다. 나는 정신과 의사로 일하면서 겪은 임상적 경험을 세밀히 관찰하고 더불어 자기 관찰을 해나가는 과정 속에서 이러한 결론에 도달했다. 정신과의 임상 경험에서 사랑의 정의란 상당히 중요한 의미로 취급되고 있다. 그 이유는 일반적으로 환자들은 사랑의 정의에 관해서 매우 혼란을 느끼기 때문이다. 예를 들면 어느 소심한 청년이 나에게 이렇게 말했던 적이 있다.

"어머니는 나를 너무 사랑해서 내가 고등학교 졸업반이 될 때까지 학교 버스를 타고 다니지 못하게 했답니다. 어머니에게 아무리 사정을 해도 학교 버스를 못 타게 했습니다. 어머니는 내가 다칠까봐 두려워 매일 차로 학교까지 태워다 주고 다시 집으로 데려오느라고 퍽이나 힘드셨을 겁니다. 어머니는 정말 나를 사랑했답니다."

나는 그 청년의 소심함을 치료하기 위해서는 어머니가 사랑보다는 다른 이유 때문에 그렇게 한 것이었고, 사랑인 것처럼 보이는 그 행동들이 사랑이 아닐 수도 있음을 알려 주어야만 했다. 이때부터 나는 사랑으로 가득 찬 행동과 사랑이 아닌 행동을 구분하여 모아 보았다. 이 둘을 분별하는 중요한 기준은 사랑이 있는 사람이나 사랑이 없는 사람의 마음에 있는 의식적 목적과 무의식적 목적이다.

둘째로는 내가 정의한 사랑은 하나의 순환적 과정이다. 자기 자신을 확대시켜 나가는 과정이란 진화의 과정이기 때문이다. 인간적인 자신의 한계를 성공적으로 확대시켜 나갈 수 있는 사람은 이전보다 엄청난 존재로 성장해 나갈 것이다. 뿐만 아니라 그러한 행동이 타인의 성장을 목적으로 할 때도 사랑의 행위는 자신을 확대시켜 나가는 진화 과정이라 할 수 있다.

셋째로 사랑의 정의는 남을 위한 사랑과 더불어 자신에 대한 사랑을 포함하고 있다. 나는 인간이고 다른 사람도 인간이므로 인간을 사랑한다는 것은 나 자신뿐만 아니라 다른 사람도 똑같이 사랑한다는 것을 의미한다. 인간의 정신적 발전에 기여한다는 것은 자신을 포함한 인류에 기여한다는 것이다. 그러므로 사랑이란 우리 자신의 발전뿐만 아니라 다른 사람의 발전에도 똑같이 기여한다는 것을 의미한다. 이미 지적한 바와 같이 우리가 자신을 사랑하지 못하면 남을 사랑할 수도 없다. 또 자기 훈련이 제대로 되어 있지 않은 사람은 자기 자녀가 훌륭한 인격을 갖춘 사람으로 자라도록 훈련시킬 수도 없다. 다른 사람의 정신적 발전을 위해서 자신의 정신적 발전을 포기한다는 것은 말도 안 되는 소리다. 자기 훈련을 포기하면서 다른 사람을 돕기 위해 훈련받는다는 것은 불가능하다. 우리는 스스로 훈련되어야만 남을 훈련시킬 수 있다. 사랑의 본성에 대해 면밀히 검토해 나가다 보면 자기를 사랑하면서 동시에 남을 사랑하는 것은 가능할 뿐 아니라 당연히 그렇게 해야 하는 일이라는 것을 알게 된다. 뿐만 아니라 자기에 대한 사랑과 다른 사람에 대한 사랑은 궁극적으로 분리될 수 없다는 것도 분명해질 것이다.

넷째로 자기 자신을 확대시키기 위해서는 노력이 필수적으로 뒤따라야 한다. 자신을 확대하기 위해서는 한계를 뛰어넘어야 하고, 또 한계를 뛰어넘으려면 노력이 뒤따라야 하는 것이다. 우리의 사랑은 어떤 사람을 사랑할 때에야 비로소 표현되며, 그것도 있는 힘을 다해 노력할 때라야만 참된 사랑을 하는 셈이 된다. 참된 사랑이란 우리가 어떤 사람을 위해서(혹은 자신을 위해서) 한 발자국 더 나아가야 한다는 사실을 의미한다. 사랑은 노력 없이는 안 된다. 사랑은 무척 힘든 노력이 필요한 일이다.

끝으로 '의지'라는 말을 가지고 나는 욕망과 행동을 구분해 보려 한다. 욕망이 반드시 행동으로 표출되는 것은 아니다. 그러나 의지는 행동을 유발시킬 수 있을 정도로 강한 욕망이라 할 수 있다. 이 둘의 차이는 "나는 오늘 밤 수영하러 가고 싶다."고 하는 것과 "나는 오늘 밤 수영하러 간다."고 하는 말의 차이와 똑같다. 우리의 문화권 내에서는 누구나 다 약간은 남을 사랑하는 마음을 갖는다. 그러나 많은 경우 이것은 진정한 사랑이 아니다. 따라서 나는 사랑하려는 욕구 자체는 사랑이 아니라고 결론짓겠다. 사랑이란 행위로 표현되는 만큼만 사랑이다. 사랑은 의지에 따른 행동이며, 의도와 행동이 결합된 결과다. 의지는 또한 선택을 내포한다. 우리는 꼭 사랑해야만 하는 것은 아니다. 우리는 사랑하기를 선택한다. 아무리 우리가 사랑하고 있다고 생각할지라도 만약에 실제로는 사랑하고 있지 않다면, 그것은 우리가 사랑하지 않기로 선택했기 때문이고, 따라서 우리의 선의에도 불구하고 사랑을 하지 않는 것이 된다.

내가 지적했던 대로, 정신치료를 받으러 오는 환자들은 사랑의 본질에 대해 혼동하고 있는 것을 볼 수 있다. 그 이유는 사람들이 사랑에 대하여 어떤 신비한 개념을 갖고 있기 때문이다. 사랑의 본질에 대한 혼동된 인식은 모든 사람들에게 괴로움을 준다. 나는 이러한 잘못된 인식들을 분명하게 밝혀내어 환자들뿐만 아니라 자신의 경험으로부터 의미를 찾아보려 하는 모든 일반인들에게까지 도움을 주고자 한다. 따라서 사랑이 아닌 것이란 무엇인가를 먼저 검토해 나가면서 사랑의 본질을 밝혀 보겠다.

'사랑에 빠진다'는 것

사랑에 대한 모든 잘못된 인식 중에서 가장 강하고 많이 알려진 것은 사랑에 빠지는 것이 진정한 사랑이며 혹은 적어도 사랑의 표시 중의 하나라는 신념이다. 사랑에 빠지는 것은 주관적으로는 참된 사랑의 경험으로서 대단히 강하게 경험되므로, 이런 그릇된 인식은 심각한 문제를 야기시킨다. 어떤 사람이 사랑에 빠질 때에 남자든 여자든 그 사람이 확실히 느끼는 것은 "나는 그 남자를 사랑한다." 혹은 "나는 그녀를 사랑한다."는 것이다. 그러나 이것은 곧 두 가지 문제에 봉착하게 된다.

첫 번째 문제는 사랑에 빠지는 경험은 특별히 성적인 것과 관련된 애욕의 경험이라는 것이다. 우리는 아이들을 아무리 깊이 사랑할지라도 아이들과 사랑에 빠지지는 않는다. 동성 친구들과의 관계에서도—동성애적인 성향이 없는 한—서로 마음을 크게 써 주기는 하나 사랑에 빠지지는 않는다. 우리는 오직 의식적으로든 무의식적으로든 성적으로 자극되었을 때에만 사랑에 빠진다. 둘째 문제는 사랑에 빠지는 경험이 예외 없이 일시적이라는 것이다. 우리가 누구와 사랑에 빠졌던 사람을 사랑하지 않게 된다는 말은 아니다. 사랑에 빠지는 경험의 특징인 황홀한 사랑의 느낌은 항상 지나가게 마련이라는 것이다. 신혼여행은 언제든 끝이 나고 만다. 연애의 꽃은 피었다가는 항시 시들해지게 마련이다.

사랑에 빠진다는 현상과 그러한 사랑이 언젠가는 끝나고 만다는 불가피한 사실의 본질을 이해하려면, 정신치료자가 말하는 소위 자아 경계란 무엇인가를 먼저 고찰해 볼 필요가 있다. 지금까지 알려진 간접적인 증거들을 통해 우리가 확신할 수 있는 것은 신생아는 첫 몇 개월 간에는 자기 자신과 자기가 아닌 것을 구분하지 못한다는 것이다. 아기가 팔다리를 움직일 때는 세계도 움직이고 있다고 인식하는 것이다. 아기가 배고플 때는 온 세계도 배고픈 것이다. 어머니가 움직이는 것을 볼 때 아기는 마치 자기가 움직이고 있는 것처럼 느낀다. 어머니가 노래를 부를 때 아기는 자기 자신은 소리조차 내지 못한다는 사실을 모른다. 아기는 자기 자신이 장난감이나 방, 부모와는 별개의 개체임을 구별하지 못한다. 생물과 무생물이 다 똑같다. 아직 나와 너를 구별할 수 없다. 아기와 세계는 하나다. 거기엔 경계도 없고 구분도 없다. 자기라는 정체감이 없는 것이다.

그러나 아기는 점점 자신이 외부세계와는 분리된 독자적인 존재임을 체험하기 시작한다. 배고플 때마다 어머니가 젖을 먹여 주지는 않는다. 아기가 놀고 싶을 때마다 어머니도 놀고 싶은 것은 아니다. 그러면 아기는 자기가 원하는 것이 항상 어머니가 원하는 것이 아님을 체험하게 된다. 자기가 뜻하는 것이 어머니의 행동과는 분리된 다른 것으로 체험된다. 비로소 '나' 라는 느낌이 발달되기 시작하는 것이다. 이처럼 아기와 어머니 사이에 오가는 상호작용의 영향이 바로 아기의 자기 정체감을 길러 주는 기반이 된다. 지금까지의 연구 결과들을 분석해 보면 아기와 어머니 사이의 상호작용에 문제가 있을 경우에—예를 들어 어머니가 안 계시거나 어머니를 대신할 만한 사람이 없거나 혹은 또 어머니가 있더라도 어머니 자신의 문제 때문에 전적으로 돌봐 주지 않거나 관심도 갖지 않을 때—아기는 자아 정체감 형성에 막대한 결함을 지닌 채 자라게 된다.

아기는 자기의 의지는 자기 자신의 것일 뿐 세계의 것이 아니라는 것을 지각하면서 자신과 세계는 다르다는 것을 이해하기 시작한다. 아기는 자신의 의지가 움직이기를 원할 때 자기 팔은 움직이지만 마룻바닥이나 천장은 움직이지 않는다는 것을 발견한다. 이리하여 아기는 자기의 팔과 의지가 연결되어 있다는 것을 배우게 되고, 따라서 자기 팔이 자기의 것이고 다른 사람이나 자기와 분리된 어떤 것이 아님을 배우게 된다. 이런 방법으로 태어난 첫해에 어떤 것이 자신에게 속한 것이고 어떤 것이 자신의 것이 아닌가, 그리고 자신이 할 수 있는 것과 할 수 없는 것이 무엇인지에 대해 기본적인 사실들을 배우게 된다. 생후 1년이 끝날 무렵에는 이것이 내 팔이고 내 다리며, 내 머리, 내 혀, 내 눈이라는 것까지도 알고, 내 목소리, 내 생각, 내 배가 아픈 것, 내 느낌들을 알게 된다. 자기의 키가 얼마인지도 알고 신체적으로 한계가 있다는 것도 안다. 이 한계가 바로 자신의 영역인 것이다. 우리 마음 속에 있는 이 한계들에 대한 지식이 바로 자아 영역을 의미한다.

자아 영역의 발전은 아동기에서 청소년기로, 또 성인기에까지 계속되는 과정으로서, 나중에 확대된 영역들은 신체적인 면보다는 정신적인 면이 강하다. 예를 들어 2,3세 무렵은 아기가 자기 힘의 한계와 외부 환경과의 관계에서 타협하고 절충하는 때이다. 이전에는 아기가 자기의 소원이 반드시 어머니의 요구와 일치하지는 않는다는 것을 알고 있으면서도, 아기는 자기의 소원은 어머니의 요구와 일치해야만 한다는 당위성이나 일치할지도 모른다는 가능성에 집착한다. 이러한 집착 때문에 보통 두 살짜리 아이는 자기 부모와 형제들이 마치 자기 소유의 군대에 있는 졸병들이나 되는 것처럼 그들에게 함부로 명령을 내리고 부려먹으려고 한다. 그래서 보통 이 연령의 아이들을 '미운 두 살'이라고 한다. 세 살이 되면 아이는 자신은 상대적으로 무력하다는 현실을 받아들인 결과 전보다 부드러워지기 때문에 다루기가 쉬워지게 된다. 그러나 자신이 전지전능할지도 모른다는 가능성은 아이에게 너무나 매력적으로 받아들여져, 몇 년씩이나 계속해서 자신의 무력함과 직면하는 고통을 당하면서도 그 가능성에 집착한다. 세 살짜리 아이는 자기 힘의 한계를 현실적으로는 인정할지라도, 몇 년 간은 때때로 전지전능한 환상의 세계로 도피하려 할 것이다. 이것이 바로 슈퍼맨과 마블 선장의 세계인 것이다. 그러나 아이가 차츰 자라나 청소년기에 이르게 되면 영웅인 슈퍼맨에 대한 환상을 포기하고 자연스럽게 자신의 제한된 능력을 인정하게 된다. 또한 각 개인은 모두 약하고 무능력한 개체이고, 사회라는 조직체 안에서만 존재할 수 있는 개체들임을 알게 된다. 사회 안에서 그들은 특별히 다른 사람과 구별되지 않는다. 그러나 그들 자신의 개인적 자아 정체감, 영역, 한계성 때문에 다른 사람들로부터 고립되어 있음을 느끼게 된다.

이러한 이유로 인간은 고독을 느끼는 것이다. 어떤 사람들은—특히 정신과 의사들이 정신분열증 환자라고 부르는 사람들—어렸을 때에 가졌던 불쾌하고도 충격적인 경험 때문에 자기들 밖의 세계를 위험하고, 혼돈스러우며, 편안하게 성장할 수 없는 곳으로 인식하고 있다. 이런 사람들은 자기들의 내적 영역만이 자신들을 보호해 주고 위안해 준다고 느낌으로써, 고독 가운데서만 일종의 안전함을 찾게 된다. 그러나 우리들은 대개가 고독이란 괴로운 것이라고 여기므로 자신이 개인적으로 고립되는 상태에서 도망하여 우리 자신들 밖에 있는 세상과 화합할 수 있는 상태로 가기를 갈망한다. 사랑에 빠지는 경험은 우리에게 바로 이러한 도피를 일시적으로 가능하게 해준다. 사랑에 빠지는 현상의 본질은 개인의 자아 영역의 일부를 과감하게 무너뜨리고 자신의 자아 영역과 다른 사람의 자아 영역이 하나가 되는 일체감을 느끼게끔 하는 것이다. 다시 말하자면 사랑하는 사람에게 자신의 자아 영역을 폭포처럼 쏟아 붓고, 거기에 따라 고립된 자아 영역이 여지없이 허물어지는 것이 사랑이다. 사랑과 더불어 더 이상 고독하지 않게 되며, 사랑에 빠진 사람은 이 상황을 무아지경으로 경험하게 된다. 나와 사랑하는 그 사람은 하나다, 고독은 더 이상 없다라고.

어떤 경우에(모든 경우에서는 아니고) 사랑에 빠지는 행동은 일종의 퇴행이다. 사랑하는 사람과 하나가 되는 경험은 우리가 아기였을 때 어머니와 하나가 되었던 기억과 같은 것이다. 이런 일체감과 더불어 우리는 어렸을 때 성장하면서 뼈아프게 포기해야만 했던 전지전능함을 다시 경험하게 된다.

모든 일들이 가능해 보인다. 사랑하는 사람과 하나가 된다면 우리는 모든 장애를 극복할 수 있다고 느낀다. 우리는 사랑의 힘이 복종과 굴복과 암흑과 같은 모든 반대세력들에 저항하고 물리칠 것이라고 믿는다. 모든 문제가 극복될 것이다. 장래는 온통 찬란하게 빛날 것이다. 우리가 사랑에 빠졌을 때의 이러한 비현실적인 느낌은, 두 살 난 아이가 자신을 집안에서나 세상에서 무한한 권력을 가진 왕으로 착각하는 비현실적인 느낌과 본질적으로 똑같다.

그러나 현실은 두 살짜리 아이의 전지전능한 환상을 깨어 나가듯이, 사랑에 빠진 두 사람의 비현실적인 환상에도 찬물을 끼얹는다. 조만간 매일매일의 일상생활 문제에 대항해서 개체는 그 자신을 재확인할 것이다. 그는 섹스를 원하는데, 그녀는 원치 않는다. 그는 은행에 저금하기를 원하는데, 그녀는 세탁기 사기를 원한다. 그녀는 자기 일에 관한 것을 얘기하기 원하는데, 그는 자신의 일에 대해 얘기하고 싶어한다. 그녀는 그의 친구들을 좋아하지 않고, 그는 그녀의 친구들을 좋아하지 않는다. 그래서 둘 다 마음 속으로 사랑하는 사람과 하나가 아니며, 사랑하는 사람은 자기 자신의 욕망과 취미와 편견 그리고 생활리듬만 고집하려 들고 있으며 앞으로도 그럴 것이라는 사실을 뼈저리게 인식하게 될 것이다. 하나씩 하나씩, 혹은 급작스럽게 자아 영역이 제자리로 돌아가고, 그들은 사랑에서 빠져 나오게 된다. 다시금 그들은 서로 떨어진 별개의 두 개체가 된다. 이 정도가 되면 그들은 서로 헤어지거나 아니면 참사랑을 실천하려고 노력하게 된다.

내가 사용하는 '참' 이라는 말은 사랑에 빠질 때 사랑한다고 인식하는 것은 허위라는 것과, 우리가 느끼는 주관적인 사랑은 환상에 불과하다는 것을 내포한다. 참사랑에 대한 구체적인 설명은 이 부분의 마지막에 가서 취급될 것이다. 간략하게 언급하자면 한 쌍의 연인이 사랑에서 빠져나올 때 그들은 그때서야 비로소 참사랑을 하기 시작할 것이라는 것, 그리고 참사랑은 사랑의 느낌에 뿌리를 두고 있는 것이 아니라는 것이다. 참사랑은 때로 사랑한다는 느낌이 없는 관계에서 생기기도 하고, 사랑한다는 느낌이 없음에도 불구하고 우리가 사랑하는 듯이 행동할 때 일어나기도 한다.

나는 '사랑에 빠지는' 경험은 참사랑이 아니라는 것을 다음의 몇 가지 이유를 들어서 얘기할 수 있다.

사랑에 빠지는 것은 의지적인 행동이 아니다. 그것은 의식적인 선택도 아니다. 우리가 아무리 사랑에 빠지기를 열렬히 원할지라도 사랑에 빠지는 경험을 못할 수도 있다. 이와 반대로 우리가 그런 경험을 원하지 않을 때에도 사랑한다는 느낌이 우리를 사로잡아 버리기도 한다.

적합한 상대와 사랑에 빠지는 것은 물론 부적합한 상대와도 사랑에 빠지곤 한다. 우리는 열정의 대상을 좋아하거나 숭배하지 않을 수도 있다. 반면에 아무리 노력해도 존경할 만하고 모든 점에서 깊은 관계를 맺는 것이 좋은 사람인데도 사랑에 빠질 수는 없는 상대도 있을 수 있다. 예를 들면 정신과 의사들이 가끔 환자들과 사랑에 빠지기도 하지만 환자들에 대한 책임과 의무 때문에 그들은 자신들의 자아 영역을 무너뜨리지도 않으며, 환자를 연애 대상으로 여기지도 않는다. 이러한 자제력을 기르는 훈련 과정은 엄청난 갈등과 고통을 요구할 것이다. 그러나 훈련과 의지력만이 그런 경험을 조절할 수 있게 해줄 것이다. 우리가 그 경험 자체를 피할 수는 없지만, 사랑에 빠지는 경험에 어떻게 반응할 것인지는 선택할 수 있다.

사랑에 빠지는 일은 한 개인의 한계나 영역을 확장시키는 것이 아니다. 그것은 부분적인 그리고 일시적인 자아 영역의 붕괴다. 한 개인의 한계를 확장시키는 데는 노력이 뒤따라야 하지만, 사랑에 빠지는 일에는 노력이 필요없다. 게으르고 훈련되지 않은 개인들도 부지런하고 헌신적으로 훈련을 받아 개인의 한계를 확장시킨 다른 사람들처럼 사랑에 빠지는 것이 보통이다. 한 번 사랑에 빠지는 귀중한 순간이 지나가고 자아 영역들이 제자리로 돌아오면 사람들은 환멸을 느끼게 될지도 모른다. 참사랑은 영구적인 자기 확장의 경험이지만, 사랑에 빠지는 것은 그렇지 않다.

사랑에 빠지는 경험이 그 사람의 정신적 발전을 북돋아 주는 일은 거의 없다. 사랑에 빠질 때 우리 마음 속에 어떤 목적이라도 있다면, 그것은 우리 자신의 고독에 종지부를 찍고 결혼을 통해서 그 결과를 보장받고자 하는 정도가 고작일 것이다. 분명히 정신적 발전에 대해서는 생각하지 않는다. 사랑에 빠진 데서 다시 나오기 전까지는 자기 자신이 절정에 이르렀다고 느끼고, 이보다 더 높이 올라갈 필요도 가능성도 없다고 느낀다. 이제 더 이상 아무런 발전도 필요없다고 느낀다. 전적으로 우리가 있는 곳에서 만족한다. 우리의 정신은 평화로우며 사랑하는 사람도 정신적 발전이 필요없다고 생각한다. 우리는 사랑하는 사람이 지금 그대로의 모습으로 완전하다고, 혹은 완전해졌다고 인식하는 것이다. 사랑하는 사람에게서 어떤 결점을 발견하더라도 그것들을 별로 중요하게 생각지 않는다.

조그만 궤변이나 이상한 행동들은 단지 사랑하는 사람에게 독자적인 색채를 첨가해 주고 매력을 더해 주는 것이라고 생각한다.

사랑에 빠지는 것이 참사랑이 아니라면, 자아 영역의 일시적이고 부분적인 붕괴 이외에 또 어떤 측면이 내재해 있을까? 그리고 이러한 자아경계의 붕괴는 왜 일어나는 것일까? 잘은 모르겠으나 나는 사랑에 빠지는 것을 짝을 구하려는 성적인 본능 때문이 아닌가 생각한다. 다시 말해 이것은 짝짓기를 통해 아이를 낳고 이리하여 종족의 생존을 촉진시키려는 것으로서, 사랑에 빠져 일시적인 자아 영역의 붕괴를 일으키는 것은 내부의 성적 충동과 외부의 성적 자극 상황에 대한 인간 본능의 전형적인 반응형태일 뿐이라는 것이다. 다소 우스꽝스럽게 들릴지도 모르지만, 사랑에 빠지는 것은 유전인자가 정신을 속이는 하나의 속임수로서 결국은 결혼이라는 덫에 걸리게 만든다. 이런 계략이 잘 통하지 않는 경우도 많다. 성적인 충동이나 자극에 동성애적이거나 다른 요인—부모의 간섭, 정신질환, 책임에 따른 갈등 혹은 자기 훈련—이 끼어들어 결합을 방해하는 경우가 그것이다. 반면 이런 계략, 즉 세상이 다 자기 것 같은 환상적이고 유아기적인 결합과 퇴행이 없었다면, 행복하든 불행하든 현재 결혼생활을 하는 사람들 중 많은 사람들은 공포스런 현실 때문에 결코 결혼을 하고 아이를 낳지는 않았을 것이다.

낭만적인 사랑이라는 신화

사랑에 빠져 결혼에까지 이르는 까닭은 아마도 그 경험이 영원히 지속될 것이라는 환상 때문일 것이다. 이 환상은 사랑이란 낭만적인 것이라는 신화로 정착되어 있는데 우리가 좋아하는 어린이 동화 속에서 왕자와 공주가 함께 화합하여 영원히 행복하게 산다는 줄거리로 나와 있다. 낭만적인 사랑의 신화가 우리에게 실제로 얘기해 주는 것은 이 세상에 있는 모든 젊은이에게는 '그에게 알맞은 짝'이 있다는 것이다. 더욱이 신화는 단지 남자 한 사람에 여자 한 사람, 여자 한 사람에 남자 한 사람이 짝지워져 있는데, 그것은 운명적으로 미리 결정되었음을 암시하고 있다. 우리가 '하늘이 정해 준' 사람을 만날 때에는 첫눈에 '사랑에 빠지는' 경험을 통해서 알 수 있다고 한다. 우리는 하늘이 우리에게 정해 준 사람을 만나고 있으며 그 짝지워 주는 것이 완전하기 때문에 서로 원하는 것을 영원히 만족시킬 수 있으므로 완전한 합일과 조화로 영원히 행복하게 살게 될 것이라고 확신한다. 그러나 세월이 흘러가면 우리는 만족하지도 못하거니와 서로 원하는 것을 채워 주지도 못하고 알력이 생겨나며 사랑이라는 마력에서 나오게 된다. 그제야 우리는 운명의 별을 잘못 짚어서 하나밖에 없는 완전한 짝을 만나지 못했으며, 엄청난 잘못을 저지른 것이라고 한탄하게 된다. 우리가 생각했던 것은 참되고 '진실' 된 사랑도 아니었으며, 이 형편을 수습할 만한 아무런 대책도 없다. 이런 상황에서 할 수 있는 일이란 불행하게 살든지 이혼하는 것밖에 없는 것이다.

위대한 신화들은 위대한 우주적 진리들을 정확하게 표현한다고 생각한다(이 책에서는 나중에 그러한 신화들 몇 가지를 설명할 것이다). 그러나 낭만적인 사랑이라는 신화의 경우는 순전히 거짓말이다. 아마도 그 신화에 지독한 거짓말이 필요한 이유는 사랑에 빠지는 경험이 결혼으로 향한 우리의 음모를 격려하고 또 정당하게 하여 인류의 존속을 보장하기 위해서일 것이다. 그러나 정신과 의사로서 나는 거의 매일같이 이러한 신화가 무시무시한 혼돈과 고통을 길러 주고 있는 현실을 보며 마음 속으로 슬프게 울고 있다. 수백만의 사람들이 비현실적인 신화와 자신의 삶을 일치시키기 위해 필사적으로 정진하지만, 이것은 정력의 낭비일 뿐 아무런 결실도 맺지 못하고 있다.

A여사는 죄책감으로 인하여 그녀의 남편에게 이상하리만큼 자신을 예속시키고 있었다.

"우리가 결혼했을 때 나는 남편을 진정으로 사랑하지는 않았다. 그러나 나는 그를 진정으로 사랑하는 척했다. 내가 그를 속여서 결혼했으니 남편에 대해 불평할 권리가 없다. 나는 그가 원하는 대로 무엇이든지 다 해주어야 한다. 나는 그에게 빚을 지고 있다."

B씨는 이렇게 한탄했다.

"나는 C양과 결혼하지 않은 것을 후회한다. 우리가 결혼했더라면 잘 살았을 것이다. 그렇지만 나는 그녀와 사랑에 빠지지는 않았기 때문에 그녀가 내게 알맞는 사람이 아니라고 생각했던 것이다."

D여사는 결혼한 지 2년 되었는데 아무 이유 없이 몹시 우울해졌다며 치료를 받으러 왔다.

"나는 무엇이 잘못인지 알지 못하겠다. 나는 완전한 결혼생활을 하고 있으며 내가 필요한 것은 무엇이든 다 가지고 있다."

수개월 뒤 그 부인은 자신이 그동안 빠져 있었던 남편과의 사랑에서 빠져 나왔으며, 이것은 자신이 잘못을 저지른 것을 뜻하는 것이 아니라는 사실을 받아들일 수 있게 되었다.

E씨도 역시 결혼한 지 2년 되었다. 저녁이면 머리가 몹시 아파서 고생하고 있었는데, 이것이 신경성 두통이란 진단을 믿지 못했다.

"내 가정생활은 원만하고, 나는 내 아내를 결혼하던 그 날이나 마찬가지로 사랑하고 있다. 내 아내는 내가 바라는 전부이다."

그러나 두통은 그 후로도 일 년이 지나도록 계속되었으며, 그때서야 그는 다음과 같이 자기의 현실을 인정할 수 있게 되었다.

"내 아내는 하도 귀찮게 굴어서 지옥 같다. 그녀는 내 봉급은 생각지도 않고 이것을 원한다, 저것을 원한다, 항상 원하는 것뿐이다."

비로소 그는 아내의 낭비벽을 깨닫고 아내에게도 자신의 낭비벽을 깨닫게 해줄 수 있었다.

사랑의 도취에서 깨어난 F부부는 그런 사실을 서로 인정하고 나서, 더 나아가 상대방에게 참사랑을 찾으려고 하다 보니, 오히려 서로를 비참하게 만들고 있음을 발견하게 되었다. 그들은 이러한 사실들을 인정하는 것이 사랑의 종말이 아니라 진정한 사랑의 시작임을 몰랐던 것이다. 달콤한 신혼시절을 다 보내고 서로가 더 이상 낭만적으로 사랑하고 있지도 않으면서, 그들은 아직도 사랑의 신화에 마음이 고착되어, 그들의 삶을 그 신화에 비교해 가면서 확인하려 애쓰고 있었다. "우리가 사랑에서 빠져 나오긴 했지만, 마치 우리가 아직도 사랑 속에 빠져 있는 것처럼 순수한 의지력으로 행동한다면 낭만적인 사랑이 우리 삶에 다시 돌아올지도 모른다."라는 식으로 그들의 생각은 진행되었다.

이 부부는 함께 하는 것을 귀중히 여기고 있었다. 그들은 부부 집단치료 시간에 들어와서 같이 자리를 하고 앉아서는 서로를 위해서 이야기하고, 서로의 잘못을 변호해 주고, 나머지 그룹 사람들 앞에 일치된 의견을 보여 주려고 노력했다. 그들의 일치된 의견이 결혼생활이 비교적 건전한 것임을 보여 주는 신호라고 믿고, 결혼생활의 개선을 위해서는 그것이 필수조건이라고 믿고 있었다. 나는 이런 경우에 대개의 부부들에게 그들은 너무나 지나치게 결혼생활을 의식하고 있고 너무 가까워지려고 하므로, 그들의 문제를 건설적으로 다루려면 우선 그들은 서로에게 심리적인 거리를 가질 필요가 있다는 것을 반드시 말해 주어야 한다고 생각한다. 어떤 때에는 실제로 그들을 따로 떼어놓을 필요가 있어서, 둥그렇게 앉은 그룹 대형에서 서로 거리를 두고 앉게 지정해 주기도 한다. 서로를 위해서 방어하고 변호하는 행동은 삼가도록 요청할 필요도 있다. 반복해서 다음과 같이 말해 주기도 한다.

"메리가 자기 자신을 위해 말하도록 놔두세요, 존 씨."

"존 씨도 스스로 자기를 변호할 수 있어요. 메리 씨, 존 씨도 충분히 기력이 강하거든요."

그들이 치료를 계속하게 된다면, 궁극적으로 모든 부부들은 자기 자신들을 진실로 받아들이게 되고, 상대방이 서로의 개성과 별개의 개체인 것을 인정하게 되는데, 이런 기반 위에서라야만 성숙한 결혼생활이 가능하고, 또 참사랑이 자랄 수 있게 된다.

오닐 부부의 책 『개방적인 결혼생활』을 읽으신 분들은 이것이 바로 폐쇄된 결혼생활과는 달리 개방적인 결혼생활이 주장하는 기본 논리임을 알 것이다. 실제로 오닐은 개방적인 결혼생활을 전파하는 데 있어서 참으로 온화하고 침착했다. 내가 부부들 문제를 상담하면서 갖게 된 확고한 결론은, 개방적인 결혼생활이야말로 유일한 성숙하고 건전한 결혼생활로서 정신건강을 파괴하지도 않으며, 배우자들 각각의 성장에도 도움이 될 것이라는 사실이다.

사랑은 자아 영역을 확대하는 것

'사랑에 빠지는' 경험은 참사랑이 아니라 일종의 환상과 같은 것이라고 나는 앞에서 단언했다. 그러나 이번에는 정반대로, 사랑에 빠지는 것이 우리로 하여금 참사랑에 도달할 수 있게 해주는 좋은 경험임을 주장하고자 한다. '사랑에 빠진다는 것이 사랑'이라는 잘못된 신념은 그것이 바로 그만한 가능성을 지니고 있기 때문에 생긴 것이다.

참사랑의 경험도 역시 인간 한계의 확장을 포함하고 있기 때문이다. 인간의 한계란 인간의 자아 영역과 마찬가지다. 우리가 사랑을 통해서 우리의 자아 경계를 확장하는 것은 자아 영역을 넘어서 사랑하는 사람을 향해 다가가서 그 사람의 성숙을 도와주는 것까지도 포함한다. 이렇게 되기 위해서는 우리는 가장 먼저 사랑할 대상을 찾아야 한다. 즉 우리는 자아 영역을 훨씬 능가하는 자신 밖의 대상에게 매혹을 느끼고 완전히 몰두해야만 한다는 것이다. 정신과 의사들은 이러한 과정을 일컬어 '정신집중(cathexis)' 이라고 말한다.

우리가 자신들 밖에 있는 대상에 집중할 때에 우리는 심리적으로 그 대상을 자신과 일치시킨다. 정원 가꾸는 것을 취미로 하고 있는 어떤 사람을 예로 들어보자. 그의 취미는 만족을 주고 시간도 유익하게 보낼 수 있는 취미다. 그 사람은 정원 가꾸기를 '사랑' 하고 있다. 그의 정원은 그에게 상당히 중요한 것이 되고 있다. 이 사람은 그의 정원에 완전히 매료되어, 거기에 자신을 일치시켜 정신을 집중해 왔다. 그 사람은 일요일 아침에도 일찍 자리에서 뛰쳐나와 정원을 가꾸며, 그 일 때문에 여행은 물론이고 부인에게조차도 소홀히 대하게 될지도 모른다. 그는 정신을 집중해서 꽃과 나무들을 가꾸면서 상당한 것을 배우게 된다. 그는 정원일에 대해서 많은 것을—흙과 비료, 뿌리 내리는 것, 나뭇가지 치기, 정원의 역사, 꽃의 품종, 나무의 종류, 정원 설계의 문제점 및 장래 등—알게 된다. 정원은 그의 외부에 존재하고 있지만, 그의 정신집중 과정을 통해 그 정원은 내부에 실재하게 되는 것이다. 그가 가진 정원에 대한 지식과 의미는 이미 자신의 일부가 되어 그의 자아 정체감, 그의 역사, 그의 지혜를 이루게 된다. 그는 정원을 참으로 사랑하고 정신집중함으로써, 정원을 자신의 내부에 심어 자신과 일치시키고, 이런 과정을 통해 끝내 그의 자아 영역은 확장되는 것이다.

여러 해 동안의 사랑, 정신집중, 그리고 자기의 한계 확장은 결국 무엇을 가져다줄까. 그것은 점진적이고도 발전적인 자아의 확장, 외부세계와 자기 내부세계의 통합, 이에 따른 자아 영역의 성장과 확장을 연쇄적으로 가져다준다. 이렇게 우리가 자신을 더욱더 많이 그리고 더욱 오랫동안 꾸준히 자아를 확장해 나가면 나갈수록 우리의 사랑은 더욱 깊어지고, 자아와 세계의 거리는 좁혀진다. 우리는 '사랑에 빠질' 때 가졌던 것과 같은 종류의 황홀감을 체험하게 된다. 그리고 자아의 벽이 허물어지면 자아 영역도 부분적으로 붕괴될 수 있으며, 이럴 때 세계와 나의 '신비로운 화합'이 이루어질 수도 있다. 세계와의 결합에서 느껴지는 극도의 황홀감은 사랑에 빠지는 것보다 자극적이지는 않을 것이다. 그러나 이 느낌은 더 안정되고 지속적이며 매우 만족스러운 포만감을 우리에게 안겨 줄 것이다. 또한 이 절정의 느낌은 갑자기 얻어지는 것도 아니며, 일시적인 것도 아니며, 우리의 가슴 속에 영원히 아로새겨질 그런 것이다.

일반적으로 성적 행동과 사랑은 동시에 일어날 수는 있으나 근본적으로는 다른 현상이므로 대개는 아무런 관련이 없는 별개의 것으로 발생한다. 성행위 그 자체는 사랑의 행위가 아니다. 그럼에도 불구하고 성교, 특히 오르가슴(자위행위에서까지도)의 경험은 크고 작은 정도의 차이는 있어도, 자아 영역이 붕괴되고 황홀감을 준다. 육체적 관계에서 우리가 절정에 도달했을 때는 일시적으로 자아 영역이 붕괴되기 때문에 우리는 애정이나 매력을 갖고 있지 않은 창녀에게도 '당신을 사랑해'라고 하거나 '오, 하느님'이라고 외치게 된다. 그러나 자아 영역을 되찾은 후에는 사랑, 애정과 같은 감정은 완전히 사라진다. 이것은 오르가슴의 황홀감이 사랑하는 사람과 성행위를 나눌 때 더 증대될 수 있다는 뜻은 아니다. 물론 그럴 수도 있다. 그러나 사랑하는 사람이 아닌 어떤 상대라도 오르가슴과 더불어 일어나는 자아 영역의 붕괴는 똑같이 일어난다. 잠시 우리는 자신이 누구인지를 잊어버리고 시간과 공간을 망각한 채 자아를 벗어나게 된다. 우리는 우주와 하나가 된다. 그러나 그것은 단지 순간일 뿐이다.

단순한 오르가슴에서 오는 순간적인 합일과 비교할 때 참사랑과 결합된 지속적인 '우주와의 합일'을 나는 '신비로운 합일'이라고 말하고 싶다. 신비주의는 근본적으로 '실재는 하나'라고 믿는 것이다. 철저하게 신비주의를 신봉하는 사람은, 우주는 서로서로 분리된 무수한 독립적인 개체(별, 유성, 나무, 집, 우리 자신과 같이)들로 구성되어 있다는 우리들 대부분의 보편적인 믿음이 완전히 잘못된 것이며 착각이라고 주장한다. 이러한 잘못과 인식과 착각을 힌두교도와 불교도들은 마야(Maya)라고 한다. 이들을 포함한 다른 신비주의자들은 참된 실재는 자아 영역을 포기한 합일의 경험을 통해서만 알 수 있는 것이라고 주장한다. 인간이 자기 자신을 우주의 다른 부분들로부터 분리된 하나의 독립된 개체로 보는 한 우주의 통일성을 깨달을 수는 없다. 그런고로 힌두인들과 불교인들은 때때로 주장하기를 자아 영역이 발달되기 전의 유아는 실재를 바로 알고, 오히려 성인들은 모르고 있는 것이라고 한다. 심지어 실재는 하나라는 것을 깨닫기 위해서는 우리 자신이 퇴행하거나 아이들 같은 상태로 만들어져야 할 필요가 있다고 제안하기도 한다. 이런 것은 성인으로서의 책임을 질 준비가 되어 있지 않은 어떤 청소년이나 청년들에게는 위험하게도 매혹적인 교리가 될 수 있다. 그들은 "나는 이런 것들 모두를 겪어 내야 할 필요가 없다."라고 생각할지도 모른다. 또 "나는 성인이 되려고 힘쓰는 것을 포기할 수도 있고 성인의 요구들로부터 벗어나 성자로 은거할 수도 있다."고 생각하기도 한다. 그러나 이런 생각대로 행동한다면 성자라기보다는 오히려 정신분열증 환자가 되는 것이다.

대다수 신비주의자들은 훈련이라고 하는 것에 대해 우리가 논의한 것 중 마지막의 것들을 잘 이해하지 못하고 있다. 말하자면 우리는 무엇인가를 포기하기 전에 그것을 소지해야만 되고 혹은 무엇이든 성취해야만 한다는 것을 말이다. 자아 영역이 없는 유아는 부모들보다도 더 가까이 실재와 접근하고 있을지 모르나 부모들의 도움없이는 생존할 수 없으며 부모들의 지혜를 전달해 받을 능력도 없을 것이다. 성자에로의 길은 성년기를 통해서 가는 길이다. 거기에 짧고 쉬운 지름길은 없다. 자아 영역을 초월하기 이전에 먼저 그것을 확립해야 한다. 그리고 자아를 잃어버리기 전에 먼저 자아를 발견해야만 한다. 사랑에 빠지거나 성관계를 가질 때, 또는 정신에 영향을 미치는 약물복용으로 우리는 일시적으로 자아 영역으로부터 해방되는 열반과 같은 감정을 느낄 수도 있다. 그러나 이것은 열반 그 자체는 아니다. 열반, 깨달음, 정신적인 성장은 오로지 참사랑을 부단히 실천함으로써 성취될 수 있는 것이다.

요약하면, 사랑에 빠져 성행위를 할 때 수반되는 자아 영역의 일시적인 붕괴는 다른 사람과 함께 참사랑으로 갈 수 있도록 이끌어 주는 시발점이다. 뿐만 아니라 참사랑을 지속적으로 한 사람만이 맛볼 수 있는 신비롭고 지속적인 황홀감을 약간 맛보여 주기도 한다. 혹은 사랑에 빠지는 것이 참사랑을 향한 동기를 제공하기도 한다.

그러나 '사랑에 빠지는' 것 그 자체가 사랑은 아니며 그것은 사랑의 크고 신비로운 전체 구도의 일부분일 뿐이다.

의존성을 경계하라

사랑에 관계된 두 번째의 그릇된 개념은 의존하는 것도 사랑이라고 생각하는 것이다. 이것은 정신과 의사들이 항상 염두에 두고 다루어야만 하는 개념이기도 하다. 이 의존성의 결과는 아주 극적인 것이어서 자살을 시도한다거나 자살하는 시늉을 하거나 자살하겠다는 말로 사람을 위협한다. 배우자나 혹은 애인으로부터 거절당하거나 헤어짐으로 인해 무력감과 우울에 빠진 사람에게서 흔히 볼 수 있다. 그런 사람은 보통 "나는 살고 싶지가 않아. 나는 우리 남편(또는 아내, 친구, 애인 등) 없이는 살 수 없어. 나는 그를 무척 사랑해."라고 말한다. 그런 때 나는 흔히 "당신은 잘못 생각하고 있습니다. 당신은 남편을 사랑하는 것이 아니에요."라고 말해 준다. 그러면 대개는 이렇게 화를 낸다.

"뭐라고요? 나는 그 사람 없이는 못 살겠다고 방금 말하지 않았어요?"

이에 대해 나는 계속해서 힘들여 설명한다.

"당신이 말하는 것은 기생충의 생활이지, 사랑이 아니에요. 당신의 생존을 위해서 다른 사람을 요구할 때, 당신은 그 사람에게 의존하여 기생하는 식객입니다. 거기에는 선택도 자유도 없습니다. 그것은 사랑이기보다는 오히려 필요성 때문이지요. 사랑이란 선택의 자유로운 실행입니다. 두 사람이 서로 사랑한다는 것은 단지 서로가 없어도 잘 살 수 있지만 더 잘 살기 위해 상대방과 함께 살 것을 선택하는 것입니다."

나는 의존성이란, 상대방이 자기를 열심히 돌보아 준다는 확신이 없이는 적절한 생활을 영위하지 못하거나 자기가 완전하다는 느낌을 경험할 수 없는 것이라고 정의한다. 신체적으로 건강한 성인이 의존성을 나타낸다면, 이것은 병리현상으로 정신과적 질환이라 말할 수 있다. 이것은 보통 우리가 말하는 의존성의 욕구나 느낌들과는 구별되어야만 할 것이다. 우리 모두는 아무리 다른 사람들에게 또 우리 자신들에게 자기가 그렇지 않다고 말할지라도 어느 정도는 의존성에 대한 욕구와 느낌을 가지고 있다.

우리 모두는 자신보다 더 강한 사람이 자신에게 관심을 갖고서 아기처럼 보살펴 주기를 바라는 욕구를 가지고 있다. 우리 자신이 아무리 강하고 책임감 있게 아이를 보살피고 있다고 하더라도 가슴에 손을 얹고 그 속을 들여다보면 때때로 의존하고자 하는 욕구가 살짝 숨어 있음을 발견할 수 있을 것이다. 아무리 나이 먹고 성숙할지라도, 사람들은 끊임없이 자신을 충족시켜 주는 어머니상이나 아버지상을 찾고 있으며 또한 그런 상을 가지고 싶어한다. 그러나 대개의 사람들에게 있어서는 이러한 욕망이나 느낌이 생활을 지배하지는 않는다. 즉 그것들은 우리 실존의 압도적인 주제가 아니다. 그것들이 우리 생활을 지배하고 우리 존재의 질을 좌우할 때, 우리는 단순한 의존의 욕구나 느낌 그 이상의 것을 지니게 된다. 우리는 의존적인 '상태' 가 되는 것이다. 특별히 의존성의 욕구에 의해 좌지우지되는 생활을 하는 사람은 정신과 의사들이 '수동성 의존적 성격 장애' 라고 부르는 정신적 장애로 고통을 받고 있다. 이것은 아마도 모든 정신장애 중에서 가장 평범한 장애일 것이다.

이러한 장애를 가진 사람들, 즉 수동적으로 의존하는 사람들은 언제나 사랑받기를 갈구하며, 다른 사람을 먼저 사랑하려고는 하지 않는다. 그들은 마치 굶주린 사람 같아서 아무 데서나 할 수 있는 대로 식량을 긁어 모으지만 다른 사람들에게 줄 식량은 가지고 있지 않다. 그들 내부는 텅 비어 있어서, 마치 바닥 없는 웅덩이가 채워지기를 애타게 갈구하는 것과 같다. 그러나 절대로 '충분히 채워짐' 을 느끼지 못하고 완전한 느낌도 갖지 못한다. 그들은 항상 '나의 일부분이 결핍되어 있다.' 고 느낀다. 그들은 외로움을 참아내지 못한다. 그들은 충만감이나 완전함을 느끼지 못하므로 자아를 제대로 파악하지 못하고, 타인과의 관계를 통해서만 자신을 판단하려 든다.

서른 살 된 한 인쇄공이 아주 심한 우울증에 걸려 나를 만나러 왔다. 그는 아내가 두 아이를 데리고 떠난 지 사흘 됐다고 했다. 그 부인은 그가 자기와 아이들을 돌보지 않는다고 불평하면서 이전에도 세 번이나 그를 내버리고 떠나겠다고 위협을 했다고 한다. 매번 그는 아내에게 떠나지 말아 달라고 애원하며 자신이 달라지겠다고 약속했으나 그 약속은 번번이 하루 이상을 넘기지 못했고, 마침내 그 부인이 위협을 실행에 옮긴 것이었다. 그는 이틀 동안 잠 한숨 자지 못하고 불안으로 떨었으며, 눈물을 줄줄 흘리며 심각하게 자살까지 생각하고 있었다.

"나는 가족 없이는 못 살겠어요. 나는 그들을 무척 사랑한답니다."

"글쎄요," 나는 그에게 말했다. "당신은 내게 당신 아내의 불평이 옳다고 했고, 아내를 위해서 당신은 아무 것도 한 것이 없다고 했어요. 집에는 당신이 오고 싶을 때 찾아오고, 아내에 대해서 역시 성적으로도 감정적으로도 흥미가 없었고, 아이들과 같이 놀아 주지도 않았고, 아무 데도 데리고 가지 않았다고 했어요. 그렇다면 당신은 당신 가족의 아무와도 관계가 없다는 소리인데, 나는 이해가 가지 않는군요. 전혀 있지도 않았던 관계를 잃었다고 당신이 왜 그렇게 우울하게 되었을까요?"

"선생님은 이걸 모르세요?" 그는 대답했다. "나는 이제 아무 것도 아니에요, 정말 아무 것도 아니에요. 난 아내도 없고, 아이들도 없고, 내가 누구인지도 모르겠어요, 내가 그들을 돌보아 주지 않았는지는 모르지만 나는 틀림없이 그들을 사랑했답니다. 그들 없이는 나는 아무 것도 아니에요."

그는 아주 심한 우울 상태에 빠져 있었기 때문에—가족이 그에게 부여해 준 자아정체감을 상실했으므로—나는 이틀 후에 다시 만나기로 약속을 했다. 나는 조금 진전이 있을 것을 기대했었다. 그러나 이틀 후 그는 웃음 띤 얼굴로 명랑하게 사무실로 사뿐히 들어와서는 "모든 것이 이제 다 좋아졌습니다." 하고 큰소리를 쳤다.

"가족과 다시 합쳐졌습니까?" 나는 물었다. "오, 아뇨." 하고 그는 기쁘게 대답했다.

“선생님과 상담한 이후 그들한테서는 아무 소식도 못 들었어요. 그렇지만 나는 어젯밤에 술집에서 한 여자를 만났어요. 그녀가 나를 참으로 좋아한다고 그러는군요, 그녀도 나처럼 똑같이 가족과 헤어졌답니다. 우리는 오늘밤에 다시 데이트를 할 거예요. 나는 새 사람이 된 것 같아요. 다시 선생님을 찾아 뵙지 않아도 될 겁니다.”

이러한 급작스런 변화는 바로 수동적 의존성이 있는 사람들의 특징이다. 그들은 누구에게 의존하든지 의지할 사람이 있기만 하면 아무 상관이 없는 것처럼 생각하는 것이다. 그들의 자아정체감이 무엇이든지 간에 그들에게 자아정체감을 줄 사람이 있기만 하면 아무 상관이 없는 것이다. 그래서 그들의 관계는 얼핏 보기에는 열렬하고 극적으로 보일지 모르지만 실제로는 극히 얕다. 내적 공허감이 너무 커서 그 굶주림을 채우려는 욕구 또한 아주 크기 때문에 수동적 의존자들은 다른 사람들을 위해서 자기들의 욕구를 채우는 즐거움을 지체하는 것을 견디어 내지 못할 것이다.

한 아름다운 여인은(그녀는 매우 총명해 보이고, 어떤 면에서는 아주 건강해 보였는데) 열일곱 살 때부터 스물한 살까지 거의 끊임없이 자기보다 지적으로든 능력 면에서든 훨씬 수준이 낮은 남자들과 성관계를 가져 왔다. 그녀는 한 남자와 관계가 끝나면 곧 다른 남자와 관계를 맺었다. 그녀의 문제는 자기에게 적합한 남자를 찾을 때까지 충분히 기다릴 수 없다는 데 있었다. 그녀는 즉흥적으로 만나는 많은 남자들 가운데에서 선택할 때조차도 인내심이라곤 찾아볼 수 없었다. 심지어는 한 남자와 관계가 끝난 지 24시간도 지나기 전에 술

집에서 첫 번째로 만난 남자를 선택하고는, 정신과 상담에 와서는 그렇게 그 남자를 입이 마르도록 칭찬하는 것이었다. "실직자이고 술을 많이 마시는 것은 알지만, 그 남자는 아주 재주가 많고 참으로 나를 염려하고 돌보아 준답니다. 이 관계가 잘 되어 나갈 것이라는 것을 나는 알고 있습니다."

그러나 그것이 그렇게 잘 되어 나갈 리가 없다. 그녀의 선택이 잘못되었기 때문이 아니라, 그녀가 남자에게 집착하기 때문이다. 그녀는 남자한테서 애정의 증거를 점점 더 많이 요구하고, 언제나 그와 함께 있으려 애쓰고, 혼자 떨어져 있기를 거절할 것이다.

"나는 언제나 당신을 매우 사랑하기 때문에 당신과 헤어지는 것을 견딜 수가 없답니다."라고 그녀는 그에게 말하겠지만, 조만간에 그 남자는 그녀의 소위 '사랑'이라는 것 때문에 완전히 숨이 막히는 것처럼 느낄 것이며 고랑에 빠져 움직일 자리도 없는 것처럼 느낄 것이다. 격렬한 충돌이 일어나고 관계가 끝장나면 그녀의 수레바퀴는 언제나처럼 또다시 굴러갈 것이다.

그녀는 삼 년간의 치료를 받은 후에야 수레바퀴를 깨뜨릴 수가 있었는데, 그 치료 기간 동안 그녀는 자신의 지식과 자기의 특성을 옳게 평가하게 되었고 공허와 굶주림을 확인하였으며 그것이 순수한 사랑과 다른 것임을 식별하게 됐다. 자신의 굶주림이 자기를 얼마나 건강하지 못한 관계로 몰아 가게 하였고 또 그들에게 집착하게 했는지를 깨닫게 되었다. 그래서 그녀가 자기의 장점을 길러나가기 위해서는 자신의 굶주림에 대해 엄한 훈련이 필요하다는 것을 받아들이게 되었다.

이런 현상을 진단할 때 '수동적'이라는 말을 '의존적'이라는 말과 함께 사용했는데 그 이유는 이런 사람들은 그들 자신이 무엇을 할 수 있는가에 대해서는 생각하지 않고, 다른 사람들이 그들을 위해 무엇을 해줄 수 있는가만을 생각하기 때문이다. 한번은 수동적 의존성 환자 중 독신자 5명으로 구성된 환자들과 집단 상담을 한 적이 있었다. 나는 그들에게 5년 후 자신의 인생이 어떠하기를 바라는지, 원하는 목표를 말해 보라고 했다. 이렇든 저렇든 간에 그들 각자가 대답한 것은, "나는 나를 정말로 잘 돌보아 줄 사람과 결혼하기를 원합니다."였다. 도전적인 직업을 가진다든지, 예술작품을 창작해 낸다든지, 사회 공동체에 공헌하겠다든지, 아이들을 훌륭하게 키우고 싶다든지, 하는 것을 얘기한 사람은 없었다. 그들의 꿈에는 노력에 대한 것은 포함되어 있지 않았고, 그들이 꿈꾸는 것은 단지 보호를 받기만 하는 노력 없는 수동적인 상태였다.

나는 다른 많은 사람들에게 말하는 것과 마찬가지로 그들에게도 이렇게 말했다.

"사랑을 받는 것이 당신들의 목적이라면 그걸 성취하지는 못할 것입니다. 확실히 사랑을 받을 수 있는 유일한 길은 자기 자신이 사랑받을 가치가 있는 사람이 되는 것입니다. 당신의 첫 번째 생의 목적이 수동적으로 사랑을 받는 것이라면 당신은 사랑받을 가치가 있는 사람이 될 수 없습니다."

이 말은 수동적 의존자들이 남을 위해서는 절대로 아무 것도 하지 않는다는 말이 아니고, 그들이 하는 일들의 동기가 다른 사람들이 자기와의 관계에 집착해서 자신만을 보호하고 사랑하도록 매어 두려는 데 있다는 것이다.

그리하여 다른 사람으로부터 사랑받을 가능성이 별로 없어 보일 때 그들은 '일하는 데' 큰 곤란을 느끼게 된다. 앞에서 말했던 그룹의 환자들은 모두 부모를 떠나서 자신의 집을 사는 것이라든지, 불만을 느끼는 옛 직장을 버리고 새 직장을 구한다든지, 혹은 그들 자신을 위한 취미를 키우는 데에 종사하는 일까지도 고민하며 어렵게 생각하고 있었다.

정상적이고 건강한 결혼생활에서는 부부 사이의 역할 분담이 효율적으로 이루어진다. 아내는 청소하고 장보고 아이를 기르며, 남편은 직업을 갖고 경제를 꾸리고 잔디를 깎거나 집안의 자잘한 수리들을 맡는다. 건전한 부부들은 때때로 그들의 역할을 바꾸기도 한다. 남편은 이따금 식사 준비를 하거나 한 주일에 하루쯤 아이들을 데리고 지내기도 하며 집안을 청소하여 부인을 놀라게 해주기도 한다. 부인은 낮 동안 잠깐 직장을 갖기도 하고, 남편 생일에 잔디를 깎기도 하며 집안 경제 사정을 정리하기도 한다. 이런 부부들은 이렇게 남자, 여자가 할 일을 바꾸는 것을 일종의 재미로 여겨, 그들의 결혼생활에 양념이 되고 다양성을 주는 것으로 생각할 것이다. 하지만 이러한 역할 바꾸기에는 더 큰 의미가 담겨 있다. 무의식적이긴 하지만 서로간의 의존성을 줄이는 것이다. 어떤 의미에 있어선 부부 각자가 서로를 잃을 경우에 대비해 생존을 위해 스스로를 훈련하고 있는 것이라고 하겠다. 그러나 수동적 의존자들에게 있어서는 상대를 잃는다는 것은 상상도 못 할 만큼 엄청난 일이라서 그것을 위해 준비하는 것을 감당해 낼 수도 없고 혹은 의존심을 줄이거나 상대의 자유를 늘려 주는 것을 허용할 수 없는 것이다. 결과적으로 결혼생활에 있어서 수동적 의존자들은 역할의 분담을 매우 엄격하게 하고, 서로의 상대방에 대한 의존심만 증가시킴으로 결혼생활에 커다란 함정을 만들고 있다.

그들은 '사랑' 이라는 이름 아래(실제로는 '의존성') 자신과 상대방의 자유와 도덕적 능력의 발달을 감소시키고 있다. 수동적 의존자들은 결혼하고 난 뒤에 때로 결혼 전에 획득한 기술들을 내버리기도 한다. 이런 예의 하나로 들 수 있는 것이 자동차를 '운전할 수 없는' 아내라는 증세다. 이때 대개는 운전을 배우지 못해서일 수도 있지만, 때로 작은 사고 때문에 결혼 후 어떤 시점에서 운전에 대한 '공포' 를 갖게 되어 운전을 그만 두는 경우가 많다. 많은 사람들이 사는 교외 지역에서는 이런 공포의 결과로 부인은 남편에게 거의 전적으로 의존하게 되어, 남편을 무력한 아내 곁에 쇠사슬을 채워 묶어 두려고만 하는 사례가 있다. 이제 그 남편은 가족을 위해서 모든 시장 보는 일을 자신이 도맡든가, 아니면 부인을 차에 태워 시장으로 데리고 다녀야만 한다. 이런 행동은 대체로 부부 모두의 의존적인 욕구를 만족시켜 주므로, 이것을 해결해야 할 문제로는 보지 않는다.

한번은 내가 어느 영리한 은행가에게 '공포심' 때문에 마흔여섯 살에 운전을 갑자기 그만 둔 그의 부인이 혹시 정신과 치료를 받아야 할 문제가 있는 것이 아닌가를 살짝 물어보자, 그는 펄쩍 뛰면서 이렇게 말했다.

"오, 아니에요, 의사 선생님의 말이 폐경기 때문이라고 했어요.

그러니 내가 아내를 좀더 따뜻하게 돌봐 주어야 한답니다."

그녀는 남편이 퇴근 후에 자기를 장 보는 데까지 데려가고, 아이를 차로 데리러 다니도록 만들면 너무 바빠서 결국 다른 여자와 사귈 시간을 갖지 못하고 자기를 버리는 일이 없게 될 것이라고 안심하고 있다. 그 남편도 자기가 데리고 다니는 한 아내는 사람들을 만나러 돌아다니지 못하기 때문에 다른 남자와 사귀는 일로 인해서 그를 버리고 가지는 못할 것이라고 안도하고 있다.

이러한 수동적 의존의 결혼생활이 오래 지속되고 안전할지도 모르지만, 그것이 건전하거나 순수한 사랑이라고 말할 수는 없는 것이다. 왜냐하면 그 안전의 대가는 구속이며, 그러한 결혼은 결국 서로의 성장을 지연시키거나 파괴시키기 때문이다. 그래서, "건전한 결혼은 오직 강하고 독립된 두 사람 사이에서만 존재할 수 있는 것입니다."라고 나는 그들에게 재삼 강조했다.

수동적인 의존은 사랑의 결핍에서 시작되는 것이다. 수동적 의존자들을 고통스럽게 하는 마음 속의 지워지지 않는 공허감은 그들이 유년기에 필요로 했던 부모의 애정과 충분한 보살핌을 받지 못했던 결과이다. 첫 부분에서 설명되었던 것처럼 유년기를 통해서 비교적 일관성 있게 사랑과 보살핌을 받은 아이들은 자신들을 사랑스럽고 귀중한 존재로 인식하며 언제나 사랑과 보살핌을 받는다는 내적 안정감을 가지고 성년기로 들어가게 된다. 사랑이 결핍되고 보살핌을 잘 받지 못하거나 혹은 그런 것이 주어졌더라도 지속적으로 주어지지 못한 환경에서 자란 아이들은 그러한 내적 안정감을 갖지 못하고 성년기에 들어가게 된다. 그들은 "나는 충분히 갖지 못하고 있다."는 불완전감과 더불어, 세상은 예측할 수 없고 아무 것도 주어지지 않는다는 느낌을 가지게 된다. 또 자신이 사랑받을 만한 가치가 있는 인간이라는 사실을 회의하게 된다. 그러므로 그들은 사랑과 주의와 돌봄이 있는 곳을 발견만 하면 아무 생각없이 맹목적으로 달려나가게 되는 것이다. 그래서 일단 찾기만 하면 결사적으로 꼭 들러붙어서 수단과 방법을 가리지 않는 교활하고 권모술수에 능한 사람으로 변해 결국은 자신이 집착했던 관계를 파멸의 구렁텅이로 빠뜨리게 되는 것이다. 앞부분에서 지적한 바와 같이 사랑과 훈련은 서로 손을 잡고 같이 하는 것이다. 그러므로 아이를 주의 깊게 돌보지 않는 부모들은 자신이 스스로 훈련이 부족한 사람들이라 할 수 있다. 이런 사람들은 아이들에게 사랑받고 있다는 느낌을 주지도 못하며, 아이들에게 자기 훈련을 위한 능력을 제대로 길러 주지 못한다.

이와 같은 수동적 의존자들의 지나친 의존심은 자기 훈련이 모자라기 때문이다. 그들은 주위 사람들로부터 주의와 보살핌을 받는 만족감을 지연시키거나 떨쳐 버릴 수 없다. 결사적으로 달라붙고 집착하기 위해서는 정직함도 바람에 날려보내 버린다. 그들은 포기해야 하는 낡은 관계에도 끈덕지게 매달린다. 가장 중요한 것은 그들이 자기 자신들에 대한 책임감이 부족하다는 것이다. 그들은 수동적으로 다른 사람들, 심지어는 자녀들에게조차도 자신의 행복과 만족의 원천을 기대한다. 그 결과가 불만스럽거나 불행할 때 그들은 노골적으로 다른 사람들을 원망하고 책임을 전가시킨다. 그렇게 해서 그들에게 남는 것은 좌절뿐인데도 말이다.

내 동료 한 사람은 사람들에게 가끔 말한다.

"자 보시오, 당신 자신을 다른 사람에게 의존하도록 허용하는 것은 당신 자신에게 가장 잘못된 일을 하는 셈이라는 걸 좀 똑바로 보란 말입니다. 차라리 헤로인(마약)에 의존하는 편이 오히려 나을 것입니다. 그 약물은 항상 당신을 행복하게 만들어 줄 테니까요. 그러나 다른 사람이 당신을 행복하게 만들어 주기를 기대한다면 당신은 끊임없이 실망하게 될 것입니다."

사람들에게 중독되어 사람들을 빨아먹고, 그렇게 빨아먹을 사람들이 없을 때에는 사람들 대신 술에 탐닉하거나 마약 같은 약물에 중독되게 된다는 것이 수동적 의존성을 지닌 사람들의 공통적인 결함이다.

요컨대 의존성은 사람들로 하여금 끈질기게 상대방에게 애착하도록 하는 힘이 있으므로 그것이 사랑이라고 착각할 수도 있다. 그러나 실제로 그것은 사랑이 아니다. 그것은 사랑의 반대형이다. 그것은 부모의 사랑이 결핍된 데서 처음 시작된다. 그리고 주는 것보다 받는 것을 추구하게 하며 성장하기보다는 어린아이로의 퇴행을 부추긴다. 이것은 자신과 다른 사람을 자유로운 해방으로 인도하는 것이 아니라 함정에 빠지게 하는 것이다. 궁극적으로 의존성은 관계를 이룩해 주기보다는 파괴하며, 사람들을 일으켜 세워 주기보다는 파멸에 이르는 문으로 밀어뜨리는 것이다.

사랑이 없는 애착

의존성의 특징은 정신적 성장에는 아무런 도움이 되지 않는다는 것이다. 의존적인 사람들은 자신의 영양섭취에만 관심을 갖고, 그 이외에는 아무 것도 관심을 갖지 않는다. 그들은 만족과 행복을 갈망한다. 그러나 성장과 그에 수반되는 불행과 고독, 그리고 고통은 견디려 하지 않는다. 또한 그들은 자기들이 의존할 상대인 다른 사람의 정신적 성장에 관해서는 아무런 관심이 없다. 오로지 관심이 있는 것은 상대방이 자신을 만족시켜 주기 위해 곁에 머물도록 하는 것이다. 의존성은 '사랑' 이라는 말이 잘못 쓰여진 여러 행동 유형 중의 하나다. 이제 그러한 다른 유형들을 살펴보기로 하자. 다음의 논의를 통해 나는 사랑이란 정신적인 성장과는 무관한 애착, 다시 말해 단순한 정신집중이 아님을 설명해 나가고자 한다.

사람들은 생명 없는 대상이나 어떤 일들을 사랑한다고 한다. 즉 "그 남자는 돈을 사랑한다." 혹은 "그는 권력을 사랑한다.", "그는 정원을 사랑한다.", "그는 골프치기를 좋아한다."고 한다. 어떤 사람은 보통사람의 한계를 넘는 욕심을 부려 일 주일에 60, 70, 80시간씩이나 일을 해서 부와 권력을 잔뜩 모으려 할 것이다. 그러나 그의 부와 영향력이 크게 확장됨에도 불구하고 이러한 모든 것들이 자기 확대가 되는 것은 아니다. 우리는 자수성가한 어떤 거물에 대해서 이렇게 말하기도 한다. "그는 아주 조그마한 사람으로 인색하고 속좁은 사람이다." 우리가 한편으로는 이 사람이 얼마나 돈이나 권력을 사랑하는가에 대해서는 이야기하지만, 그를 사랑스런 사람이라고 말하지는 않는다. 왜 그럴까? 그것은 부와 권세가 그런 사람들에게는 정신적 성장을 위한 수단이 되기보다는 오히려 목적이 되고 있기 때문이다. 사랑의 참된 목적이란 오직 정신적 성장이나 인간의 발전인 것이다.

취미는 자기를 성장시키려는 활동이라고 할 수 있다. 우리가 자신을 사랑할 때—정신적 성장을 목적으로 자신을 길러나갈 때—우리는 자신에게 정신적인 것이 아닌 모든 종류의 것들도 직접 제공해야만 한다. 정신을 풍부하게 하기 위해서 육체도 역시 영양섭취를 해야만 한다. 우리는 먹을 것과 살 곳이 필요하다. 우리가 아무리 정신적 발전에 헌신적일지라도 휴식과 운동과 기분전환이 필요하다. 성자들도 역시 잠을 자야 하고, 놀아야만 한다. 그러므로 취미란 우리가 자신을 사랑하는 수단이 될지도 모른다. 그러나 취미가 목적 그 자체가 될 때에는 자아 발전에의 수단이기보다는 대체물이 되어 버린다.

취미 활동은 그것이 자아 발전을 위한 수단이 될 때 아주 인기를 끌게 된다. 예를 들면 골프장에서 생의 목적은 오로지 게임에서 공을 몇 개 더 쳐 넘기는 것뿐이라는 듯이 골프를 즐기는 노인들을 볼 수 있다. 골프 치는 기술을 발전시키려는 헌신적인 노력이 인생에 성취감을 주고 진보를 가져온다. 그러나 이것은 사실상 인간으로서 자신을 향상시키려는 노력을 포기하고 진보하기를 멈추어 버린 현실을 묵과하도록 하기도 한다. 그러나 만약 그들이 자신들을 더 사랑했다면, 그렇게 낮은 목적과 조그마한 일에 목표를 두고 열광적으로 집착하도록 허락하지 않았을 것이다.

그 반면에 권력과 돈이 사랑이란 목적을 위한 수단이 될 수도 있다. 예를 들어 어떤 사람은 인류 발전을 위한 목적으로 정치적 권력을 이용하고 정치를 하며 생애를 고통으로 보낼지도 모른다. 어떤 사람들은 돈을 위해서가 아니라 자녀들을 대학에 보내거나 정신적 성장을 위해 공부하고 반성할 시간과 자유를 갖기 위해 부를 갈구한다. 그러한 사람들이 사랑하는 것은 권력이나 돈이 아니라 인간성인 것이다.

내가 말하고 싶은 것은 우리가 '사랑'이란 말을 너무 일상적으로 사용함으로써 그 특별한 의미를 잃어버렸기 때문에 사랑에 대한 우리의 이해를 어렵게 하고 있다는 것이다. 나는 이러한 남용이 크게 개선되리라고는 기대하지 않는다. 그러나 우리에게 중요한 것이나 애착을 갖고 있는 것들의 질적인 차이는 무시하고 모두 '사랑'이라는 한마디로 남용하게 된다면, 우리는 현명함과 우둔함, 선과 악, 귀한 것과 천한 것의 차이를 구분하는 것이 어려울 것이다.

좀더 엄밀하게 정의를 내리면, 우리는 인간만을 사랑할 수 있음을 분명히 알 수 있다. 왜나하면 우리가 일반적으로 사물들에 대해서 생각할 때 인간만이 근본적 성장을 할 수 있는 정신을 소유하고 있기 때문이다.

애완동물에 대해 생각해 보자. 우리는 집안의 개를 '사랑한다.' 우리는 개를 먹이고 목욕시켜 주고 만져 주고 안아 주며 훈련시키고 또 개와 같이 놀기도 한다. 개가 아프면 우리는 하던 일을 다 그만 두고 부리나케 수의사에게로 달려간다. 개가 도망가거나 죽으면 우리는 슬픔에 젖게 될 것이다. 아이들 없이 살아가는 어느 고독한 사람들에게는 애완동물이 그들의 유일한 존재 이유가 되기도 한다. 이런 것이 사랑이 아니면 무엇이겠는가? 그러나 애완동물과의 관계와 다른 인간과의 관계의 차이를 고찰해 보자.

첫째로 우리가 애완동물과 뜻이 통하는 정도는 다른 인간들과 통할 수 있는 것보다 지극히 제한되어 있다. 우리는 애완동물들이 무엇을 생각하고 있는지 알 길이 없다. 이러한 이해의 결핍이 애완동물에게 우리 자신의 생각과 느낌을 투입시키게 하고 그럼으로써 전혀 현실과 상통하지 않을지도 모르는 감정적인 친근감을 느낀다.

둘째로 우리는 애완동물의 의지가 우리의 뜻과 합치할 때에 한해서만 만족을 느낀다. 이러한 기준을 가지고 애완동물들을 선택하

나는 이 개념이 잘못된 것일지 모른다는 것을 알고 있다. 즉 모든 사물들, 동물이나 무생물도 정신을 소유하고 있을지도 모르는 것이다. 우리 자신이 인간으로서 '하등'동물 또는 식물과는 다르고 또 무생물인 땅과 돌들과도 다르다는 생각은 신비주의자의 관점에서 본다면 마야나 공상의 현실이다. 이해에는 여러 단계들이 있다. 이 책에서 나는 사랑을 어떠한 특정 단계에서 취급하고 있다. 불행히도 전달하는 내 재능이 한 번에 한 단계 이상을 포용하기는 어려울 것이다. 또 내가 전달하고 있는 것 이외의 단계들은 간단하게 음미해 보는 정도로도 충분할 것이라 믿는다.

고, 만약 그들의 의지가 우리 자신의 뜻과 엄청나게 달라지기 시작할 때에는 그들을 제거해 버리게 된다. 애완동물들이 반항하거나 대들면 우리는 이들을 오랫동안 돌보지 않고 내버릴 수도 있다. 우리가 애완동물들의 마음이나 정신의 발달을 위해서 보내는 유일한 학교는 복종학교이다.

그러나 사람에 대해서는 어떠한가. 우리는 그가 '자신의 의지'를 발전시킬 것을 소망한다. 참으로 다른 사람이 자기와 다르기를 바라는 것은 순수한 사랑의 특성 중의 하나다.

끝으로 우리는 애완동물과의 관계에서 자신의 의존성을 기른다. 우리는 그들이 자라나서 집을 떠나기를 원하지 않는다. 우리는 그들이 언제까지나 자기 자리에서 떠나지 말고 난롯가에 믿음직하게 누워 있기를 바란다. 우리가 애완동물을 귀중하게 여기는 것은, 그들이 우리에게서 독립된 개체가 아니라 종속되어 있기 때문이다.

많은 사람이 애완동물들을 '사랑' 하는 이유는, 그들이 단지 애완동물만을 '사랑' 할 줄 알고 다른 인간들을 순수하게 사랑할 줄은 모르고 있기 때문이다. 많은 수의 미국 군인들은 영어로 대화할 수도 없는 독일, 이태리, 혹은 일본의 '전쟁 신부들' 과 목가적인 결혼을 했다. 그런데 그들의 신부들이 영어로 말할 수 있게 되면서부터는 오히려 결혼생활에 금이 가기 시작하는 것을 본다. 군인들은 아내에게 더 이상 일방적으로 자신들의 생각이나 느낌, 소망 그리고 목적들을 투입시켜, 애완동물을 데리고 느끼는 것에 가까운 느낌을 가질 수 없게 되기 때문이다. 부인들이 영어를 배움으로써 남편들은 이 부인들이 그들 자신들과는 다른 생각과, 의견, 목적을 가지고 있다는 것을 깨닫기 시작한다. 그래도 어떤 사람들에게는 사랑이 자라기 시작한다. 그러나 대개의 경우는 사랑이 끝장나고 만다. 해방된 아내가 여자를 사랑스러운 애완동물로 취급하는 남편을 경계하는 것은 당연한 일이다. 그런 남성에게는 사랑이란 아내가 애완동물이란 데서 생겨난 것이므로 아내 자신의 힘이나, 독립성이나, 개성을 존중할 능력이 없는 것이다.

이러한 상황의 가장 비참한 점은 수많은 여자들이 아이들을 단지 자신의 어린애들로서만 '사랑' 할 수 있다는 것이다. 그런 여자들은 우리 주위의 어디에서나 찾아볼 수 있다. 그들은 아이들이 두 살이 되기까지는 이상적인 어머니가 될지도 모르겠다. 무한정으로 부드럽게, 기쁨으로 모유를 먹이고, 갓난아기들을 안아서 감싸 주고 같이 놀아 주며, 계속적으로 애정을 쏟고 전적으로 아기를 돌보아 주는 데 헌신하며 어머니로서의 역할에 기쁨을 갖는다. 그러나 조금만 지나면 상황이 변한다. 아이가 자기 자신의 뜻을 확실히 나타내기 시작하자마자—말도 안 듣고, 칭얼거리고, 놀기를 거절하고, 때로 안아 주는 것도 싫다고 하고, 어머니 외의 다른 사람에게 관심을 가지며 좋아하고 자기 마음대로 세상에로 조금씩 움직여 나갈 때—어머니의 사랑은 중단된다. 어머니는 아기에 대해 흥미를 잃고, 그를 그냥 내버려두며, 아기를 단지 귀찮은 존재로 생각하게 된다. 동시에 어머니는—가끔 있는 일인데—다시 임신하고픈 욕구를 느낄 것이다. 이것은 또 다른 아기, 즉 다른 애완동물을 얻기 위한 것일 뿐이다. 보통 그 여인은 그렇게 할 것이고 그 사이클은 되풀이될 것이다. 그렇지 않으면 자신의 아이가 필요로 하는 도움을 무시한 채

이웃의 갓난아기를 돌보는 일에 매달리기도 한다. 그녀의 아이들에게 있어서 '미운 두 살' 은 그들의 인생에서 갓난아기로서의 마지막 시기이며, 어머니로부터 사랑을 받는 마지막 경험이다. 이때 아이들이 고통과 상실을 경험한다는 것은 뻔한 것이며, 새로운 갓난아기 보기에 바쁜 그들의 어머니들은 그런 고통을 생각해 볼 여유가 없는 것이다. 이런 경험의 결과는 보통 아이들이 자라서 성년기에 들어갈 때 우울에 빠지거나 동시에 수동적 의존성 형태로 나타나곤 한다.

갓난아이와 애완동물을 사랑하는 것이나 의존적, 복종적인 부부 사이의 사랑도 모두 본능적인 행동이라 할 수 있을 것이다. 이러한 본능적 행동은 '모성본능' 또는 '부모로서의 본능' 이라는 용어로 표현되고 있다. 그리고 이것은 '사랑' 에 빠지는 본능적 행동과 비슷한 것이라고 할 수도 있다. 이것은 순수한 사랑이 아니다. 왜냐하면 이 사랑은 상대적으로 노력이 별로 들지 않을 뿐 아니라 전적으로 의지에 따르거나 선택에 따른 행동이 아니기 때문이다. 그리고 그것이 종족의 생존을 장려하지만 종족의 발전이나 정신적 성장을 향상시키지는 않는다. 그것은 사랑과 흡사해서 그 안에서 다른 사람들에게 손을 내밀고 솔선해서 인간관계를 이루어 나감으로써 그로부터 참사랑이 시작될지도 모른다. 그러나 그 이상의 것들이 있어야 건전하고 창조적인 결혼으로 발전되며, 건전하고 정신적으로 자라나는 아이들을 키우게 되어 인간성의 발전에 이바지할 수 있다.

요컨대 양육이란 단순히 먹여 주는 것 이상이라야만 한다. 정신적 성장을 길러 주는 것은 어떠한 본능적 행동으로 받을 수 있는 것보다 더 복잡하고 오랜 시간이 걸리는 과정이다. 어머니가 아들을 학교에 보내는데 버스를 타고 가지 못하게 하는 것은 예로 들기에 좋은 사례이다. 학교에 운전해서 데리고 가고 데리고 옴으로써 어머니는 아들을 열심히 기르고 있는 것으로 보인다. 그러나 그것은 아들에게 불필요한 행위이며, 그의 정신적 성장을 촉진시키기보다는 퇴보시키고 있는 것이다.

다른 예들도 많다. 어머니들이 이미 비만한 아이들에게 음식을 자꾸 먹게 하는 것, 아버지들이 아들들에게 방이 가득 차도록 장난감을 사주고 딸들에게 옷장 가득히 옷을 사주는 것, 부모들이 제한을 하지 않고 요구를 거절하지 않는 것 등이다. 사랑은 단순히 거저주는 것이 아니다. 사랑은 지각있게 주는 것이고, 마찬가지로 지각있게 안 주는 것이다. 그것은 지각있게 칭찬하고, 지각있게 비판하는 것이다. 상대방을 평안하게 해주는 것과 더불어 지각있게 논쟁하고, 투쟁하고, 맞서고, 몰아대고 밀고 당기고 하는 것이다. 그것은 지도를 필요로 하는 관계다. 지각있다는 것은 신중한 판단이 필요하다는 의미이며, 판단은 본능 이상의 것을 요구하는 것이다. 그것은 심사숙고해야 하며 때로는 고통스러운 결정을 해야만 한다.

자기 희생이라는 오해

이와 같이 분별없이 주기만 하는 파괴적인 양육의 이면에는 많은 동기들이 숨어 있다. 그러나 거기에는 분명히 공통적인 근본 원인이 있다. 그것은 사랑이라는 미명하에 '주는 자'는 '받는 자'의 정신적인 요구와는 상관없이 자신의 욕구만을 충족시키고 있다는 점이다.

한 목사님이 마지못해서 나를 찾아왔는데 이유인즉, 부인이 만성 우울증으로 고생하고 있고 두 아들은 대학을 다니다 그만 두고 집에서 정신과 의사의 진찰을 받고 있다는 것이었다. 가족 모두가 병이 있는데도 불구하고 그 목사는 가족들의 병에 자기가 할 역할이 무엇인지 완전히 이해하지 못하고 있었다.

"나는 내 힘으로 할 수 있는 일은 다 해서 그들과 그들의 문제들을 돌봐 주었어요."라고 그는 말했다.

"내가 깨어 있는 동안은 그들에 대해 염려하지 않은 순간이 없답니다."

사실 이 사람은 정말로 뼈빠지도록 일을 해서 아내와 아이들의 욕구를 채워 주고 있었던 것이다. 그는 두 아들들에게 새 차를 사주고 그 아들들이 더 노력해서 자립해야만 한다고 느끼면서도 보험까지 들어 비용을 대주고 있었다. 또한 그는 시내에 가서 오페라를 관람하는 일이 죽도록 싫으면서도 아내를 시내에 있는 오페라나 극장에 데려가곤 했다. 그는 자기 일도 무척 바쁜데, 집에 있는 자유시간에는 부인과 아이들이 집 치우는 데 아무 신경도 쓰지 않아 그 뒷바라지를 하느라고 시간을 보냈다.

"당신은 밤낮 그들을 위해 자신을 그렇게 내동댕이치고 있어도 진력이 나지 않습니까?" 그는 대답했다.

"그렇지만 그밖에 달리 내가 어떻게 하겠습니까? 나는 그들을 대단히 사랑하고, 그들을 내버려두기에는 내게 동정심이 너무 많은걸요. 나는 그들을 대단히 염려하기 때문에 그들에게 필요한 것들을 채워 주어야 해요. 나는 절대로 그대로 방관할 수가 없습니다. 나는 아주 훌륭한 사람은 아니지만 적어도 사랑을 가지고 있고, 가족을 염려하는 사람이랍니다."

흥미롭게도, 그 사람의 아버지는 상당히 저명하고 총명한 학자였으나 또한 알콜중독자였으며 여자를 좋아하는 사람이어서 가족을 돌보지 않고 등한시했었다. 점차 나는 이 환자는 어렸을 때 자기는 자라서 자기 아버지와는 달리 인정 많고 가족을 염려해 주는 사람이 되기로 맹세했던 것을 알게 되었다. 얼마 후에야 그는 자기가 사랑 많고 인정 많은 사람으로서의 이미지를 유지하기에 얼마나 막대한 노력을 하고 있었는지, 또 전 생애를 통해 그의 많은 행동들이 이런 이미지를 기르는 데에만 온통 바쳐졌는지를 깨달을 수 있게 되었다. 그가 이해하지 못했던 것은, 그가 그의 가족들을 얼마나 어린 아이로 취급해 왔는가 하는 것이었다. 그는 계속해서 자기 아내를 "내 아기 고양이"라는 애칭으로 얘기하며, 그의 다 자란 아들들을 "내 귀여운 꼬마둥이 작은 놈들"이라고 부르는 것이었다. 그리고 그는 이렇게 말했다.

"그밖에 달리 내가 어떻게 행동할 수 있습니까? 내가 우리 아버지와 반대 행동을 하는 것은 가족들에 대한 사랑과 같은 것입니다. 그런데 갑자기 나 자신을 나쁜 놈으로 만들 수는 없잖아요?"

그가 분명히 알아야 했던 것은 사랑한다는 것은 단순한 행동이 아니라 그의 존재를 완전히 바쳐야 하는 복합적인 행동이라는 것이다. 즉 그의 머리와 마음이 같이 해야 한다는 것을 깨달아야만 했다. 가능하면 자기 아버지와는 달라야 된다는 강박관념 때문에 그는 사랑을 표현하기 위한 융통성 있는 감응체계를 발달시킬 수가 없었던 것이다.

그는 적당한 때에 안 주는 것이 적당치 않은 때에 주는 것보다 더 인정을 베푸는 것이라는 점을 배워야만 했으며, 독립성을 길러 주는 것이 돌봐 주는 일보다 더 사랑을 베푸는 것이라는 사실도 배워야만 했다. 그는 또한 자기 자신의 욕구와 화나는 점, 그리고 분노와 기대치를 표현하는 것이 자기를 희생하는 것과 마찬가지로 가족의 정신 건강에 꼭 필요하며, 사랑에는 감싸 주고 자기 감정을 숨기는 것만큼 노골적으로 감정들을 표현하는 것도 포함되어야 한다는 것을 배워야만 했다.

점점 그가 얼마나 자기 가족을 어린애로 취급해 왔던가 하는 것을 깨닫게 되면서 변화가 일어나기 시작했다. 그는 가족 한 사람 한 사람의 치다꺼리 해주는 것을 그만 두고 아들들이 집 치우는 데 같이 참여하지 않을 때에는 공개적으로 화를 낼 수 있게 되었다. 그는 아들들의 자동차보험을 계속해서 지불해 주기를 거절하고, 너희가 자동차를 운전하기를 원한다면 너희 자신이 보험료를 지불해야 된다고 말해 주었다. 그는 아내에게 뉴욕에서 오페라를 보려면 혼자 가야만 되겠다고 귀띔해 주었다. 이런 변화들을 만들기 위해서 그는 '나쁜 놈'인 것처럼 보이는 모험을 해야 했으며, 가족이 필요로 하는 모든 것들을 제공해 준 공급자로서의 전지전능했던 이전의 역할들을 포기해야만 했다. 이전의 그의 행동은 비록 사랑이 많은 아버지로서의 자신의 이미지를 유지하기 위한 것이 동기였지만, 그는 진정한 사랑을 할 수 있는 능력이 가슴 한 구석에 숨겨져 있었으므로 이러한 변화도 가능했다. 그의 부인과 아들들이 모두 이러한 변화에 대해 처음에는 화를 냈다. 그러나 이후에 한 아들은 대학으로 돌아갔고, 또 다른 아들은 더 좋은 직업을 찾아 스스로 아파트를 얻어 나갔다. 그의 아내는 그녀의 새로운 독립성을 즐기게 되었으며 나름대로 성장하기 시작했다. 그 사람 자신도 더 유능한 목사가 되었으며, 동시에 그의 인생은 더욱 풍요롭고 즐거워졌다.

그 목사의 잘못 인도된 사랑은 마조히즘(피학대적 사랑)이라는 심각하게 왜곡된 사랑과 아주 근접해 있다. 일반적으로 사람들은 사디즘과 마조히즘을 성적인 행동과만 연관시켜서, 이것을 신체적 고통을 받거나 가하는 데서 오는 성적 쾌락이라고 믿는다. 그러나 실제로는 순전히 성적인 사디즘과 마조히즘은 드물게 나타날 뿐이다. 오히려 그보다 더욱 빈번하고 심각한 문제를 야기시키는 것은 사회적인 사도-마조히즘 현상이다. 여기에서 사람들은 성적 관계가 아니라 인간관계들 속에서 무의식적으로 상대방에게 고통을 주거나 스스로 고통을 받고자 한다.

전형적인 경우를 살펴보면, 어떤 부인은 남편으로부터 버림을 받은 후 우울증 때문에 치료를 받게 되었다. 그 부인은 반복해서 남편의 잘못된 행동을 얘기함으로써 정신과 의사의 인정과 애정을 확인하려 했다. 남편은 아내에게는 애정을 기울이지 않고 바람만 피웠으며 돈은 모두 노름으로 날리고는 마음 내키면 며칠이고 외박을 한 후 그나마 만취되어 집에 돌아오면 아내를 때리고는 급기야 크리스마스 이브에 아내와 아이들을 버리고 말았다는 것이다. 하필이면 크리스마스 전날 밤! 나는 이런 얘기에 "불쌍한 부인"이라고 반응하며, 그 부인의 이야기를 즉각적인 동정으로 반응해 주었다. 그러나 이런 동정심은 점차 치료가 진행되면서 저절로 사라지게 되었다. 여기서 나는 그녀가 이런 천대를 20여 년간이나 받아온 것을 발견하게 되고 그 불쌍한 부인이 짐승 같은 남편과 두 번이나 이혼했다가는 재혼했고, 수없이 별거를 했다가는 화해를 했던 것을 알게 되었다. 그 부인이 독립심을 갖도록 2,3개월간 상담을 한 뒤에는 겉보기에는 모든 일이 순조롭고 남편과는 상관없이 고요하게 생활하고 있는 것처럼 보였다. 그러나 곧 이전의 생활방식이 그대로 되풀이되는 것을 보았다.

그 부인은 어느 날 행복에 넘쳐 상담실에 뛰어와서는 이렇게 외쳐댔다.

"핸리가 돌아왔어요. 어젯밤 그는 내게 전화를 걸어 보고 싶었다고 했어요. 그래서 만났지요. 그는 다시는 그러지 않겠노라고 다짐하며 내게로 돌아오고 싶어했어요. 그는 정말로 변한 것 같아요. 나는 그에게 돌아오라고 했어요."

나는 이런 것은 단지 그 파괴적인 행동방식의 되풀이일 뿐이라고 해주었더니, 그 부인은 말했다.

"그렇지만 나는 그를 사랑하는걸요. 사랑을 사랑이 아니라고 부정할 순 없어요."

만약 정신과 의사가 이때 '사랑'을 파헤쳐 부정하려 든다면, 환자는 곧 치료를 중단해 버릴 것이다.

여기에서는 무엇이 문제일까? 무슨 일이 일어났는가 이해해보려 노력하는 동안 나는 부인이 남편의 야만적인 행위와 학대의 긴 역사를 되풀이 얘기하고 있을 때 그 얘기가 몹시 재미있었던 것을 기억하게 되었다. 갑자기 이상한 생각이 떠오르기 시작했다. 아마도 이 부인은 남편의 학대를 참으면서 그것에 대해 얘기하는 데서 즐거움을 찾아내려 하는 것인지도 모른다. 그러나 그런 즐거움이란 어떤 성질의 것일까? 치료자는 그 부인이 자신이 정당하다고 믿고 있었던 사실을 기억해낸다. 그 부인의 생활에서 가장 중요한 것은 도덕적인 우월감을 갖는 것이고, 이러한 우월감을 자랑하기 위하여 그 부인은 학대를 받을 필요가 있었던 건 아닐까? 이제 문제는 분명해졌다. 그 부인은 자신이 학대받음으로써 우월감을 느낄 수 있는 것이다. 남편이 애걸복걸하며 돌아오게 해달라고 조르는 것을 보면서 가학적인 즐거움을 가질 수도 있는 것이다. 또한 남편이 낮은 위치에 있을 때 순간적으로 자기의 우월성을 깨달을 수도 있는 것이다. 그리고 그러한 순간에 그녀는 복수라는 짜릿한 감정을 만끽할지도 모른다. 이런 유형의 부인들을 자세히 살펴보면 일반적으로 어렸을 때 아주 심한 모욕을 받았음을 발견할 수 있다. 그 결과 그들은 그들의 도덕적인 우월감을 통해서 복수를 하려 애쓰는데 이것은 반복되는 천대와 학대를 요구한다. 세상이 우리를 잘 대우해 주면 세상에 원한을 품을 필요가 없는 것이다. 복수를 하려고 애쓰는 것이 생의 목적이라면 이러한 목적을 정당화하기 위해서 세상이 악하게 대우해 주고 있다는 증거를 찾아내야만 할 것이다. 마조히스트들은 학대에 대한 자신의 굴종을 사랑으로 본다. 그러나 사실은 이러한 사랑을 위해서는 부당한 학대가 그들에게 필요하며, 근본적으로는 끊임없이 복수하려고 드는 마음, 즉 증오가 그 사랑의 원동력인 것이다.

마조히즘은 또 하나의 아주 중요한 오해, 즉 사랑은 자기 희생이란 잘못된 개념에 기초를 두고 있다. 이런 믿음의 힘으로 마조히스트들은 학대를 참아내는 것을 자기 희생이라 생각하고, 더 나아가 사랑으로 간주할 수 있었던 것이며, 따라서 자신의 적개심은 무의식 속에 묻힐 수 있게 되었던 것이다.

앞에 예로 든 목사의 경우도 역시 실제로는 행동의 동기가 가족의 필요에 있었던 것이 아니라 자기 자신의 이미지를 보존하기 위한 스스로의 필요에 있었던 것이다. 즉 희생적인 행동을 사랑이라고 믿었다.

치료 초기에 그는 계속해서 자기가 그의 부인과 아이들을 위해서 "얼마나 많은 일들을 했는가."를 얘기하며 듣는 사람으로 하여금 자신은 그런 모든 행동에서 아무 것도 얻은 것이 없다고 믿게끔 유도하고 있었다. 그러나 실은 그가 얻은 것도 있다. 우리가 다른 사람을 위해 무엇인가를 하고 있다고 생각할 때마다 어떤 의미에서는 우리 자신의 책임을 거부하고 있는 것이다. 무엇이고 할 때에는 우리가 그것을 하기로 선택한 때문이고, 우리가 그러한 선택을 한 것은 그것이 우리를 가장 만족시키는 것이기 때문이다. 우리가 무엇이든 다른 사람을 위해서 하는 것도 실은 우리의 필요성을 충족시켜 주기 때문이다. 아이들에게 "너는 우리가 너를 위해 해준 모든 것에 대해 감사해야만 한다."고 하는 부모들은 틀림없이 심각할 정도로 사랑이 결핍되어 있는 사람들이다. 순수하게 사랑을 하는 사람은 누구나 사랑의 기쁨을 알고 있다. 우리가 순수하게 사랑할 때 그 이유는 우리가 사랑하기를 원하기 때문이다. 우리가 아이를 갖는 것은 아이를 갖고 싶기 때문이고, 만약에 우리가 사랑하는 부모라면 그것은 우리가 사랑하는 부모가 되기를 원했기 때문이다.

사랑은 자신의 변화를 의미하지만, 이것은 자기 희생이기보다는 오히려 자기 확대인 것이다. 다시 뒤에서 논의하겠지만 순수한 사랑은 자기를 채워 나가는 활동이다. 그것은 자신을 위축시키기보다는 확대시키고, 자신을 메마르게 하는 것이 아니라 충만하게 하는 것이다. 실제적인 의미에서 사랑은 사랑이 아닌 것과 같이 자기 중심적이다. 여기에는 사랑은 자기 중심적이면서 동시에 자기 중심적이지 않다라는 역설이 성립된다. 자기 중심적이라는 문제가 사랑을 사랑이 아닌 것과 구분해 주지는 않는다. 오히려 그 구분은 행동의 목적에 있다. 진정한 사랑은 그 목적이 항상 정신적 성장에 있으며, 사랑이 아닐 때는 그 목적이 항상 다른 것에 있는 것이다.

사랑은 느낌이 아니다

나는 사랑이란 하나의 행동이고 하나의 활동이라고 말했다. 사랑에 대한 마지막 그릇된 오해가 바로 여기에 있다. 사랑은 느낌이 아니다.

수많은 사람들이 사랑의 느낌을 소유하고 있고 그 느낌에 대한 반응으로 행동하기까지 하지만, 실제로는 사랑과는 거리가 먼 파괴적인 행동도 서슴지 않을 때가 많다. 순수하게 사랑하는 사람은 의식적으로 싫어하는 사람을 향해서도 애정있고 건설적인 행동을 취하기도 한다. 실제로는 그 당시에 그 사람에게 전혀 아무런 사랑도 느끼지 않고, 비위에 맞지 않는 사람에게도 마찬가지로 사랑을 베푼다.

사랑의 느낌은 애착을 수반한다. 애착 과정을 통해 하나의 상대가 우리에게 중요하게 인식되는 것이다. 한번 애착을 하게 되면 그 상대가 보통 '사랑의 대상'이라고 불리게 된다. 그 대상은 자신의 일부처럼, 에너지가 몰입되고, 자신과 에너지 몰입 대상 사이에 애착 관계가 성립되는 것이다. 또, 우리가 사랑하는 대상이 중요하다는 느낌을 잃게 되어 그 대상으로부터 우리의 투여된 에너지를 빼내는 과정은 '탈애착' 혹은 '정신분산' 이라고 할 수 있다. 우리는 동시에 그러한 관계들을 많이 갖고 있을 수도 있으므로 그러한 애착에 대해서 얘기해 보기로 하자. 사랑이 느낌이라고 믿는 오류는 '애착' 과 '사랑' 을 혼동하기 때문에 생긴다.

이 혼돈은 사랑과 애착이 비슷한 과정들이기 때문에 생겨난 것으로 이해할 수도 있다. 그러나 거기에는 뚜렷한 차이가 있다. 첫째로 우리는 생명이나 영혼의 유무에는 관계없이 애착을 한다. 이를테면 어떤 사람은 주식이나 보물에 애착을 하고 사랑을 느낄지도 모른다. 둘째로 우리가 다른 인간에 애착한다 해서 그것이 그 사람의 정신적인 발전을 위해 조금이라도 관심을 가지고 있다는 것을 의미하는 것은 아니다. 의존적인 사람은 자기가 애착하는 대상인 아내나 남편의 정신적인 발전을 두려워한다. 십대의 아들을 학교에 운전해서 등하교시키기를 고집했던 그 어머니는 분명히 자기 아들에게 집착했던 것이다. 아이 그 자체가 어머니에게는 중요했었다. 그러나 아이의 정신적 성장은 중요하게 생각지 않았던 것이다. 셋째로 애착의 강도는 지혜나 책임의식과는 아무 상관이 없다. 낯선 두 사람이 술집에서 만나 서로 애정을 느끼게 되었을 때, 그 순간 그들에게 있어서는 같이 자는 것만이 가장 소중하다. 끝으로 우리가 애착이라고 말하는 것은 둥둥 떠 있는 것이고 순간적인 것일지도 모른다는 것이다. 위에서 말한 두 사람은 성관계가 끝나자마자 서로가 매력이 없고 원하지도 않는 것을 발견하게 될지도 모른다. 우리는 어떤 것에 애착하자마자 정신분산 과정을 겪게 될 수도 있다.

그 반면에 진정한 사랑은 책임과 지혜가 뒤따른다. 다른 사람의 정신적 성장을 염려한다면 책임감이 부족할 때는 관심이 오히려 해가 되며, 자신의 관심을 상대방에게 효과적으로 나타내기 위해서는 철저하게 책임있는 행동이 필요하다. 그렇기 때문에 책임의식이 정신치료의 기초가 되는 것이다. 환자가 상담자와 함께 '치료에 협력'하지 않으면 중요한 인간적 성장을 경험하는 것이 거의 불가능하다. 다시 말해 환자가 커다란 변화를 겪기 전에 환자는 상담자가 자신을 이해해 주는 동반자라고 믿음으로써 안정과 힘을 느낄 수 있어야만 한다. 이러한 상담자와의 협력이 생기게 하려면 상담자는 환자에게 지속적인 책임감과 일관성 있는 배려를 보여 주어야 한다. 이것은 상담자가 언제나 환자의 말을 주의 깊게 듣고 싶어해서 들어준다는 뜻은 아니다. 책임을 진다는 것은 상담자가 환자 말을 듣는 것이 좋든 싫든 들어준다는 것을 의미한다.

이것은 결혼에 있어서도 마찬가지이다. 건설적인 결혼에서는 건설적인 치료에서와 마찬가지로 부부간에 자신의 감정이 어떠하든 규칙적으로, 일정하게 그리고 예측이 가능하게 서로서로 함께 보조를 맞추어야 한다. 앞에서도 설명했지만 사랑에 빠져 결혼한 부부는 조만간 그 사랑에서 빠져 나오게 된다. 짝을 찾으려는 인간적인 본능에서 벗어났을 때 비로소 순수한 사랑이 시작된다. 이때 부부는 항상 옆에 있어야만 한다는 느낌에서 벗어나, 약간의 거리를 두고 서로의 사랑을 시험하며, 그들의 사랑이 진정한 사랑인지도 알게 된다.

그렇다고 해서 진지한 정신치료나 안정된 결혼처럼 건설적인 관계에 있는 사람들이 서로에게 집중하지 않고 다방면으로 관심을 가진다는 말은 아니다. 그들은 결코 떨어져 있는 것이 아니다. 진정한 사랑은 애착을 초월한다는 뜻이다. 참사랑은 애착이나 사랑의 느낌과는 상관없이 실존하는 것이다. 물론 애착이나 사랑의 느낌을 가지고 하는 사랑이 훨씬 재미있고 수월할 것이다. 그러나 애착과 사랑의 느낌 없이도 사랑할 수 있으며, 이런 점에서 구별을 하는 데 있어 열쇠가 되는 말이 바로 '의지' 이다.

나는 사랑에 대하여 정의하기를 '자기 자신이나 다른 사람의 정신적 성장을 도와줄 목적으로 자신을 확대시키려는 의지' 라고 했다. 진정한 사랑은 감정적이기보다는 의지적인 것이다. 참으로 사랑하는 사람은 사랑하고자 하는 의지를 지녔기 때문이다. 그러한 사람은, 사랑하는 느낌이 없어도 사랑하고자 하는 의지와 행동은 있을 수 있으며, 있는 그대로 실천할 것이다. 사랑하는 사람은 사랑의 느낌으로 행동하는 것을 때로는 억제할 수도 있어야 한다. 나는 살아가면서 아주 매력적인 여성을 만날 수 있다. 나는 그녀를 사랑하고 싶은 감정을 느끼지만, 외도를 하는 것은 내 결혼생활에 파괴적인 것이 되기 때문에 소리를 내서든지 또는 마음 속으로 조용히 이렇게 타이를 것이다. '나는 당신에게 사랑을 느끼고 있습니다. 그렇지만 그렇게 하지 않으렵니다.' 그래서 나는 치료에 성공할 것 같은 그 환자를 거절하게 될지도 모른다. 어떤 환자들은 그리 매력적이지도 못하고 치료가 더 어려울지도 모르지만 치료에 대한 책임을 느낄 수도 있다. 사랑의 느낌에는 제한이 없을지 모르지만 사랑할 수 있는 능력에는 한계가 있는 것이다. 그러므로 나는 사랑할 수 있는 내 능력을 누구에게 집중시킬 것인지를 선택해야만 하고, 그 사람을 향해서 사랑의 의지를 집중시켜야 한다. 참사랑은 사랑으로 인해 우리가 압도되는 그러한 느낌이 아니다. 그것은 책임감 있게 심사숙고한 끝에 내리는 결정인 것이다.

사랑과 사랑의 느낌을 혼동하는 보통 사람들은 온갖 종류의 자기기만을 하게 된다. 한 알콜중독자 남자가, 당장에 그의 부인과 아이들을 돌봐야만 할 절실한 상태에 있는데도 가족에게 가볼 생각은 않으면서 술집에 앉아서 눈물을 흘리며 술집 주인에게 "나는 정말 내 가족을 사랑한답니다."라고 말하는 경우를 보자. 이처럼 아이들을 대체로 소홀하게 돌보는 사람들도 자식들을 매우 사랑하는 부모라고 자처한다. 이렇게 참사랑과, 단지 사랑의 느낌을 혼동하는 사람들은 자신만을 위하는 자기 위안적인 성격을 가진 경우가 많다. 자신의 감정 속에 사랑한다는 느낌의 증거를 찾아내는 것은 쉽고 즐거운 일이다. 그러나 행동 속에서 사랑의 증거를 찾는 것은 어렵고 고통스러운 것일지도 모르겠다. 하지만 참사랑이란 의지적인 행동이며 그것은 사랑의 순간적인 느낌이나 단순한 애착의 단계를 초월하는 것이므로, 이렇게 말하는 것이 옳을 것이다. "사랑이란 행동하는 만큼 사랑하는 것이다." 사랑과 사랑이 아닌 것은 선과 악처럼 객관적인 것이지 순수하게 주관적인 현상이 아니다.

사랑은 깊이 관심 갖는 것

지금까지는 사랑이 아닌 것들에 대해서 보아 왔는데 이제는 어떤 것이 사랑인지 검토해 보기로 하자.

이 장의 서론에서 사랑은 노력이라고 정의하며, 자신을 확장시킨다고 했다. 쉽게 말해 마음을 넓게 가지고 좀더 발전하고자 할 때 우리는 공포에 저항하고 게으름이라는 타성에서 벗어나고자 '노력' 하게 된다. '노력' 이란 마음을 넓게 가지려 애쓰고 게으르지 않고자 애쓰는 것을 말하며, 알지 못하던 마음의 세계로 나아간다는 공포감을 극복하고자 애쓰는 것은 '용기' 이다. 그렇게 보면 사랑은 일종의 노력이나 용기다. 특히 사랑은 우리 자신의 발전이나 다른 사람의 정신적 성장을 위해 행해지는 노력과 용기인 것이다. 우리는 정신적 성장을 지향하는 이외에 다른 목적에도 자신의 용기와 노력을 쏟아 부을 수 있다. 그러므로 노력과 용기가 있는 모든 일이 사랑은 아니다. 그러나 사랑은 우리 자신들의 확대를 요구하기 때문에 언제나 노력과 용기가 필요한 것이다. 어떤 행동을 행하면서 노력과 용기가 가미되지 않는다면, 그것은 사랑의 행동이 아니다. 여기에 예외란 존재하지 않는다.

사랑하는 일이란 원칙적으로 상대방에게 관심을 갖는 것이다. 우리가 다른 사람을 사랑할 때는 그 사람에게 관심을 기울이게 된다. 즉 그 사람의 성장을 기원하게 되는 것이다. 우리 자신을 사랑할 때 우리는 자신의 성장에 관심을 두게 된다. 우리가 어떤 사람에게 관심을 가질 때는 또한 그 사람에 대해 근심하게 된다. 누군가에게 관심을 기울이는 행동은 우리 자신의 의식을 변환시키는 노력을 필요로 한다. 그리고 그것은 의지로 가득 찬 행동으로서 마음 속에 굳어진 타성에서 뛰쳐나올 것을 호소한다.

이러한 노력에 대해 롤로 메이는 다음과 같이 피력했다.

"현대의 모든 정신 분석 도구를 다 이용해서 의지를 분석할 때, 의지가 강하다는 것은 의도적으로 관심을 가지고 행한다는 것임을 알게 된다. 다시 말해 의지있는 행동을 하고자 하는 노력은 실제로는 관심을 기울이려는 노력이다. 의지적인 행동을 할 때 나타나는 긴장은 의식을 명백히 지탱하려는 노력이며, 그것은 또한 집중적인 관심을 유지하기 위해서도 꼭 필요한 노력이다."

관심을 행동으로 나타낼 수 있는 가장 평범하고 중요한 방법은 말을 들어주는 것이다. 우리는 막대한 시간을 듣는 데에 보내고 있으면서도 대부분의 사람들은 그 시간들을 낭비한다. 왜냐하면 대체로 우리는 듣는 방법을 잘 모르기 때문이다.

어느 산업 심리학자는 내게 이런 지적을 한 일이 있다. 학교는 아이들에게 앞으로 성장하여 자주 사용할 수 있는 것은 가르치지 않고, 별로 쓰지 않는 것만을 가르치는 데 시간을 허비하고 있다는 것이다.

산업 현장의 관리인 정도의 직위에 있는 사람이라면 읽는 데는 한 시간, 대화에는 두 시간, 듣는 것은 여덟 시간을 할애해야 한다. 그럼에도 불구하고 학교는 학생들에게 책을 읽는 법을 가르치는 데 대부분의 시간을 소비하고, 말하는 법을 가르치는 데는 그나마 약간의 시간이라도 할애하지만, 듣는 법을 가르칠 생각은 꿈에도 않는다.

학교에서 가르치는 내용과 우리가 학교를 졸업하고 당면하게 되는 일들이 꼭 일치해야만 한다는 것은 아니다. 그러나 학생들에게 잘 듣는 방법을 훈련시키는 것은 바람직하다고 생각한다. 그렇게 해서 듣는 것을 쉽게 할 수 있도록 해주자는 것이 아니라, 듣는 일을 잘 하는 것이 굉장히 어렵다는 것을 아이들이 이해할 수 있게 해주자는 것이다. 잘 듣는다는 것은 관심을 실천에 옮기는 것이므로, 무척 힘든 일이다. 많은 사람들이 잘 들을 줄을 모르는 것은 이러한 것을 깨닫지 못했거나 잘 들으려고 노력하지 않기 때문이다.

얼마 전에 나는 유명한 사람의 강연에 참석한 일이 있었다. 그는 내가 오랫동안 흥미를 가지고 있었던 심리학과 종교 관계의 한 측면에 대해서 강의를 했다. 흥미를 가졌던 만큼 나는 그 과제에 어느 정도 전문 지식을 가지고 있었기 때문에, 강연이 시작되자마자 나는 그 강연의 연사가 위대한 현인이라는 것을 깨닫게 되었다. 또한 나는 그 강사가 모든 예들을 열거하면서 청중이 이해하기에는 어려운 고도로 추상적인 개념들을 열심히 전달하려고 막대한 노력을 하는 모습을 보며 그의 사랑을 가슴 깊이 느낄 수 있었다. 그래서 나는 최대한의 관심을 기울여 그의 강연을 들었다. 그가 얘기하는 한 시간 반 동안 줄곧 내 얼굴에서는 냉방장치가 가동되는데도 불구하고 땀이 줄줄 흘렀다. 그가 강연을 끝냈을 때 내 머리는 지끈지끈 아팠고 목은 집중하느라고 애써서 빳빳해졌으며 완전히 힘이 빠지고 지쳐 버린 느낌이었다. 예상컨대 이 위대한 강사가 그날 오후에 얘기한 것 중에서 내가 이해한 것은 겨우 50%가 될까말까한 정도였는데 내가 놀란 것은 그럼에도 불구하고 그는 내게 많은 훌륭한 식견을 주었다는 것이다. 보다 나은 삶을 추구하는 많은 사람들이 이 강연에 참석했는데 강연이 끝난 후 나는 커피를 마시는 휴식시간에 청중들 틈에 끼여 돌아다니면서 그들의 의견을 들었다. 대부분 그들은 낙심하고 있었다. 강사의 명성을 알기 때문에 그들은 보다 큰 기대를 갖고 있었다. 그러나 그의 강의는 이해하기 힘들었고 혼란만을 주었다. 그는 그들이 듣기를 원했던 만큼의 유능한 강사는 아니었다. 어떤 부인은 머리를 흔들며, "그는 정말 우리에게 말해 준 것이 아무 것도 없군요."라고 내게 말하기도 했다.

다른 사람들과는 달리 나는 이 위대한 사람이 무엇을 말했는지 많은 것을 들을 수 있었는데, 그 이유는 정확히 내가 그 사람의 말을 잘 듣고자 하는 강한 의지가 있었기 때문이다.

나는 두 가지 이유 때문에 그의 강연에 열중할 수 있었다. 첫째는 그가 훌륭하다는 것을 알기 때문에 그의 강연은 큰 가치가 있으리라고 생각했다는 점이다. 둘째는 그 강사가 들고 나온 과제가 내가 평소에 흥미있어 하던 것이었기 때문이다. 나는 그의 강연을 깊이 소화 흡수하여 나 자신의 이해력과 정신적 성장을 증진시키고 싶었다. 내가 열심히 들은 것도 하나의 사랑의 행동이었다. 나는 그를 깊이 사랑했고 그는 주목할 만한 큰 가치가 있는 사람이라고 믿었으며 그리고 나 자신의 성장도 열렬히 원하고 있었기 때문이다. 그는 선생이었고 나는 학생이었으며, 그는 주는 사람이고 나는 받는 사람으로서 내 사랑은 근본적으로 자신을 향한 것이었다. 우리의 이러한 관계에서 나는 무언가를 얻을 수 있으리라는 기대감에서 행동한 것일 뿐, 내가 그에게 무언가를 주겠다는 동기는 없었다. 어쨌든 그는 청중 가운데서 나의 집중력, 나의 관심, 내 사랑의 뜨거움을 느낄 수 있었을 것이고, 그래서 그는 그것으로 자신의 열강에 대한 충분한 보상을 받았을 것이다. 사랑이란 상대적인 관계이므로 받는 사람이 줄 수도 있고, 주는 사람 역시 언젠가는 받을 수 있으며, 서로에게 이익이 되는 것이다.

앞의 예는 받는 자로서 경청하는 역할이지만 주는 자로서 경청해야 할 경우에 대해서도 살펴보자. 예를 들자면 아이들의 말을 경청하는 경우이다. 아이의 말을 경청하는 것은 나이에 따라 달라진다. 여섯 살 된 1학년생을 생각해 보기로 하자. 이 아이에게 끊임없이 이야기하도록 기회를 주어 보자. 부모들이 어떻게 이 끊임없이 조잘거리는 얘기를 감당할 수가 있는가? 제일 쉬운 방법은 그것을 금지하는 일일 것이다. 믿지 못할 일이지만 사실 아이들이 얘기하는 것이 허용되지 않고 있는 가정들도 있다. 그런 가정에서는 "아이들이란 보기만 해야지 지껄여서는 안 된다."는 격언이 하루 24시간 적용되고 있다. 이런 가정의 아이는 상호작용이란 없이, 어두운 방 구석에서 어른들을 쳐다보는 조용한 벙어리 같은 구경꾼에 지나지 않는다. 두 번째는 재잘거리는 것을 방관하면서 듣는 척만 하는 방법이 있을 수 있다. 이때는 사실 외관상으로는 경청하는 것으로 보이지만 실제로는 아이와 아무런 상호작용을 하지 않는다. 아이는 단지 글자 그대로 허공이나 자기 자신에게 독백하는 것과 같다. 세 번째의 방법은 듣는 것처럼 하면서 당신이 하고 있는 일을 그대로 해 나가거나, 혹은 당신이 하던 생각을 그대로 하면서 한편으로 아이들에게 주목하고 있는 것처럼 보이는 것으로 흔히 "응." 혹은 "그거 좋구나."하며 다소 적절하다고 생각하는 때에 응답을 해주는 것이다. 네 번째 방법은 선택해서 들어주는 것이다. 이것은 특별한 민첩성이 요구되는 행동유형으로서, 부모들이 듣는 체하는 동안에 아이가 무언가 중요한 것을 이야기하는 것 같으면, 그 내용을 끄집어 낼 수 있어야 한다. 이러한 방법에서의 문제는 선택하고 구분해 내는 인간의 능력이 그다지 능률적이지 않으므로 경청해야 하는 중요한 이야기들을 놓치는 경우도 허다하게 생길 수 있다는 것이다. 마지막 방법은 진심으로 들어주는 것이다. 즉 아이에게만 온 정신을 기울여 그의 애기를 들어주고, 말 한마디 한마디의 의미를 생각하고 이해하려고 노력하는 것이다.

이러한 다섯 가지 방법은 뒤의 것으로 올수록 점점 더 많은 노력을 요구하고 있음을 알 수 있다. 그 중에서도 다섯 번째는 진심으로 경청하는 것으로 다른 방법들에 비해서 부모들에게 엄청난 양의 에너지를 요구한다. 독자들은 내가 다섯 번째 방법을 추천하리라고 짐작했을지 모르겠다. 그러나 그렇지 않다! 첫째로, 여섯 살 난 아이는 말을 많이 하는 경향이 있으므로 부모가 항상 모든 것을 다 들어주게 되면 다른 일을 할 시간이 남아 있지 않게 될 것이다. 둘째로, 참으로 듣는 데는 커다란 노력이 필요하므로 부모가 너무 지쳐서 다른 일도 못하게 될 수 있다. 끝으로 그것은 대단히 지루할 것이다. 사실 여섯 살 된 아이의 조잘거리는 얘기는 재미없고 지루하다. 그러므로 바람직한 것은 다섯 가지 방법 전부를 균형있게 맞추는 것이다. 때에 따라서는 아이들에게 입을 다물라고 말할 필요가 있을 때도 있다. 예를 들자면 그들의 이야기가 다른 중요한 일에 몰두해야 하는 상황을 방해할 때, 혹은 다른 사람들에게 버릇없이 굴거나 적대감이나 우월감을 과시하려 할 때는 그렇게 할 필요가 있다. 흔히 여섯 살 난 아이들은 조잘거리는 데 재미를 느껴서 조잘거린다. 그런 때에는 아이들이 반드시 상대방의 반응을 요구하는 것도 아니고 자기 자신에게 이야기하는 것만으로 충분히 만족하고 있으므로 그들을 주목해서 돌봐 주어도 아무 소용이 없다. 그러나 또 다른 때에는 아이들이 혼자 중얼거리는 것으로 만족하지 않고 부모들과 서로 대화하기를 바랄 때도 있다. 그런데 그들의 요구가 들어주는 척하는 것으로 적당히 충족될 수 있는 경우도 있다. 이런 때에 아이들이 대화를 원하는 것은 '서로 이야기하는 것' 이 아니라 단순히 '가까이 하는 것' 이 목적이므로 들어주는 척하는 것만으로 '같이 있다' 는 소원을 충분히 만족시켜 줄 수 있는 것이다. 때로는 아이들 자신이 이야기를 하다 말다 하는 경우가 있다. 이때는 아이가 부모들이 선택해서 들어줄 것을 바라고 있기 때문이며, 그래서 그들 자신이 이야기를 선택해서 하고 있는 것이다. 그들은 이것을 게임의 규칙이라고 생각하고 있다. 그러므로 전체의 얘기 중에서 여섯 살 난 아이들이 진짜 들어주기를 바라는 것은 비교적 적은 부분에 지나지 않는다. 부모 노릇을 완수하는 데는 해야 할 일이 많은데, 그 중에도 가장 복잡한 일 중의 하나가 아이의 변하는 요구에 어떻게 적당한 스타일로 반응하면서 듣고 안 듣는 것을 시의 적절하게 선택하는가 하는 것이다.

이것은 조화롭게 해내기가 무척 힘들다. 왜냐하면 이야기를 듣는 시간이 길지 않더라도 부모가 이야기를 들어줄 힘이 모자라거나 들어줄 수 없는 때도 있기 때문이다. 아마도 대부분의 부모들이 그런 경험을 해봤을 것이다. 어떤 부모는 건성으로 마지못해 듣거나 선택해서 듣고 있으면서도, 진지하게 관심을 갖고 듣고 있다고 자신을 속이는 경우도 있다.

그러나 이것은 자기 기만으로서, 자신의 나태함을 감추기 위해 짜 놓은 속임수인 것이다. 정말 잘 들으려면 아무리 간단할지라도 굉장한 노력이 필요하다. 첫째로 그것은 완전한 집중을 요구한다. 어떤 사람의 말을 참으로 듣고 있으면서 동시에 또 다른 일을 할 수는 없는 것이다. 만약 부모들이 참으로 아이의 얘기를 들으려면, 다른 모든 일을 젖혀 놓아야만 한다. 참으로 듣는 시간이 오로지 아이에게만 주어져야 한다. 즉 아이의 시간이 되어야만 하는 것이다. 만일 당신이 모든 것을 젖혀 두는 데 연연해 하거나 어떤 선입견을 포함해서 젖혀 놓을 마음이 없으면 그때는 이미 참으로 듣는 것이 아닌 것이다. 둘째로 여섯 살 난 아이의 말을 듣는 데 요구되는 완전한 집중을 위해 필요한 노력은 어떤 위대한 강사의 강의를 집중해서 듣는 것보다도 더 큰 것이다. 아이는 말하면서 앞의 말과 뒤의 말의 관계를 염두에 두지 않기 때문에—때로 서둘러 이야기하고 중간은 끊어버리는가 하면 또 반복하기도 하고—더욱 집중하기 어렵다. 또한 명강의의 주제는 듣는 사람들이 흥미있어 하는 주제들이지만, 아이들이 말하는 주제는 어른에게는 아무렇지도 않은 것들에 대해서만 신이 나서 이야기한다. 다시 말해서 여섯 살 난 아이의 이야기는 너무 재미없어서 집중해서 듣기가 몇 배나 어려운 것이다. 결과적으로 이 연령의 아이의 말을 참으로 잘 들어주는 일은 진정한 사랑에서 우러나온 노력의 결과라고 할 수밖에 없다. 부모들이 그런 수고를 기꺼이 감수할 수 있도록 동기를 주는 사랑이 없다면 그 일은 행동으로 옮길 수가 없다.

그런데 왜 그런 일을 해야 할까? 왜 우리는 여섯 살짜리의 재미없는 이야기들을 정신집중해서 들으려고 몸부림치는 걸까? 첫째로 당신이 그렇게 관심을 갖는 것이 당신 아이에게 줄 수 있는 존중감의 가장 좋은 구체적인 증거가 되기 때문이다. 위대한 강연자에게 보냈던 관심과 존경심을 아이에게 보여 주면, 아이는 자신이 사랑받고 있음을 온몸으로 느낄 수 있으므로 정신적인 성장은 물론 자신을 귀하게 여기는 건강한 사람으로 자라날 수 있을 것이다. 둘째로 아이들은 자신이 귀중하다고 느끼면 느낄수록 귀중한 것들에 대해서 더 많이 이야기하기 시작할 것이다. 아이들은 당신이 그들에게 기대하는 만큼 행동하려고 노력할 것이다. 셋째로는 아이들에게 귀를 기울여 주면 줄수록, 당신은 아이들이 말하다 쉬고, 더듬거리는,

순진하기 이를 데 없는 그 재잘거림 속에서 아이가 참으로 가치있는 소리를 하고 있다는 것을 깨닫게 될 것이다. "위대한 지혜는 어린아이의 입을 통해서 나온다."는 격언이 진리임을 뼈저리게 느낄 것이다. 뿐만 아니라, 아이의 이야기에 귀를 기울이다보면 아이의 특수성도 쉽사리 깨달을 수 있을 것이다. 그리고 당신의 아이가 특수한 인물이라는 것을 지각하면 할수록 아이의 이야기에 귀 기울이는 일이 더욱 흥미로워질 것이다. 그리하여 당신의 이해폭은 점점 넓어지게 된다. 넷째로 당신 아이에 대해서 아는 것이 많으면 많을수록 당신은 더욱더 잘 가르칠 수가 있을 것이다. 아이들에 대해 아는 것이 적으면 당신은 아이들이 미처 배울 단계가 되지 않은 것들이나, 혹은 벌써 알고 있는 것들, 그리고 아이들이 당신보다 더 잘 이해하고 있는 것들을 가르치게 될 것이다. 끝으로 아이들이 당신이 그들을 소중하게 생각하고, 자신의 독특한 점을 이해해 준다는 사실을 알게 되면, 기꺼이 당신의 말에 순종하고, 당신이 그들을 대했던 것처럼 존경과 사랑으로 대하게 될 것이다. 당신의 가르침이 그들의 성격 특성에 적합하고 적절한 것이라면 아이들은 더욱 당신의 가르침을 열망하게 될 것이다. 그리하여 아이들은 배우면 배울수록 더욱 훌륭한 인간으로 성장하게 되는 것이다. 독자들이 이와 같은 순환적인 성격을 파악하고 있다면 그것은 매우 바람직한 일이며, 사랑이란 주고 받는 것이라는 말을 이해할 수 있을 것이다. 하강의 악순환 대신에 이것은 발달과 성장의 창조적 상승 순환인 것이다. 즉, 존중이 존중을 창조하고 사랑이 사랑을 낳는다.

우리는 지금까지 여섯 살 난 아이를 염두에 두고 이야기해 왔다.

더 어리거나 더 큰 아이들의 경우도 들어주고 안 들어주는 것의 비율이 다를 뿐 그 과정은 근본적으로 똑같다. 나이가 어릴수록 아이들의 의사전달은 더욱 비언어적인 형식을 취하지만, 좀더 나이 많은 아이의 말도 마찬가지로 완전히 집중해 주는 시간이 필요하다. 당신은 딴 생각을 하면서 아이하고 짝짜꿍을 잘 할 수는 없을 것이다. 만약 당신이 반쯤 정신을 팔면서 짝짜꿍을 한다면, 당신은 반쯤은 정신이 딴 데 가 있는 산만한 아이를 가지게 될지도 모른다. 십대의 아이들은 부모가 경청해야 하는 시간이 여섯 살 난 아이보다 시간상으로는 짧을지 모르나, 질적으로는 더욱 귀 기울여 들어야만 한다. 그들은 목적없이 재잘거리는 일은 훨씬 적지만, 어린아이들보다 더욱 주의 깊게 경청해 주길 원하고 있다.

부모들이 들어주기를 바라는 마음은 자라서도 결코 없어지지 않는다. 어떤 삼십대의 능력있는 전문가가 자신이 존중받지 못한다는 열등감에 시달리다가 내게 치료를 받게 되었다. 그 과정에서 그는 역시 전문직을 갖고 있었던 자신의 부모들이 자신의 이야기를 경청하지도 않았고, 그의 이야기는 들을 가치조차 없다고 단정지었던 경험을 떠올리게 되었다. 이 모든 일들 중에서 가장 기억에 생생하고 괴로웠던 일은 그가 스물두 살 때의 일인데, 당시 그는 대단한 센세이션을 불러일으킨 대학 졸업논문을 써서 큰 상을 받은 일이 있었다. 그에 대해 야망이 컸던 부모들은 그가 받은 상에 대해 매우 기뻐하였다. 그런데 복사한 논문 한 부를 일 년 내내 집 안방의 잘 보이는 데에다 놓아두고, "아마 한번쯤은 읽어보고 싶으시겠지요." 하며 가끔 읽어 달라는 암시를 주었음에도 불구하고, 그의 부모는 아무도 시간을 내서 그것을 읽어보지 않았다.

"제 부모님들이 저의 논문을 읽어보기나 했는지 모르겠습니다." 라고 그는 상담이 거의 끝나갈 무렵 말했다.

"아마도 내가 부모님들에게 가서 덮어놓고 '보세요, 제발 제 논문 좀 읽어 주시겠어요? 제가 어떤 것들에 대해서 무슨 생각을 하고 있는지 좀 알아 주시고 평가해 주시기 바랍니다.' 라고 요청했더라면 그걸 가지고 나를 칭찬했을지도 모를 일이지만, 내 얘기를 들어 달라고 빌고 다니는 게 무슨 꼴이겠습니까. 스물두 살이나 되어 가지고 그들의 주목을 받고 싶어서 빌고 돌아다닌다는 것은 정말 미친 짓이겠죠? 또 빌어서 들어주었다해도 그것이 나로 하여금 존중받고 있다고 느끼게 해주지는 못했을 것입니다."

참으로 잘 들어주고, 다른 사람의 이야기에 집중해 주는 것은 사랑의 표현이다. 잘 듣는다는 것은 근본적으로 내가 무엇을 바라는가, 내가 놓인 사회적 처지가 어떠한가, 내가 상대방이나 혹은 상대가 말하는 일을 어떻게 생각하는가 하는 것들로부터 떨어져 나와 일시적으로 그것들을 포기하거나 젖혀 놓는 그런 훈련이다. 이것은 말하는 사람의 세계 안으로 들어가 가능한 한 말하는 사람의 체험을 함께 느끼게 하기 위해서 그렇게 하는 것이다. 말하는 사람과 듣는 사람의 감정이입은 실제로 우리 자신의 경험을 연장하고 확대시켜 주므로, 이러한 경험을 통해 새로운 지식이 얻어지기도 한다. 또한 참으로 들어주는 것은 자신을 분리하고 자신을 젖혀 놓는 것이므로 이것은 다른 사람을 완전히 받아들이는 것을 포함하기도 한다. 이렇게 받아들여지고 있다는 것을 느끼면 말하는 사람은 공격의 위험성에서 벗어나 듣는 자에게 더욱더 마음 속에 간직하고 있던 많은 것을 공개하게 될 것이다. 이런 것이 일어남으로써 이야기하는 사람과 듣는 사람이 서로서로를 더욱더 정확하게 이해하게 되고, 훌륭한 사랑의 이중주를 시작하게 되는 것이다. 자신을 분리하는 것과 완전히 정신집중하는 훈련은 엄청난 노력이 요구되는 일로서, 그것은 사랑을 토대로 해서 서로 상대방을 성장, 확대시켜 나가려는 의지에 의해서만 가능한 것이다. 대부분의 경우 우리는 이런 시간을 갖지 못하고 있다. 우리가 사업을 관리하는 데서나 사회 관계에서까지도 열심히 들으려 하고 있다고 느낄지 모르지만 대개는 마음 속의 편견이나 아집을 중심으로 해서 될 수 있는 대로 이야기를 짧게 줄이면서 자신이 원하는 것을 성취하고, 자신을 만족시킬 수 있는 방향으로 이끌어 가려고 애쓰면서 듣고 있는 데 불과하다.

참으로 들어주는 일은 사랑을 행동으로 실천하는 것이기 때문에, 결혼생활에서 이보다 더 중요한 것은 없다. 그런데도 대개의 부부들은 상대방의 이야기에 가슴을 열고 마주하지 않는다. 그 결과 상담을 받아야 할 지경에 이른 부부들에게 우리가 해주어야 할 급선무는 상대방의 이야기에 열중하는 법을 가르치는 일이다. 그러나 이따금 여기에 따르는 노력과 훈련이 그들 부부의 힘에 겨울 때는 실패하기도 한다. 상담하러 온 부부들은 의사가 특별한 시간을 정해 놓고 대화하라는 처방전을 제시하면 놀라워하면서 잔뜩 겁을 내기도 한다. 그것은 너무나 멋없고 딱딱한 느낌을 준다고 생각하는 모양이다. 그러나 가슴을 열고 대화하기 위해서는 특정한 시간과 장소가 따로 필요하다. 운전을 하거나 요리중이거나 피곤해서 잠이

몰려올 때, 혹은 서둘러서 처리해야 할 일들이 쌓여 있을 때는 대화는 불가능하다.

낭만적으로 사랑에 빠지는 것은 노력이 필요치 않다. 그러므로 많은 부부들은 낭만에다 기대고 낭만만 바랄 뿐 진정으로 사랑하고 상대방의 이야기에 귀 기울이려는 힘든 일을 감내하려 들지 않는다. 그러나 그들이 노력하기만 한다면 그 결과 막대한 기쁨을 누릴 수 있을 것이다. 진지하게 경청하는 것이 일상으로 녹아들게 되면 한 배우자는 상대방의 말을 가슴으로 이해하는 기쁨을 누릴 수 있게 된다. 이때 흔히 다음과 같이 외친다. "스물아홉 해나 함께 살았지만, 당신에게 그런 면이 있다니, 아마도 당신을 제대로 알지 못했군요." 비로소 그들의 결혼생활에 성장이 시작된 것이다.

참으로 듣는 능력이 연습에 따라 차츰차츰 발전한다는 것은 사실이다. 그러나 노력 없이는 불가능하다. 그래서 훌륭한 정신과 의사에게 가장 필수적인 것은 참으로 듣는 능력인가보다. 그런데 '50분'의 상담시간 동안 열두 번 중의 한 번은 환자가 무엇을 얘기하고 있는지 나 자신이 참으로 듣는 것에 실패하곤 한다. 어떤 때는 내 환자가 얘기하는 줄거리들을 전체적으로 다 잃어버리는 때도 있어서, 이렇게 말해야만 하는 경우도 있다. "미안합니다. 잠시 딴 생각을 하고 있었나 봐요. 당신이 하는 얘기를 제대로 듣지를 못했는데 지금 얘기한 것 몇 가지를 다시 되풀이해 주실 수 있겠습니까?"

재미있는 일은 환자들이 보통 이런 일이 생겼을 때 화를 내지 않는다는 것이다. 이와는 반대로 그들은 내가 참으로 귀를 기울여 듣지 않은 실수들에 대해 민감한 자세를 가지고 있음을 직감적으로 인식하고 기분 좋게 여기는 것 같다. 또 내 주의가 산만했던 것을 고백하는 것이 실제로는 내가 다른 모든 시간 동안에는 제대로 듣고 있었다는 것을 재확인시켜 주는 것 같다. 누군가 진정으로 자기 말을 들어주고 있다는 그 자체만으로도 눈부신 치료 효과를 내고 있는 것을 본다. 환자가 어른이거나 아이거나 상관없이 수많은 상담 사례들 중 1/4은 문제의 근본 이유가 밝혀지지 않았거나 중요한 해석을 할 수 없음에도 불구하고 처음 몇 달 사이에 이미 극적인 진전을 보인다. 여기에는 여러 가지 이유들이 있겠지만 그 중에서도 제일 중요한 것은 환자가 의사가 자기의 얘기를 참으로 들어주고 있음을 직감하기 때문이라고 나는 믿는다. 이런 환자들 중에는, 몇 년 만에 처음으로 누가 제대로 들어주었다든지 또는 생전 처음으로 그런 경험을 했다는 경우도 있다.

관심을 기울여 들어주는 것이 중요한 사랑의 표현 방법이긴 하지만 다른 많은 표현 방법들도 동원되어야 한다. 특히 아이들과의 관계에서는 더욱 그렇다. 그 중의 하나는 게임을 하고 노는 것이다. 갓난아이와는 이것이 짝짜꿍이나 숨바꼭질 같은 장난이 되겠다. 여섯 살 난 아이와는 요술놀이나 낚시, 열두 살 난 아이와는 배드민턴과 카드놀이 등이 되겠다. 어린아이에게 책을 읽어 주는 것은 더 큰 아이들의 숙제를 도와주는 것과 마찬가지로 관심을 가져 주는 행동이 된다. 가족활동도 중요하다. 영화 구경, 산보, 여행, 박람회, 축제놀이 등에 함께 가는 것이 좋다. 관심을 기울여 주는 것 중에는 순전히 아이를 위해 봉사하는 것도 포함된다. 네 살 난 아이를 모래밭에 앉아서 보살피는 것, 열 살 안팎의 아이들에게 운전을 가르치는 것 등이다. 그런데 이렇게 돌봐 주는 모든 형태들이 가진 공통점은 아이와 시간을 같이 보내는 것이고, 얼마나 세심하게 돌보았는가 하는 것은 그 시간 동안 얼마나 관심을 집중했는가에 정비례한다. 이러한 활동들로 아이들과 시간을 보내는 것은 그 시간이 잘만 쓰여지면 부모들로 하여금 아이들을 관찰할 기회를 갖게 하고 아이들을 잘 알 수 있도록 만들어 준다. 아이들이 승부에 실패했을 때 승복하는 태도가 어떤가, 어떻게 숙제를 하며, 어떻게 배우고, 무엇에 흥미를 가지고 또 무엇에 흥미를 안 가지는지, 어떤 때에 용감하고 어떤 때에 두려워하는지, 이러한 모든 것을 활동을 함께 해나가면서 관찰할 수 있다. 모든 것이 자녀를 사랑하는 부모에게는 매우 중대한 정보들이 된다. 이렇게 재미있는 놀이들을 하면서 아이와 함께 지내는 시간은 부모가 기술을 가르쳐 주고, 훈련의 근본적인 원칙을 가르쳐 줄 수 있는 많은 기회들을 준다. 아이를 관찰하고 가르치는데 놀이가 유용하다는 것은 놀이치료의 근본 원리이기도 하다. 경험이 많은 아동 치료자들은 아동 환자들과 놀이를 하며 시간을 함께 보내면서 중요한 관찰을 하고 이것을 치료에 활용하는 것에 아주 익숙하다.

네 살 난 아이를 모래밭에서 돌봐주는 것이라든지, 여섯 살 난 아이가 이야기하는 밑도 끝도 없는 소리들을 집중해서 들어준다든지, 십대의 아이에게 어떻게 운전하는가를 가르쳐 준다든지, 부부 사이에 사무실에서 있었던 일이나 공중세탁소에서 있었던 일, 또는 어떻게 하루를 지냈는가 등의 얘기를 진지하게 들어주는 것이라든지 —가능한 한 일관성 있게 인내하며 참을성 있게 다 들으려고 애쓰며—모든 이러한 것들은 때로는 지루하고 하찮은 일들이며 항상 지나치게 힘이 드는 일이다. 익숙하지 않은 일들을 하고 낯선 장소에 있는 것, 다른 방식으로 일을 해 보는 경험은 우리를 두렵게 할 것이다. 대개는 익숙한 방식대로 계속 일해 나가고 싶어하기 때문이다. 그러므로 게으른 사람들은 이런 일을 하고 싶어하지 않을 것이다. 부지런한 사람이라야만 기꺼이 솔선수범해서 이런 일들을 해낼 것이다. 사랑이란 부지런한 자만이 성취할 수 있으며, 사랑하지 않음은 곧 게으름을 피우는 것과 같다. 게으름은 아주 중요한 주제다. 이것은 지금까지 다루어온 훈련과 사랑이라는 주제 속에 내재된 숨겨진 주제라 할 수 있다. 우리는 마지막에 가서 이 부분을 좀더 명확하게 다룰 것이다.

상실을 두려워하는 사람들

앞에서 이미 충분히 다루었지만 사랑을 실천(자아를 확대, 성장시키는 것)한다는 것은 타성에 젖어 게을러지는 것을 경계하고(노력) 두려움 때문에 주저하지 않고 나아가는 것(용기)을 필요로 한다. 여기서는 사랑의 실천이 아닌 사랑의 용기로 이야기의 주제를 돌려보자. 우리가 자신을 확대한다는 것은 말하자면 새롭고 익숙하지 않은 영역으로 들어가는 것이다. 즉 새로운 사람이 되는 것이다. 그동안 익숙하지 않던 일들을 시도하고 변화하는 것이다. 물론 익숙하지 않은 일들을 하고 낯선 장소에 있는 것, 다른 방식으로 일을 해보는 경험은 우리를 두렵게 할 것이다. 대개는 익숙한 방식대로 계속 일해 나가고 싶어하기 때문이다. 사람들은 변화에 대한 두려움을 제각기 다른 방법으로 다루지만, 그들이 실제로 변화하고자 한다면 두려움은 불가피한 것이다. 진정한 용기란 두려움으로 인한 위협에 그저 저항하는 데서 머물지 않고 뛰쳐나와 알지 못하는 미지의 세계로 들어가는 행동이다. 어떤 단계의 정신적 성장이든, 사랑이든 항상 용기를 필요로 하며 그래서 모험이 되는 것이다.

이제 사랑이라는 모험에 대해 생각해 보자.

당신이 교회에 규칙적으로 다니는 사람이라면 교회에서 아마 이런 광경을 본 적이 있을 것이다. 사십대 후반쯤 된 한 여인이 예배 시작되기 5분 전에 눈에 띄지 않게 들어와 늘 똑같은 자리인 교회의 뒷 구석자리에 와서 앉는다. 그녀는 예배가 끝나자마자 조용히 그러나 재빨리 다른 교인들이 나가기 전에, 그리고 목사님이 교인들과 악수를 나누기 위해 계단으로 나오기 전에 사라져 버린다. 만약 당신이 그녀에게 가까이 가서 말을 걸고—그것이 가능할 것 같지 않지만—예배 후 커피를 마시자고 초대한다면 그녀는 공손히 감사를 표시하면서도 당신의 눈을 피하며 약속이 있다고 급히 서둘러 가 버릴 것이다. 그러나 무슨 약속인지 그녀를 따라가 본다면 곧장 자기 집으로 들어가는 것을 발견하게 될 것이다. 그녀의 집인 자그마한 아파트에는 항상 창문에 커튼이 쳐져 있어 집 안이 들여다 보이지 않고, 집으로 돌아온 그녀는 열쇠로 잠긴 문을 열고 들어가 다시는 나타나지 않을 것이다. 계속해서 살펴보면 그녀는 어떤 큰 사무실에서 하급 비서로 일하고 있으며, 말없이 맡은 일을 받아서 정확하게 타자를 쳐서는 완수된 일거리들을 두말없이 돌려 주고 있는 것을 발견할 것이다. 또한 그녀는 점심은 자기 책상에서 먹고 친구들은 하나도 없다는 것도…….

그녀는 집에 가는 길에 아는 사람도 없는 똑같은 슈퍼마켓에 들러 몇 가지 필요한 것을 사 가지고는 다음날 출근하기 전까지는 자기 집 문 뒤로 사라져 버리고 마는 것이다. 매주 토요일 오후엔 새로운 영화를 상영하는 집 근처 극장에 가서 혼자 영화를 본다. 그녀는 유일한 친구로서 TV를 가지고 있으며, 전화는 거의 걸려 오지 않고 편지를 받는 일도 없다. 당신이 어떻게 해서 그녀와 이야기를 할 기회가 생겨 그녀의 생활이 외로워 보인다고 말하면 그녀는 자기는 고독을 즐기고 있다고 할 것이다. 당신이 그녀에게 애완동물을 기르지 않느냐고 묻는다면 그는 자기가 퍽 좋아하던 개 한 마리가 있었는데 8년 전에 죽어서 이제 아무 것도 그 개를 대신할 수가 없게 되었다고 할 것이다.

이 여인은 어떤 사람인가? 우리는 그녀의 마음의 비밀을 알지 못한다. 우리가 알 수 있는 것이라고는 그녀의 삶은 오로지 위험을 피하고자 하는 것만이 목적이며 자아의 확대는커녕 움츠러들기만 한 나머지 거의 살아 있다고 할 수 없는 지경에까지 이르고 말았다는 것이다. 그녀는 어떤 생활에도 애착하지 않는다. 우리는 지금까지 단순히 꼭 잡고 놓지 않는 것(애착)이 사랑은 아니며, 사랑은 그 애착을 초월한다는 것을 말해 왔다. 이것이 사실이긴 하지만 그러나 사랑은 시작을 위해서 무엇인가 잡는 것(애착)을 요구한다. 우리는 무엇인가 우리에게 중요한 의미를 갖는 것만을 사랑할 수가 있다. 그러나 무엇인가 잡으려면 거기에는 항상 잃어버리거나 거부당할 위험이 있다. 당신이 누군가를 사랑하고 관심을 갖지만 그 사람은 그 사랑을 거부하고 떠날지도 모른다.

어떤 것이든 살아 있는 것을 사랑해 보라. 사람이건, 동물이건, 식물이건 그것은 언젠가 죽을 것이다.

누구든지 믿어 보라. 그러면 당신은 상처를 입을는지도 모른다.

누구에게든 의존해 보라. 그러면 그가 당신을 실망시킬지도 모른다.

애착은 고통인 것이다.

어떤 사람이 만약에 고통을 감내하고자 하지 않는다면 그런 사람은 많은 것들을 삶에서 제외시켜야만 할 것이다. 즉 아이들을 갖는다든지, 결혼, 섹스의 황홀감, 야망, 우정 등 인생을 생기있게 하고 의미있게 하고 중요하게 만드는 그 모든 것들을 제외시켜야 될 것이다. 어떤 면으로 성장을 하든—그것이 고통이 되든지 기쁨이 되든지—그것은 당신이 치러야 할 대가가 될 것이다. 충만한 생활은 고통을 배제할 수 없다. 우리는 삶을 충만하게 살든지 아니면 삶을 완전히 포기하든지 둘 중에 하나를 선택할 수 있을 뿐이다.

인생의 본질은 변화, 즉 성장과 쇠퇴로 만든 한 벌의 투구와 갑옷이다. 생과 성장을 선택하라. 그것은 변화와 죽음의 가능성을 함께 선택한 것이다. 고독하게 살기로 결심이라도 한 듯한 그 여인의 폐쇄된 생활은, 그 원인이 여러 번에 걸친 죽음이라는 체험이다. 그녀에게 죽음이란 너무나 고통스러운 것이므로 두 번 다시 그 아픔을 겪지 않으려고 충만한 생을 포기하는 대가를 치르고 있는 것이다. 죽음의 경험을 피하기 위해서 그녀는 성장과 변화를 피해야만 했던 것이다. 그녀는 새로운 것, 기대하지 않던 것, 모험이나 도전으로부터 자유롭기 위하여 항상 변화 없는 생활을 선택한 것이다. 이미 말했던 대로 정당한 괴로움을 피하려는 시도는 모든 심리적인 병의 원인이 된다. 대개 정신치료를 받는 환자들은 나이에 관계없이 죽음의 현실을 정면으로 맞닥뜨릴 때에 문제를 갖게 된다. 놀라운 일은 정신과 연구 문헌들에서 이런 현상의 의미를 고찰해 보려는 노력이 최근에 들어서야 시작되었다는 사실이다. 죽음이란 언제나 우리 곁에 있고 우리의 '한쪽 어깨'에 짊어지고 가는 것임을 충분히 느끼고 살아간다면, 죽음이란 우리 삶의 진실한 '동반자'가 될 수 있을 것이다. 이것은 두렵기는 하지만 지혜로운 교훈의 샘물이 되어 줄 것이다. 죽음의 교훈, 즉 우리가 살고 사랑할 시간이 제한되어 있다는 사실을 염두에 둔다면 시간을 최선으로 이용하고 생을 최대로 충만하게 살려고 노력하게 될 것이다. 그러나 우리가 한쪽 어깨 위에 짊어지워진 죽음의 실체를 부인하고, 당당하게 직면하지 않는다면 우리는 죽음이 주는 지혜로운 교훈을 스스로 버린 결과, 현명한 지식을 가지고 충만한 사랑을 할 수 없게 된다. 우리가 죽음을 피해서 도망치고 변화하는 삶의 본질을 외면해 버린다면, 우리는 불가피하게 삶으로부터도 도피하게 되는 것이다.

독립이라는
모험을
감행하다

모든 삶은 그 자체에 무수한 위험을 내포한다. 사랑하고 살면 살수록 더욱 많은 위험에 직면하게 될 것이다. 일생 동안의 셀 수도 없이 수많은 위험들 중에서 가장 큰 위험은 성장에 따르는 위험이다. 성장이란 어린아이가 어른의 세계로 발을 들여놓는 것이다. 그것은 한 걸음만 살짝 내딛는 것이 아니라 두렵게도 단숨에 도약하는 것이라 할 수 있다. 그래서 많은 사람들은 평생 동안 제대로 성장을 실행해 보지도 못하고 만다. 그들이 겉으로는 성공한 어른으로 보이기는 하지만 대다수의 '어른들'이 심리적으로는 죽을 때까지 아이들로 남아 있게 마련이다. 이들은 부모로부터 그들 자신을 분리하지 못하고 부모가 그들에게 행사하는 권력으로부터 전혀 헤어나지 못하고 있는 것이다. 나에게도 성장을 위한 도약은 개인적으로 대단히 고통스러웠던 과정이었다. 다행스럽게도 나는 아주 어린 나이인 열다섯 살이 끝날 무렵 결정적인 도약을 감행해 낼 수 있었다. 이 도약은 나의 의식적인 노력의 결과였지만, 그때는 내가 하고 있는 것이 성장을 초래하고 있음을 전혀 눈치채지 못했었다. 단지 내가 알고 있는 것은 미지의 세계로 뛰어들고 있다는 사실뿐이었다.

나는 열세 살에 집을 떠나 필립스 아카데미에 들어갔다. 이곳은 청소년들의 대학 예비고등학교 중 가장 유명한 학교로, 내 형도 다녔던 곳이다. 나는 그 학교에 가는 것이 얼마나 행복한 일인가를 알고 있었다. 그 학교에 다닌다는 것은 성공을 향한 잘 짜여진 틀 속으로 들어가는 것을 의미한다. 즉 가장 좋은 아이비리그 대학 가운데 하나에 입학할 수 있으며 사회 최고 지도층으로 성장할 수 있는 관문이므로 그곳을 졸업하면 그러한 훌륭한 교육적 배경 덕택에 장미빛 인생이 화려하게 펼쳐질 미래가 보장된 거나 마찬가지였기 때문이다. 훌륭한 교육적 배경 덕분에 내게는 세상의 문이 활짝 열려질 것이었다.

나는 '돈으로 살 수 있는 최고의 교육'을 시켜 줄 수 있을 정도로 부유한 부모에게서 태어난 것을 참으로 다행이라고 느꼈고, 또 내가 그러한 집단의 일부가 된다는 것으로부터 커다란 안전감을 갖게 되었다. 그러나 바로 이 학교에 다니기 시작하면서 나는 곧 비참할 정도로 불행해졌다. 내가 왜 그렇게도 불행하게 느꼈었는지는 그 당시 나 자신도 몰랐었고, 지금까지 풀기 어려운 수수께끼로 남아 있다. 그러나 뾰족한 수가 없었으므로 나는 내가 처한 상황에서 최선을 다하며 나의 불완전함을 고쳐서 적응하려고 노력해 보았다. 나는 2년 반 동안이나 이러한 노력을 꾸준히 계속했다. 그러나 내 생활은 점점 더 무의미하고 비참해져 갈 뿐이었다. 마지막에는 나는 잠자는 일밖에 거의 한 것이 없었다. 잠자는 가운데서만 나는 어떤 평안함을 느꼈다. 돌이켜보면 아마도 잠자는 가운데 무의식적으로 나는 도약을 준비하고 있었던 것이 아니었을까 하는 생각이 든다. 내가 성장의 도약을 했던 것은 삼학년 봄방학을 맞아 집에 돌아왔을 때였다. 그때 나는 학교로 돌아가지 않을 것이라고 선언했던 것이다. 아버지는 말했다.

"너는 그만 둘 수 없어! 그 학교는 정말 최고 학교야…… 도대체 너 자신이 무엇을 내던져 버리려는 것인지 알기나 하니?"

"저도 그곳이 좋은 학교인 줄을 알고 있어요." 나는 대답했다. "그렇지만 학교에 돌아가지 않을 거예요."

"왜 적응하려고 노력해 보지 않니. 다시 한 번만 노력해 보렴."

나는 난감함을 느끼면서 대답했다.

"저도 잘 모르겠어요. 왜 그렇게 싫은지 알 수가 없어요. 그렇지만 나는 돌아가지 않겠어요."

"자, 그러면 너는 무얼 할 작정이냐? 내가 보기에 너는 장래에 대한 계획이라곤 없어 보이는데, 네게 무슨 계획이라도 있는 거니?"

다시금 나는 비참함을 억누르며 대답하는 수밖에 없었다.

"모르겠어요, 내가 아는 것은 다시는 거기에 돌아가지 않겠다는 것뿐이에요."

우리 부모들은 이해심 있게, 그리고 한편으로는 위기를 느껴 나를 정신과 의사에게 데리고 갔다. 그 정신과 의사는 내가 우울증에 걸려 있으니 한 달 동안 입원하는 것이 좋겠다고 하면서 내게 하루 동안의 여유를 주면서 정신 병원에 입원하기를 원하는지 결정하도록 했다.

그날 밤, 일생에 있어서 유일하게 자살을 생각해 볼 정도로 심각한 고민에 빠졌다. 어쩌면 정말 정신 병원에 입원하는 것이 가장 적절할지도 모른다는 생각이 들기도 했다. 형은 그 학교에 잘 적응했는데 왜 나는 그리 할 수가 없는가? 그토록 적응을 못한 것이 전적으로 내 잘못이라는 생각도 들었다. 그래서 나 자신이 문제아이며 무능하고 무가치하다고 느껴졌다. 심지어는 나는 미쳤을지도 모른다는 생각까지 했었다. 아버지도 그렇게 말하지 않았던가. "너는 틀림없이 미쳤어, 그렇게 좋은 교육을 어쩌자고 내버리니?"

그 학교로 돌아간다면 나의 장래는 안전하고 정당하고 적절하며 건설적이었을 텐데……. 그렇지만 그것은 내가 아니었다. 내 존재의 심연으로부터 나는 그것이 내 길이 아니라는 것을 알았던 것이다.

그러면 내 길은 무엇인가? 내가 필립스 아카데미로 돌아가지 않는다면 내 앞에 놓인 것이란 미지의 것, 비결정적인 것, 불완전하고 불안하며 예상할 수 없다는 것이 전부였다. 누구든지 그런 길을 택하는 사람은 제정신이 아님에 틀림없다. 나는 공포에 떨었다.

그러나 내가 인생에서 가장 깊이 절망하고 있던 바로 그때, 내 무의식속에서 나의 목소리가 아닌 어떤 영적인 신의 계시 같은 목소리가 울려왔다. "인생에 있어서 유일하게 진정한 안정이라고 할 수 있는 것은 생의 불안정을 맛보는 데에서 발견되는 것이다." 이것은 어처구니가 없는 말이고 모든 거룩한 것과는 거리가 멀지만 나는 그때서야 안정감을 느낄 수 있었다. 나는 푹 잤다. 그리고 아침에 정신과 의사를 다시 만나러 가서 그에게 얘기했다. "나는 절대로 그 학교에 돌아가지 않을 것입니다. 그리고 나는 병원에 입원할 준비가 되어 있습니다."라고.

나는 뛰어넘기를 택한 것이었다. 나는 내 운명을 자신의 손 안에 휘어잡았던 것이다.

성장의 과정은 아주 서서히 일어난다. 여러 번의 작은 뛰어넘기들이 쌓여서 이루어지는 것이다. 그 예로 여덟 살 난 사내아이가 처음으로 자전거를 타고 혼자 시골 가게에 가는 모험을 할 때, 혹은 열다섯 살 된 소년, 소녀들이 첫 데이트를 하러 나가는 것 등을 들 수 있다. 이런 것들이 정말 위험하다고 생각하지 않는다면, 여기에 따르는 불안과 고통도 이해하지 못할 것이다. 좋은 성격의 건강한 아이들만 살펴보아도 그들은 새롭고 어른스러운 활동들에 몰두할 뿐만 아니라 이와 동시에 멈칫거리고, 뒤로 움츠리고, 안전하고 익숙한 것에 집착하고, 의존하고, 어린애 같은 행동을 하는 것을 엿볼 수 있다. 다소 미묘한 정도이지만 이와 똑같은 양면성을 성인에게서도 발견할 수 있을 것이다. 특히 노인들은 이미 지나간 것과 잘 알고 익숙한 것에 집착하는 경향이 있는 것을 볼 수 있다. 나는 40세가 되어서도 거의 매일 일상의 일들을 다른 방법으로 처리하는 모험을 해볼 수 있는 기회, 즉 성장할 기회들을 갖는다. 나는 여전히 성장하고 있으나 내가 하려는 만큼 그리 빨리 자라지는 못하고 있는 것 같다. 우리들이 선택하고자 하는 모든 조그마한 뛰어넘기들 중에는 다소 부담스러울 정도로 커다란 것들도 있다. 내가 어려서부터 익힌 전체적 생활양식과 가치들을 버리고 학교를 그만 두었을 때처럼 말이다. 많은 사람들은 절대로 이러한 거대한 뛰어넘기를 택하지 않으며, 그래서 많은 사람들이 진정으로 성장하지 못하고 있다. 그들은 외양과는 상관없이 심리적으로는 아직도 그들의 부모의 아이로 남아 물려받은 가치에 따라 살고, 부모들의 승낙이나 허용에 따라 움직이고(그들의 부모들이 오래 전에 사망하여 땅에 묻혀 있는 경우도), 감히 자기들의 운명을 자기 자신들 손 안에 쥐어 보지 못한다.

이렇게 커다란 도박은 십대의 청소년기에 가장 흔히 일어나지만, 어느 연령에서나 생길 수 있는 일이기도 하다.

아이가 셋 딸린 35세 된 부인이 있었다. 독재적이고 남을 무시하며 융통성이 없는 남편과 결혼을 한 그 부인은 날이 갈수록 남편에게 의존하게 되는 자신을 발견했으며 이런 의존은 생존하고는 있지만 죽은 것과도 같다는 것을 알았다. 그 남편은 그들 관계의 본질을 변화시켜 보려는 부인의 모든 시도를 막고 있었다. 믿지 못할 만큼 용감하게 그 부인은 남편의 반대와 이웃사람들의 비난을 무릅쓰고 남편과 이혼하여 아이들을 데리고 홀로 지내는 모험을 감행했다. 그러나 이 모험 덕분에 그 부인은 자기 일생에 처음으로 자신의 주인이 된 듯한 자유를 느낄 수 있었다.

심장발작 이후에 우울증에 걸린 어느 52세 된 사업가가 있었다. 그는 돈을 버는 데만 매달리며 기업을 크게 키우는 데만 관심을 두고 살아온 자신의 지난날을 돌이켜보고는 허무에 빠지게 된 것이다. 오랜 생각 끝에 그는 지배적이고 비판적인 어머니로부터 인정받고 싶은 욕구에 의해 몰려다녔던 자신을 깨달았다. 다시 말해서 어머니 눈에 성공한 것으로 보이기 위해 사력을 다해 열심히 일을 한 것이었다. 그는 자기 평생에 처음으로 어머니가 반대하리라는 위험을 무릅쓰고 그것을 극복했다. 사치스런 생활을 포기하기 싫어하는 부인과 자식들의 노여움도 용감히 제쳐 놓고 시골로 내려가 조그마한 상점을 하나 열고 거기서 고물 가구를 고치는 일을 했다. 이러한 큰 변화, 이러한 독립과 자기 결심에로 뛰어들어가는 일은 어떤 연령에서든지 엄청나게 고통스러운 일이고 굉장한 용기를 요구하는 일이다. 그런데도 이런 일들이 정신치료의 결과로 흔히 일어나곤 한다. 성취에 따르는 위험부담이 크다고 느끼면 사람들은 성취를 위해 가끔 정신치료를 받고자 한다. 치료가 위험을 경감시켜 주기 때문이 아니라 용기를 복돋우고 지지해 주기 때문이다.

그런데 성장하는 것과 사랑은 무슨 관련이 있으며, 사랑에는 자신의 확장이 포함된다는 것 외에도 새로운 차원에로 자신을 확장해 들어간다는 것은 무엇을 말하는 것일까?

첫째로, 앞의 예들에서 보이는 주요 변화들은 자기 자신을 사랑하는 행동이다. 바로 나 자신을 존중했기 때문에, 좋은 학교에 비참하게 남아 있기를 원치 않았던 것이고, 내 요구에 맞지 않는 모든 사회환경에 처량하게 남아 있을 의도가 없었던 것이다. 또한 앞의 주부도 자기 자신을 사랑했기에 자신의 자유를 속박하고 인간성을 짓밟는 그런 결혼생활을 더 참을 수 없어서 이혼한 것이었다. 사업가 역시 자기 자신을 존중했기 때문에 어머니의 기대에 맞추기 위해 자신을 죽일 정도로 일하던 것을 그만 둔 것이다.

둘째로, 사랑은 자신을 위해 그렇게 크고 의미있는 변화를 일으키는 동기를 제공할 뿐만 아니라 위험을 무릅쓰고 모험을 시도할 용기를 준다. 확실히 부모가 어릴 때 나를 사랑해 주고 존중해 주었기 때문에 나 자신은 가슴 깊이 충만한 안정감을 가질 수 있었다. 그리고 그 안정감을 기반으로 부모들의 기대에 반항을 할 수도 있었고 그들이 나에게 가르쳐 준 생활양식들을 근본적으로 떨쳐버릴 수 있었던 것이다.

내 경우만 해도 그렇다.

나는 자신이 무능하고 미쳤을지도 모른다는 생각에 불안했지만, 더 깊은 한 구석에서는 남들과는 다르지만 스스로를 좋은 사람이라고 느꼈기 때문에 그 모든 것을 참아낼 수 있었다. 내가 하려는 행동이 보통 사람과 달라 미친 짓처럼 느껴졌을 때, 나는 어려서 부모가 셀 수도 없을 정도로 들려 주었던 사랑의 말들 때문에 그 역경을 헤쳐나갈 수 있었다. 바로 다음과 같은 말들 때문이었다.

"너는 아름답고 사랑스런 아이다. 네가 하고 싶은 대로 해라. 네가 무엇을 하든지 너 자신인 한 우리는 너를 사랑할 것이다."

나 스스로를 사랑하는 마음의 저 깊은 곳에 우리 부모가 어떤 경우라도 나를 사랑하고 있음을 믿어 의심치 않는 마음이 없었다면 나는 계속해서 나 자신의 고유함의 말살이라는 대가를 지불하면서 부모들이 더 좋아하는 생활양식을 따랐을 것이다.

결국 자기 자신의 심리적 독립과 미지의 세계로 뛰어들어 완전한 자기 자신을 찾는 길을 선택해 나가는 사람만이 자유로이 정신적인 성장의 길을 따라 전진해 나가면서 진정한 사랑을 실현할 수 있을 것이다. 어떤 한 사람이 그의 부모를 만족시키기 위해서 혹은 사회 전체를 포함해서 다른 사람의 기대를 만족시키기 위해 결혼을 하고 생활해 나가며 자녀를 가진다는 것은 정말 얄팍한 행동이라고 할 수 있다. 아이들이 부모가 기대한 대로 행동하리라고 생각하는 부모라면, 그들은 아이들에게 진짜 필요한 것이 무엇인지 민감하게 파악하여 사랑을 제대로 베풀어 줄 수는 없다. 따라서 진정한 사랑은 절대적인 자유 선택에 있는 것이지, 남의 의지에 따라서 행동하는 것이 아니다.

사랑은 두터운 책임감과 같은 것

크든 작든 책임감을 가지는 것은 모든 진정한 사랑의 관계의 기반이 된다. 책임감을 많이 가지고 있다고 해서 성공적인 관계를 이룰 수 있는 것은 아니지만, 도움이 되는 것은 사실이다. 처음에는 책임감이 없었다해도 시간이 지나면서 생길 수도 있다. 책임의식이 생겨나지 않는 관계는 부서지기 쉬우며 병적일 우려도 있고 장기적인 안목에서 보면 악화될 수밖에 없다. 이따금 우리는 깊은 책임감을 갖는다는 것이 아주 힘들다는 것을 망각할 때가 있다.

나는 앞에서 이미 사랑에 빠진다는 것이 꼭 무슨 마술 망토를 걸친 양 눈을 멀게 만들어 결혼이라고 하는 일대 모험을 감행할 용기를 준다고 이야기한 바 있다. 내 경우를 보면, 아내가 식장에서 나와 함께 서 있기 전까지는 상당히 침착했었다. 그런데 바로 그 후 내 전신이 떨리기 시작했다. 나는 그때 하도 긴장해서 예식과 피로연에 대해서 거의 아무 것도 기억할 수가 없다. 어쨌든 결혼에 따르는 책임감이 사랑에 빠진 감상적인 상태에서 진정한 사랑으로 전환하는 것을 가능하게 만들어 주었다. 그리고 임신을 한 후 생겨난 우리의 책임감은 우리를 생물학적인 부모로부터 심리학적인 부모들로 전환시켜 주었다. 진정한 사랑의 관계라면 그 안에 언제나 책임감이 내재해 있다. 다른 사람의 정신적 성장에 대해 참으로 관심을 가진 사람이라면 누구나 의식적으로든지 본능적으로든지 오로지 끊임없는 관계를 통해서만 그러한 성장을 북돋아 줄 수 있다는 것을 알고 있다. 아이들이 버림받을지도 모른다는 두려움에 시달리면서 정신적으로 성숙하게 자랄 수는 없다. 부부들이 결혼의 보편적 문제들—의존과 독립, 지배와 복종, 자유와 충성 등—에 대해서 투쟁하는 행동이 그 자체가 관계를 파괴하지는 않을 것이라는 확신이 없다면 어떤 건전한 방법으로도 문제들을 해결할 수 없을 것이다.

책임감과 관련된 문제들은 정신적 장애를 일으키는 중요한 원인이다. 그리고 정신치료 과정에서도 아주 결정적인 요인이 되고 있다. 성격장애의 사람들은 책임감이 빈약하며, 장애가 심해질수록 책임을 지는 능력도 상실되고 만다. 책임감에 얽매인다는 사실이 두려워서라기보다 책임감이 도대체 무엇인지 근본적으로 이해를 못해서 그러는 것이다. 그들의 부모가 어린 시절 그들에게 책임있는 행동이란 이런 것이다 하고 의미있는 방법으로 행동해 보여 주지 않았기 때문에, 그들은 책임감에 대한 경험을 제대로 겪어 보지 못하고 성장한 것이다. 그들에게 책임감은 눈 밖에 있는 하나의 추상적인 것일 뿐, 그것은 눈에 보이지도 않고 충분히 인식할 수 없는 현상으로 나타난다.

그 반대로 신경과민자들은 일반적으로 책임감의 본질에 대해서는 알고 있으나, 이에 대한 공포 때문에 때로 마비되어 있는 사람이다. 보통 그들이 어렸을 때 얻은 경험은, 부모들이 그들에게 충분한 책임을 다해 주었으므로 그들로 하여금 부모들에 대한 보답으로 그 책임을 다해야만 하도록 길러진 것이다. 그러나 그 후에 죽음이나 버림받거나, 혹은 만성적인 배척을 통해 부모의 사랑이 중지되면 아이가 보답할 통로를 잃어버리게 되는 참을 수 없이 괴로운 경험을 겪게 된다. 그때는 새로이 책임감을 가져야만 한다는 사실이 두려워지는 것이 당연하다. 그러한 상처는 그 사람이 더 근본적이고 만족스러운 경험을 가지는 것이 가능할 경우에만 치료될 수 있다. 특히 이런 이유 때문에 책임감이 정신치료의 관계 형성에서 주춧돌이 되는 것이다.

어떤 때는 장기 치료를 위해 오는 새 환자를 받을 때 내가 하고 있는 일이 하도 엄청나서 몸서리를 칠 때도 있다. 근본적인 치료가 되게 하기 위해서 정신치료자는 부모가 자녀에게 순수한 사랑을 주듯이 높은 의미의 그리고 높은 단계의 책임을 새로운 환자와의 관계에 제시할 필요가 있다. 치료자의 책임감과 계속적인 보살핌은 환자에게 수개월 혹은 수년에 걸친 정신요법을 통해서 무수한 방법으로 시험되고 또 절대적으로 표현되는 것이다.

레이철이라는 냉랭하고 거리감이 느껴지나 매우 예의바른 스물일곱 된 젊은 부인이 결혼한 지 얼마 안 되어서 나를 찾아왔다. 그의 남편 마크는 부인의 불감증 때문에 부인을 떠나 버렸다.

"나는 내가 불감증이라는 것을 알고 있어요."라고 레이철은 인정했다.

"나는 마크에게 시간이 지나면 뜨거워질 거라고 생각했는데, 전혀 그렇게 되지 않았어요. 마크뿐만이라고는 생각지 않아요. 나는 아무하고도 섹스를 즐긴 적이 없답니다. 그리고 사실대로 말씀드리자면, 내가 정말 그걸 원하는지 모르겠어요. 나는 행복한 결혼생활을 하고 정상적이 되고 싶어요. 정상적인 사람들은 섹스에서 신비로움을 발견하는 것 같은데요. 그런데 나는 지금 이렇게 살아가는 것에도 만족하고 있답니다. 마크도 항상 '긴장을 풀고 노력해 봅시다' 고 말하지만, 내가 그렇게 할 수 있다 해도 나는 긴장을 풀고 관계하기를 원치 않는 것 같아요."

우리가 함께 치료에 들어간 지 3개월 후에 나는 레이철에게 치료를 시작하기 위해 앉기도 전에 그녀가 적어도 두 번 이상 내게 "고맙습니다."라고 말한다는 것을 지적해 주었다. 대기실에서 나를 만날 때, 그리고 문을 지나면서 내 사무실로 들어올 때마다 그 소리를 하는 것이다.

"공손한 게 무슨 잘못인가요?" 그녀는 물었다.

"그런 건 아니지만," 나는 대답했다.

"특별한 경우에는 그러는 것이 정말 불필요한데, 당신은 마치 손님처럼 행동하고 있어요. 그리고 당신 자신이 이곳에서 환영받고 있는 것도 확실치 않은 것처럼 행동하고 있어요."

"내가 여기선 손님이잖아요. 이곳은 선생님 집인걸요."

"그건 사실이에요." 나는 말했다.

"그래도 여기서 보내는 시간을 위해서 당신이 내게 한 시간에 40불씩 지불하고 있는 것도 사실이거든요. 당신이 이 시간과 이 공간을 산 것이고, 때문에 당신은 거기에 대한 권리가 있어요. 당신은 손님이 아니에요. 이 사무실, 이 대기실, 그리고 우리가 시간을 함께 보내는 것이 당신의 권리인 것입니다. 당당히 당신의 것이에요. 이런 권리를 위해 당신이 돈을 지불한 것인데, 왜 내게 감사를 합니까?"

"선생님이 그렇게 생각하신다니 정말 믿을 수가 없군요!" 레이철은 부르짖었다.

"그렇다면 내가 원하면 어느 때고 당신을 여기서 내보낼 수도 있다고 생각하시는군요."

나는 대놓고 얘기했다. "당신이 손님이고 내가 주인이라면 나는 당신한테 이렇게 말할 수도 있는 것 아닙니까? '레이철, 당신과 함께 일하는 것이 귀찮게 되었으니 나는 당신을 더 보지 않기로 결정했습니다, 잘 가시고 모든 일이 잘 되기를 바랍니다.' 라고 말예요."

"네, 저는 그렇게 느끼고 있어요."하고 레이철은 동의했다.

"나는 어떤 것이건 그것이 내 권리라고 생각해 본 적이 없어요. 적어도 어떤 사람과 관련해서 내 권리를 생각해 보지 않았어요. 선생님이 나를 내쫓을 수가 없단 말이에요?"

"물론, 내가 그렇게 할 수도 있겠죠. 그렇지만 나는 그렇게 하지 않을 것이고 또 그렇게 하기를 원치도 않아요. 내가 윤리적인 사람이기 때문에 그런 것은 아니예요. 자 이것 봐요, 레이철," 나는 얘기했다.

"내가 당신의 경우와 같은 장기 치료를 하기로 했을 때에는 나 자신은 물론 그 사람에게도 책임을 다할 것을 약속한 것이예요. 그러므로 나는 당신에게 그런 약속을 하고 있는 거예요. 일 년이 걸리건, 오 년이 걸리건, 십 년이 걸리건, 어쨌든 필요한 때까지 나는 당신과 함께 노력할 겁니다. 당신이 치료가 성공적이라고 느껴서, 혹은 그 이전이라도 치료를 언제쯤 중단할 것인지는 나도 모르겠습니다. 그러나 어느 편이든 당신이 바로 우리의 관계를 결말지을 사람인 것이지요. 내가 죽기 전까지는 당신이 원하는 한 이 치료는 그대로 계속될 거예요."

내가 레이철의 문제를 이해하기는 어렵지 않았다. 치료를 시작하던 바로 그 초기에 그녀의 전남편인 마크가 내게 이런 말을 했다.

"내 생각에 레이철의 어머니가 이 문제에 큰 관련이 있는 것 같아요. 그 어머니는 정말 대단한 부인이랍니다. 그분은 제네럴 모터 사의 사장을 지내도 충분할 양반이긴 하지만, 훌륭한 어머니였던 것 같지는 않아요."

과연 그러했다. 레이철은 만약 만들어진 규칙대로 따르지 않으면 당장에 쫓겨날지도 모른다는 그런 느낌에 억눌려 키워졌던 것이다. 레이철에게 아이로서 자기의 위치가 안전하다는 느낌—오로지 책임을 다하는 부모로부터만 올 수 있는 그런 느낌—을 주기보다는 그 어머니는 계속해서 반대의 것을 얘기해 주었던 것이다. 레이철은 고용인에게나 하는 말들을 들으면서 자랐다. 레이철의 위치는 단지 그가 생산해야 할 것을 만들어 내고 기대에 따라서 행동해야만 보장되었던 것이다. 집에서 그녀의 위치가 아이로서 안전하지 않았는데 어떻게 그녀가 나와의 관계에서 안전하다고 느낄 수가 있었겠는가?

부모의 잘못된 행동으로 인한 상처는 몇 마디의 말이나 한두 번의 안전에 대한 재확인으로는 치유될 수 없다. 계속적으로 반복해서 조사되고 치료받아야 한다. 이것을 완치하는 데는 일 년이 걸릴지 그 이상이 걸릴지 모르겠다.

나는 레이철이 내 앞에서 전혀 울지 않는다는 사실을 집중적으로 다루었다. 이것은 그녀가 긴장을 풀 수 없다는 사실을 증명해 주는 것이었기 때문이다. 하루는 그녀가 자신이 무척 고독하다는 얘기를 하고 있을 때였다. 그 고독은 그녀가 계속해서 철저하게 무장된 상태를 지키고 있음으로써 오는 것이었다. 나는 그녀가 지금 울음이 터져 나올 지경에 있다는 것을 감지하였고, 내가 약간 끌어 올려 줄 필요가 있음을 눈치챘다. 그래서 나는 일반적으로 하는 치료를 시도해 보았다. 누워 있는 그녀의 머리를 부모가 아이에게 하듯이 쓰다듬어 주면서 중얼거렸다.

"불쌍한 레이철……, 가엾은 레이철."

그러나 그런 제스처는 그만 실패로 돌아갔다. 레이철은 즉시 알어나 앉아서 물기가 가신 마른 눈으로 "나는 할 수 없어요."하고 말했다.

"나는 내 자신을 편안하게 놓아 줄 수가 없어요."

그 다음 치료 시간에 왔을 때에 레이철은 눕는 대신에 긴 의자에 앉았다. "자, 이제는 선생님이 얘기할 시간이에요."하고 그녀는 선언했다.

"그게 무슨 의미죠?"하고 나는 물었다.

"선생님이 나에게 잘못된 것 모두를 얘기해 주셔야 합니다."

나는 어리둥절했다. "나는 아직도 그 말이 무엇을 의미하고 있는지를 이해 못하겠어요, 레이철."

"이게 우리의 마지막 치료시간일 거 아니예요. 선생님은 내가 무엇을 잘못했는지, 그리고 왜 저를 더 이상 치료할 수 없는지 모든 이유를 말씀해 주셔야 해요."

나는 그녀의 반응에 정말로 어리둥절해서 도대체 무슨 일이냐고 거듭 묻기만 했다. 그러자 이번에는 레이철이 당황해 하면서 이렇게 말했다.

"지난번 치료시간에 선생님은 제가 울기를 원하셨지요. 선생님은 제가 울기를 오랫동안 원하고 계셨어요. 지난번에 선생님은 제가 울 수 있도록 온갖 것을 다하셨지만 그런데도 저는 울지 않았어요. 그러니 선생님은 이제 저를 포기하실 거예요. 저는 선생님이 원하시는 것을 할 수가 없는걸요. 그러니까 오늘이 우리의 마지막 시간이 되겠지요."

"당신은 참으로 내가 당신을 쫓아낼 거라고 믿는군요. 그렇죠, 레이철?"

"그럼요, 누구라도 그럴 거예요."

"아녜요, 레이철, 모두 그런 건 아니에요. 레이철의 어머니는 그랬을지 모르지만 나는 당신의 어머니가 아니에요. 이 세상 모든 사람이 다 당신 어머니 같지는 않답니다. 당신은 내 고용인이 아니에요. 당신은 내가 당신에게 원하는 것이 아니라 당신이 원하는 것을 하기 위해 있고, 또 당신이 원하는 때에 하기 위해 여기에 있는 것입니다. 나는 당신을 격려해 줄 수 있고 당신을 끌어 줄지는 모르지만 당신을 지배할 권리는 없답니다. 나는 절대로 당신을 쫓아내지 않을 거예요. 당신이 원하는 한 언제든지 여기에 와도 좋아요."

사람들이 만약 어린 시절에 부모들로부터 굳건한 사랑을 받아보지 못하면 성인이 된 후에 많은 문제를 가지게 되는데 그 중의 하나가 바로, "당신이 나를 버리고 가기 전에 내가 당신을 버릴 것이오." 하는 증세이다. 이러한 증세는 여러 가지 모습으로 나타나며, 때로는 가장된 모습으로 나타날 수도 있다. 그 한 유형이 바로 레이철의 불감증이었다. 그것이 결코 의식적인 것은 아니었지만 레이철의 불감증은 그의 남편과 이전의 남자친구에게 "네가 어느 날인가 나를 버릴 것을 내가 잘 알고 있으니, 나는 내 자신을 너에게 주지 않겠다."는 형태로 표현된 것이다. 레이철에게는 성적으로나 다른 모든 면에서 자신을 느긋하게 풀어 놓는 것이 자신에 대한 사랑을 의미한다. 그러나 그녀의 과거 경험을 볼 때 그러한 행동은 보상받지 못할 것이 뻔하기 때문에 그녀는 자신의 긴장을 풀지 못하는 것이다.

"네가 나를 버리기 전에 내가 먼저 너를 버리겠다."는 증세는 레이철과 같은 사람이 다른 사람과 친근해질수록 더욱더 그 힘이 커지게 되는 것이다. 일 년 동안을 한 주에 두 번씩 치료를 받던 레이철은 어느 날 자신은 이혼녀이기 때문에 생활비가 넉넉치 않으므로, 상담을 종료하든지 일 주일에 한 번으로 줄여야겠다고 말했다. 사실상 이것은 말도 안 되는 소리였다. 나는 레이철이 5만불의 유산을 가지고 있고, 그외에 직장에서 받는 봉급이 있으며, 그녀의 집안은 그 지역의 유지로 소문이 나 있음을 알고 있었다. 그녀는 다른 환자보다 치료비용을 쉽게 부담할 수 있었지만, 점점 나와 가까워지는 것으로부터 도망치기 위해 돈 문제를 핑계 대고 있는 것이 분명했다.

그러나 그녀가 물려받은 유산은 단순히 돈이라기보다 그녀에게는 더 큰 무엇인가를 나타내고 있음을 나는 알고 있었다. 즉 그 유산은 그녀의 것이고, 그녀를 내버리고 사라져 버릴 그런 것이 아니며, 책임감이 없는 세상에서 제일 안전한 보호막인 것이다.

일반적인 경우라면 그녀의 유산에서 치료 비용을 지불하라고 충고했을 것이다. 그러나 추측컨대 그녀는 그런 사실들에 직면할 준비가 되어 있지 않았고, 내가 그렇게 충고한다면 당장에 상담을 그만 둘 것이다.

그때 그녀는 한 주에 50불씩 지불할 능력이 있다고 하면서 그 50불을 한 번의 치료 비용으로 지불하겠다고 말했다. 나는 그녀에게 한 번에 25불로 치료 비용을 감해 줄 것이며 한 주에 두 번씩 계속해서 상담해 주겠다고 말했다. 그녀는 두려움과 불신과 기쁨이 뒤섞인 느낌으로 나를 쳐다보았다.

"정말 그렇게 하시겠어요?"

라고 그녀는 물었다. 나는 고개를 끄덕였다. 그 뒤에 긴 침묵이 흘렀다. 결국은 그녀가 진짜 눈물을 흘릴 정도까지 되어 말했다.

"제가 부잣집 사람이라고 시내의 상인들은 항상 저에게 최고로 비싼 값을 부른답니다. 그런데 선생님은 전혀 다른 태도로 대해 주시는군요. 아무도 제게 저렴한 비용으로 무엇을 제공해 준 적이 없답니다."

레이철은 우리의 관계가 발전해 나가도록 내버려 둘 것인지, 혹은 이런 관계에 충분한 책임감이 존재하는지 갈등을 일으키면서 여러 번 상담을 중단하기도 했다. 매번 나는 편지와 전화로 한 주나 두 주에 걸쳐 연락하여 그녀가 다시 돌아오도록 권고했다. 결국 치료를 시작한지 만 이 년이 다 되었을 때는 그녀의 문제들을 더 직접적으로 다룰 수가 있었다.

레이철이 시를 쓰는 것을 알고 나는 좀 보여 달라고 부탁했다. 처음에 그녀는 거절했다. 그 다음에는 동의만 해 놓고서 한 주일이 가고 두 주일이 가도 그녀는 '잊어버렸다'는 핑계를 대고 그것을 가져다 주지 않았다. 나는 그녀에게 그 시를 나에게 보여 주지 않는 것은 마크나 다른 남성에게 그녀의 성적인 면을 열어 보이지 않는 것과 같다고 말해 주었다. 왜 그녀는 자기의 시를 내게 보여 주는 것을 자기 자신을 전적으로 보이는 행동과 동일시했을까? 왜 그녀는 성적인 것을 함께 나누는 것이 자신을 전적으로 맡기는 것이라고 느꼈을까? 내가 그녀의 시에 아무 호응을 하지 않으면, 그것이 그녀를 전적으로 거절하는 것을 의미하는 것이겠는가? 그녀가 위대한 시인이 아니라고 해서 내가 우리의 관계를 끝낼 것인가? 아마도 그녀의 시를 나누어 보는 것은 우리의 관계를 더 깊게 해줄 것이다. 왜 그녀는 그런 깊어지는 관계를 두려워하고 있을까?

결국 그녀는 내가 우리의 관계에 책임감이 있는 사람이라고 인정하였고, 치료를 시작한 지 3년째 되던 해에는 '자신을 풀어놓기' 시작했다. 그녀는 결국 내게 자신의 시를 보여 주는 모험을 하게 되었다. 그런 다음 그녀는 슬플 때 울 수가 있었다. 또한 그녀는 좋아서 기쁨에 찬 소리도 내고, 웃고, 놀릴 수도 있게 되었다. 우리의 관계가 이전에는 딱딱하고 형식적이었지만, 이제는 온화하고 자연스럽고 마음도 가뿐하고 기쁘게 되었다.

"이전에는 다른 사람과 편히 쉬는 것이 어떤 것인지 전혀 알지 못했어요."라고 그녀는 말했다.

"내가 안전하다고 느낀 것은 내 생애에 이번이 처음이에요."

그녀는 내 상담실에서 느낀 안정감을 몸에 체화시킨 결과, 다른 모든 관계들도 안정되고 편안하게 진행시킬 수가 있었다. 그녀는 괴롭고 상심에 젖었을 때 자신을 위로해 주는 좋은 어머니(지금껏 가진 적이 없었던)처럼 내가 도와주리라는 강한 신념을 가지고 자유로운 인간관계를 가질 수 있게 되었다. 그녀의 불감증도 사라졌다. 4년째 되던 해, 정신치료를 끝낼 무렵쯤 레이철은 인간관계가 제공해 주는 모든 것을 열심히 즐길 줄 아는 아주 명랑하고, 열정적인 여자가 되었다.

이것은 레이철이 어려서 겪었던 애정결핍의 부정적 영향들을 내가 일찍 파악하고 충분한 애정을 줄 수 있었기 때문에 가능했던 것이다. 그러나 항상 그렇게 성공적이기만 한 것은 아니다. 내가 첫 부분에서 전이(transference)의 예로서 기술한 컴퓨터 기술자가 바로 그 경우이다. 그는 나에게 나의 모든 것을 쏟아 부을 것을 요구했지만, 나는 그의 요구대로 대처할 수도 없었고, 하고 싶지도 않았었다. 이와 같이 치료자가 환자의 문제를 기꺼이 떠맡겠다는 책임감이 충분하지 않다면, 치료는 제대로 이루어질 수 없다. 그러나 치료자의 책임감이 충분하면 그때는—언제나 그런 것은 아니지만—환자도 그 영향을 받아 책임감 있게 행동하기 시작하는 전환점이 반드시 온다. 레이철의 경우는 내게 그녀의 시를 보여 준 때가 아니었나 싶다. 이상하게도 어떤 환자들은 한 주에 두세 시간씩 몇 년을 두고 치료에 성실하게 임하는데도 아직 이런 기점에 도달하지 못하기도 한다. 물론 어떤 사람들은 첫 수개월 이내에 도달할지도 모른다. 어쨌거나, 그들이 치료되어 건강하게 되려면 반드시 이 기점에 도달해야만 하는 것이다. 환자가 이 기점에 도달될 때 치료자에게는 그때야말로 구원과 기쁨의 순간이 되는 것이고, 그 후에 환자 스스로 건강해지려고 노력해 나가는 가운데 치료가 성공을 거두는 것이다.

상담에 임하여 요구되는 행동을 실천해 나가는 것이 일종의 모험인 이유는, 그 자체가 어려울 뿐만 아니라 자신과 대면하고 변해 나가는 것이 두렵기 때문에 모험인 것이다.

앞에서 나는 진리에 충실하는 훈련에 대해 논할 때, 한 사람의 현실에 대한 지도와 세계관을 변화시키는 것과 전이하는 것이 얼마나 어려운 것인가에 대해서 설명하였다. 하지만 자신을 새로운 차원과 영역으로 확장하고 변화시켜 사랑이 가득 찬 삶을 영위해 나가고자 하는 사람이라면 이런 모험들을 감행해야 한다. 한 사람의 정신적 성장이라는 여로에는 많은 기점들이 있는데, 혼자이든 아니면 그를 도와주는 치료자와 함께이든지 간에 자기의 새로운 세계관에 따라서 새롭고 익숙하지 않은 행동을 취해야만 그 기점을 통과할 수 있다.

새로운 행동을 취하는 것은—그 사람이 이전에 항상 행동하던 것과 달리 행동하는 것은—아마도 그 사람에게 보통 이상의 모험을 의미하는 것일지도 모른다. 수동적인 동성연애자인 청년이 처음으로 솔선해서 여자에게 데이트를 신청하는 것, 아무도 신뢰하지 않던 사람이 처음으로 정신분석가에게 와서 소파에 누워 자기 얘기를 하게 되는 것, 이전에 남편만을 의존해 오던 가정주부가 지배적인 남편에게 그가 좋아하든 좋아하지 않든 직업을 갖겠다고 선언하며 자기 자신의 생을 살아야만 되겠다고 통고하는 것, 쉰 살 된 남자가 그의 어머니에게 어린애 같은 애칭으로 부르는 것을 중지해 달라고 이야기하는 것, 감정적인 것과는 거리가 멀고 의지력이 대단한 것 같아 보이는 '강한' 남자가 처음으로 대중 앞에서 눈물을 보이는 것, 혹은 레이철이 자신을 느슨하게 풀어놓고 처음으로 내 사무실에서 울던 것 등, 이러한 행동들은 매우 커다란 모험을 의미하므로 어떻게 보면 전쟁에 나가는 군인들보다도 더 겁이 나는 상황일 수 있다. 왜냐하면 군인은 총이 앞뒤로 겨냥하고 있으므로 도망칠 수가 없지만 성숙하려고 노력하는 사람이라도 언제나 틀에 박힌 과거의 습관들로 쉽게 되돌아갈 수 있기 때문이다.

성공적인 정신치료자가 되려면 환자와 마찬가지로 똑같은 용기와 똑같은 책임감을 갖고 상담에 임해야 한다고 흔히들 말한다. 치료자도 변화라는 모험에 도전해야 한다는 것이다.

그러나 나는 내가 배운 모든 유용한 정신치료의 원칙들을 몇 번 어긴 적이 있는데, 그 이유는 나태와 훈련 부족 때문이라기보다 두려움 때문이었다. 즉 나는 상담가로서의 정해진 규칙에서 벗어나는 변화를 해야 한다는 것을 알았지만, 회피했던 것이다. 성공적이었던 상담 사례들을 돌이켜 보면, 나 자신도 정신 요법의 실험대에 올려졌던 아슬아슬한 경험이 한두 번이 아니다. 그럴 때 상담자가 기꺼이 고통을 받아들여 함께 겪어 나가고자 하는 태도를 보여 주는 것이 바로 치료의 핵심이며, 환자가 그것을 느낄 때에 치료효과는 배가된다. 치료자 자신을 기꺼이 확대시키고 환자들과 함께 괴로움을 겪으며 그들을 위해 고통을 함께 나누고자 한다면 치료자 자신도 성장하고 변화하게 된다. 또 어떤 상담도 나의 태도와 통찰력에 아주 의미있고 혁신적인 변화를 가져오지 않은 경우는 없다. 사실 그렇게 되는 것이 바람직하다. 다른 사람을 참으로 이해한다는 것은 그 사람을 위해 나 자신 안에 공간을 만들어 주지 않고는 불가능하다.

이 '자리를 만들어 준다' 는 것이 바로 자신을 분리시키는 훈련이며 자신의 확대를 요구하는 것이다. 자신의 변화도 이와 더불어 생기는 것이다. 이러한 원리는 좋은 정신치료를 위해서만이 아니라, 좋은 부모가 되는 데에도 필수적으로 적용된다. 자신을 분리하고 확대하는 것은 아이들의 말을 들어주는 일에도 적용이 된다. 그들의 건전한 요구들에 응답해 주기 위해서 우리 자신을 변화시켜야만 하는 것이다. 오직 우리가 그런 변화에 따른 고통을 달갑게 받아들이고자 하는 용기를 발휘해야 아이들이 필요로 하는 부모가 될 수 있다. 그런데 아이들은 계속해서 자라기 때문에 그들이 필요로 하는 요구는 변하게 마련이며, 우리는 마땅히 그들과 함께 변하고 자라야 할 의무가 있다. 예를 들어 십대가 되기까지는 대개의 부모들이 아이들을 효과적으로 다루는 방법을 잘 알고 있으나, 그 다음부터는 부모들 자신이 더 이상 변화할 수가 없어서 계속해서 성숙하고 달라지는 아이들의 요구에 적응하지 못하고, 그 결과 좋은 부모로서의 영향력을 완전히 상실하는 경우를 주변에서 흔히 볼 수 있다. 그리고 다른 모든 사랑의 예와 마찬가지로 부모 노릇 하는 데 따르는 괴로움을 자기 희생이나 순교로서 보는 것 또한 옳지 않다. 오히려 부모들이 아이들보다도 그 과정을 통해서 얻는 것이 더 많을 것이다. 변화하는 고통을 이겨내겠다는 의지도 없고, 성장하는 아이들로부터 배울 의사가 없는 부모들은 부지불식간에 노망의 길을 택하고 있는 것이다. 그래서 그들의 아이들과 세상은 그들을 뒤에 남겨 놓을 것이다. 아이들로부터 배운다는 것은 대개의 사람들이 의미있는 노년을 보내기 위해 자신들을 준비시킬 수 있는 가장 좋은 기회인 것이다.

사랑은 직면하도록 일깨우는 힘

다른 사람에게 사랑을 보여 줄 때 가장 중요한 것은 겸손한 태도로 사랑의 힘을 구사하는 방법일 것이다. 가장 보편적인 예는 사랑으로 상대방이 자신의 모습에 직면하도록 일깨워 주는 것이다. 우리는 그럴 때 언제나 "네가 잘못이고, 내가 옳다."고 말한다.

부모가 아이에게 "너는 비열한 짓을 하는구나."라고 말할 때, 그 부모는 결과적으로 "네가 비열한 짓을 하는 것은 잘못이다. 나는 그것을 비판할 권리를 가지고 있는데, 왜냐하면 나는 비열하지 않고 올바르기 때문이다."라고 하는 셈이다.

남편이 부인의 불감증에 대하여, "당신은 너무 냉정해. 나는 성적으로나 모든 면에서 정상적인데 당신이 성적인 면에서 나에게 더 열정적이지 못하다면, 그건 당신 잘못이야. 당신이 성적으로 문제를 가지고 있는 거야."

부인이 남편에게 가족들을 위해 충분한 시간을 보내지 않는다는 자신의 의견을 밝힐 때, "당신이 일에만 지나치게 몰두하는 것은 잘못이에요. 당신처럼 직업을 갖지는 않았지만 사물들을 바라보는 시각은 내가 더 정확해요. 내 생각엔 당신의 시간을 다른 곳에 더 쓰는 것이 적절할 것 같아요."

"내가 옳고 당신이 잘못이니, 당신이 달라져야 한다."고 말하면서 사태에 직면시키고자 하는 태도는 대개 아무런 생각도 없이 해버릴 수 있다. 그들은 생각없이 이 일 저 일 간섭하고 다니면서 즉흥적으로 비판하고 빈정대는 일을 쉽사리 한다. 대개 그런 비판과 직면은 화가 나거나 몹시 못마땅할 때 충동적으로 하게 되는데, 그것은 이 세상에서 발전보다는 혼돈을 증가시키는 셈이다.

참으로 사랑을 하는 사람이라면 그렇게 대책없이 비판하고 사태를 일깨우려고 하지 않는다. 때로 참으로 사랑하는 사람에게는 그런 행위가 거만한 행동으로 보일 수 있다. 내가 다른 사람에게 사실을 일깨워 주려고 하는 것은 최소한 그 당시에 문제되고 있는 것에 관한 한 그 사람보다 도덕적으로나 지적으로 우월한 위치를 차지하려고 하는 것이다. 그러나 진정한 사랑은 다른 사람의 개성과 고유한 특성을 알아 주고 존중해 준다(이에 대해서는 후에 더 이야기할 것이다). 참으로 사랑하는 사람은 쉽게 "내가 옳고, 너는 그르다, 너한테 무엇이 좋은지 내가 너보다 더 잘 알고 있다."라고 말하지 못할 것이다. 그러나 실제로는 한 사람이 다른 사람에 대해서 무엇이 좋은지를 더 잘 알고 있을 때도 있으며 당면한 문제에 따라서 한 사람이 다른 사람보다 더 우수한 지식과 지혜를 가진 위치에 설 수도 있다. 이럴 때에는 둘 중 더 지혜로운 사람이 다른 사람의 정신적인 성장을 진정으로 원한다면 다른 사람의 문제를 일깨워 주어야 한다. 그러므로 사랑하는 사람은 가끔 사랑하는 상대의 삶을 그 자체로서 존중하는 것과 그 삶에 대해 사랑으로 충고해 주어야 하는 책임 사이에서 난처해질 수 있다.

이것은 괴로운 자기 성찰로써만 해결될 수 있다. 즉 사랑을 베풀고자 하는 사람은 충고를 하고자 하는 자신의 숨은 동기와 자신의 '지혜'를 잘 살펴야 한다. "내가 참으로 사물을 정확하게 보고 있는가, 내가 정말 사랑하는 사람을 이해하고 있는 것인지, 내가 사랑하는 자의 선택이 오히려 현명한 것이 아닌가, 나의 편견으로 인해 내 인식이 지혜롭지 못한 것은 아닌가, 내가 저 사람으로 하여금 다시 방향을 잡게 해야 할 필요가 있다고 믿는 것이 혹시 나 자신을 위해 그러는 것은 아닌가……."등등, 이러한 것들은 모두 진정으로 사랑하는 사람들이라면 계속해서 자문해야만 하는 질문들이다. 가능한 한 객관적으로 이렇게 자신을 정밀히 조사해 보는 것이 겸손하고 온유한 것의 기초가 된다. 14세기 영국의 어느 성인은 이렇게 말한 바 있다. "온유한 것은 인간 자신을 있는 그대로 진실하게 알고 느끼는 것 이외의 다른 아무 것도 아니다. 자기 자신을 생긴 그대로 진실하게 보고 느끼는 사람이면 누구나 참으로 온유함에 틀림없다."

다른 인간에게 충고하거나 비판하는 데는 두 가지 방식이 있다. 하나는 본능적으로 자신이 옳다고 확신하기 때문이고, 다른 하나는 양심적으로 자기 의심과 자기 모색을 통해서 자신이 옳다고 믿는 것의 두 가지이다. 첫번째 경우는 거만한 방법으로서 가장 흔하게는 부모, 부부, 선생들이 일상적으로 행하는 방식이다. 이 길은 성공적이지도 못할 뿐더러 오히려 적개심을 일으키고 의도하지 않았던 결과들을 일으키곤 한다. 두 번째 경우는 겸손한 길로, 주위에서 흔히 볼 수 있는 방식은 아니며 자아를 순수하게 확장할 것을 요구하고 있고, 보다 성공적인 길이며 내 경험으로 보아 이 길은 절대로 파괴적이지 않다.

상당수의 사람들은 본능적으로 교만한 태도를 가지고 타인을 비판하거나 사실을 깨우쳐 주려고 한다. 어떤 사람들은 도덕적이라는 안식처에 숨어서 아무런 영향력도 발휘하지 않는다.

오랫동안 우울과 신경과민으로 고생하던 한 환자의 아버지는 목사였다. 그 환자의 어머니는 화를 잘 내고 우악스러운 부인으로 신경질과 폭력적인 행동으로 집안 살림을 꾸려나가고 있었다. 가끔 딸 앞에서 자기 남편에게 손찌검을 하기도 했다. 그러나 목사는 절대로 대들며 싸우는 일이 없었고, 그의 딸에게도 어머니가 한쪽 뺨을 때리면 다른 뺨도 내놓으라고 타이르면서 그리스도의 자선하는 마음으로 끊임없이 순종하고 존경을 다하라고 했다. 치료를 시작했을 때 이 환자는 아버지가 온유한 사랑이 많은 사람이기 때문에 아버지를 존경하고 있었다. 그런데 오래지 않아서 그녀는 아버지의 온순함이 나약함 때문이며 아버지의 수동적인 태도는, 어머니가 인색하고 자기 중심적이어서 적절한 부모 역할을 못 해준 것과 똑같이, 부모 노릇을 제대로 하지 못한 셈이었다는 사실을 인식하게 되었다. 그녀는 결국 아버지가 어머니의 악독한 행동으로부터 자기를 보호해 주기 위해 아무런 조처도 취하지 않았던 것을 알게 되었으며, 자신은 아버지의 가식적인 겸손을 행동의 모델로 배울 수밖에 없었으며 결국 어머니의 독살스러운 행동에 복종해야만 했다는 것을 깨달았다.

정신적 성장을 촉진하기 위해서는 우선 사실 그대로를 당당하게 직면해야만 한다. 생각 없는 비판이나 비난이 진정한 성장에 아무런 도움이 되지 않는 것처럼 아무런 말도 해주지 않는 행동도 사랑하는 데는 실패했다는 것을 의미한다. 만약 부모들이 아이들을 사랑한다면 참을성 있고 사려 깊게, 그러나 활발하게 아이들이 진실에 직면할 수 있도록 비판해야만 하며 부모들도 아이들로 하여금 부모에게 직면하고 비판할 수 있도록 허락해야만 한다. 사랑하는 부부 사이에도 결혼관계가 상대의 정신적 성장을 촉진시키는 기능을 하게 하려면, 서로서로가 지속적으로 비판을 해야만 할 것이다. 남편과 아내가 서로에게 최선의 비판자가 되지 않는다면, 어떤 결혼도 참으로 성공적이라고 볼 수 없다. 친구관계에 있어서도 마찬가지이다. 전통적으로는 친구관계란 갈등이 없는 관계라야만 한다고 생각했다. 그래서 "네가 내 잔등을 긁어 주면, 내가 네 잔등을 긁어 줄게."하는 식으로 형식적인 태도로 서로 이해하고 호의와 찬사를 교환하는 것으로 나타나 있다. 보통은 이런 것을 친구관계라고 한다. 그러나 친구관계의 개념이 요즘에는 진지하고 깊어지고 있다는 증거가 보인다. 서로 애정을 갖고 상대방이 진실에 맞서도록 일깨우는 행동이 모든 성공적이고 의미있는 인간관계들에 있어서 매우 중요한 부분이 되고 있는 것이다. 그렇지 않다면 그 관계는 성공적이지 못한 피상적인 관계에 불과하다.

그런데 사실을 일깨워 주고자 비판하는 것은 지도력과 영향력을 행사하는 형태로 나타나기도 한다. 영향력을 행사한다는 것은 사건들이 일어나고 있는 과정에 의식적으로 혹은 무의식적으로 미리 계획한 방법으로 행동함으로써 영향을 끼쳐 보려고 시도하는 것이다. 우리가 어떤 사람과 대결하고 비판할 때는 그 사람의 삶의 과정을 변화시키기를 원하기 때문에 그러는 것이다. 물론 대결이나 비판이 아니라도 사건들이 일어나는 과정에 영향을 끼치는 방법에는 다른 보다 나은 많은 방법들이 있는 것도 사실이다. 예컨대 암시를 준다든지, 비유를 든다든지, 상과 벌을 준다든지, 질문하거나 금지 혹은 허락을 하고, 새로운 경험 기회를 만들고, 다른 사람과 함께 조직을 만들 수도 있다. 영향력을 행사하는 기법에는 헤아릴 수 없는 많은 방법들이 있다. 그러나 우리의 목적을 위해서는 다음의 말로 충분할 것이다. 사랑하는 개개인들이 이러한 기법에 고심해야 하는 이유는, 그 사람이 다른 사람의 정신적 성장을 돋우어 주기를 원한다면 반드시 가장 효과적인 방법에 대해서 생각해야만 하기 때문이다.

예를 들어 아이를 사랑하는 부모들은 아이들을 위해서 무엇이 가장 좋은 것인지를 정확하게 결정짓기 전에 먼저 그들 자신의 가치관을 자세히 고찰해 보아야만 한다. 그 다음에 칭찬을 해준다든지, 관심을 더 기울여 준다든지, 얘기를 해준다든지, 혹은 다른 무엇보다도 사실에 직면하도록 해주는 것이 그 아이가 더 호의적으로 반응할 것 같으면 사실에 직면하게 해주든지 등을 그 아이의 성격과 능력에 맞추어 결정해야만 할 것이다. 아이에게 사태에 직면할 수 있는 능력이 없는데 사실에 직면시키게 한다면, 그것은 시간 낭비일 뿐만 아니라 더 나쁜 결과를 초래할 수도 있다. 우리 말을 듣게 하도록 하고 싶으면 듣는 사람이 이해할 수 있는 말로 말해야만 하고 듣는 사람이 이해할 수 있는 수준의 말을 써야만 하는 것이다. 우리가 사랑을 주려면 사랑하는 사람의 능력에 맞게 전달되도록 맞추어야 한다.

사랑을 가지고 영향력을 행사하는 데는 커다란 노력이 요구된다는 것은 분명하다. 그러면 이와 관련하여 어떠한 위험과 두려움이 생기는가? 많이 사랑하면 할수록 그 사람은 더욱더 겸손해진다. 그러나 겸손하면 겸손할수록 영향력을 행사하는 데 거만하게 행동할 수 있으리라는 잠재적인 가능성을 두려워하게 된다. 바로 이것이 문제다. 내가 누구이길래 인간사의 과정을 좌우할 것인가? 내가 무슨 권리를 가지고 내 아이, 내 남편(부인), 내 나라, 혹은 인류에 대해 무엇이 가장 좋은 것인지 결정할 권한이 있는가? 누가 감히 자신의 판단을 믿고, 이 세상을 자신의 의지대로 이끌려는 행동을 할 수 있는가? 내가 누구이길래 하느님 행세를 하는가? 두려워하게 되는 것이다. 바로 이것이 모험이다. 우리는 권력을 행사할 때마다 세계와 인류에 영향을 미치는 것이다. 대개의 부모들, 선생들, 지도자들은—권력을 행사하는 대부분의 사람들—바로 이런 인식을 가지고 있지 않다. 진정한 사랑을 해내자면 완전한 자기 인식이 필요하다. 그러나 이러한 완전한 자기 인식도 없이 거만한 태도로 권력을 행사하는 자들은 영향력이란 신의 역할과 마찬가지로 중요하다는 사실을 모르기 때문에 세상을 파괴하게 된다. 그러나 참으로 사랑하는 사람들은 사랑이 요구하는 지혜를 얻기 위해 일하며 행동하는 것이 신과 같은 일을 하는 것임을 알고 있다. 사랑은 우리의 역할이 하느님과 같은 신의 역할임을 충분히 인식하면서 행동할 것을 요구한다. 이런 의식을 가지고 사랑하는 사람은 신의 역할에 따른 책임감을 가지고 부주의하게 행동하지 않으며 실수없이 신의 뜻이 지상에 충만하게끔 행동한다. 우리는 이제 또 하나의 역설에 이르렀다. 즉 인간이 신과 같이 되고자 한다면, 진정으로 겸손한 사랑을 펼쳐야 한다는 것이다.

사랑은 훈련되는 것

나는 자기 훈련의 힘이 사랑으로부터 오며 이것은 의지의 한 가지 유형이라는 것을 지적한 바 있다. 따라서 자기 훈련은 사랑을 행동으로 표현한 것이며, 진정으로 사랑하는 사람은 누구나 훈련된 행동을 하며, 진정한 사랑의 관계 역시 훈련된 관계라고 결론 내릴 수 있다. 내가 참으로 다른 사람을 사랑한다면 나는 내 행동을 어떻게 해서든 교정하고 그 사람의 정신적 성장에 최대로 이바지하려고 할 것이다.

나의 환자 중에는 지적이고 예술적이며 보헤미안적인 방랑벽을 지닌 부부가 있었다. 그들은 4년간 결혼생활을 했는데 거의 매일같이 소리소리 지르고 접시를 내던지고 얼굴을 할퀴며 싸우고 매주 외도하며 매달 헤어지곤 하면서 살아 왔다. 치료를 시작한 지 얼마 되지 않아 자기 훈련의 효과는 드러났다. 그들은 관계를 질서있게 이끌어 갈 수 있을 것임을 정확하게 인식하게 되었던 것이다.

"그런데 선생님은 우리 관계에서 열정을 빼앗아 버리기를 원하십니까?" 하고 그들은 말했다.

"선생님의 사랑과 결혼에 대한 개념은 정열이 차지할 자리를 남겨 주지 않는걸요."

그리고 그들은 치료를 그만 두었다. 그 후에 들은 말에 의하면 그들은 다른 치료자들과도 몇 차례나 상담을 했으나 무질서한 결혼생활은 변화없이 계속되어 매일 소리 지르고 싸우며 비생산적인 일과를 되풀이하고 있었다. 분명히 그들의 화합이란 어떤 의미에서는 매우 찬란하다고 할 수 있을 것이다. 그러나 그것은 어린아이들의 원색적인 그림들과 같고 도화지에 아무렇게나 물감을 뿌려 놓은 것 같아서, 매력이 없지는 않지만 대체로 어린아이들의 예술의 특징을 그대로 나타내고 있다. 렘브란트의 잔잔하고 조정된 색깔에서도 같은 색채를 발견할 수 있지만, 그것은 무한히 풍부하고 독특하며 의미있는 어떤 것이다. 정열이란 거대한 심층적 느낌이지 제어되지 않은 감정이 아니다. 잘 알려진 격언에 "얕은 시냇물이 시끄럽고, 잔잔한 물은 깊이 흐른다."라는 말이 있다. 우리는 어떤 사람의 감정이 잘 조절되고 평정을 유지한다고 해서 그 사람이 정열적인 사람이 아니라고 간주해서는 안 된다.

사람이 감정의 노예가 되어서도 안 되겠지만 또한 자기 절제하는 것이 그의 감정을 짓눌러서 아무 것도 없는 것으로 만드는 것을 의미해서도 안 된다. 나는 환자들에게 감정은 그들의 노예이며 자기 절제 훈련은 노예를 소유하는 기술과도 같다고 말해 준다. 그 이유는 아래와 같다.

첫째로 인간의 감정은 그 사람의 에너지의 원천이다. 감정은 우리가 삶의 과업을 성취할 수 있게 만들어 주는 노예의 노동력을 제공한다. 감정이 우리를 위해서 일하고 있으므로, 우리는 그들을 존중해 주어야만 할 것이다. 노예 소유자는 흔히 다음의 두 가지 실수를 저지른다. 이 실수는 지도력을 올바르게 행사하는 것과는 정반대의 형태를 띠고 있다.

한 유형은 노예들을 훈련시키지 않고 그들에게 아무 규율도 정해 주지 않고 어떤 제한도 하지 않고 아무 방향도 제시해 주지 않으며 누가 윗사람인지도 분명하게 해주지 않는다. 물론 시간이 흐름에 따라 노예들은 일을 그만 두고 술창고에만 드나들고 안방까지 들어와서 가구를 부수게 될 것이다. 그리하여 노예 소유자는 자신이 오히려 노예가 되어, 앞에서 예로 든 성격장애의 방랑벽을 지닌 부부들처럼 무질서와 혼돈 속의 자신을 발견하게 될 것이다.

그런데 이와 반대의 경우도(죄의식을 갖는 신경증 환자가 흔히 자신의 감정을 대하는 태도) 똑같이 자기 파괴적이다. 여기서 노예 주인은 그의 노예(감정)가 자기 지배 밖으로 나갈까 두려운 나머지 공포에 사로잡혀서, 노예들이 결코 아무런 문제도 일으키지 않도록 하기 위해서 규칙적으로 매를 때려 복종하게 하고 어떤 문제의 징조가 보이면 그들을 심하게 벌 주곤 한다. 이런 방법은 노예의 의지가 약화되어서 점점 더 비생산적으로 되어 가는 결과를 나타낸다. 그렇지 않으면 그들의 성격은 점점 더 반항적으로 바뀌게 된다. 이런 과정이 장기간 계속되면 어느 날인가는 주인이 두려워한 대로 노예들이 반란을 일으켜 집을 다 불사르고 때로는 주인을 안에 둔 채로 불태워 버린다. 이것이 정신병, 신경증(노이로제)의 시작이다.

인간의 감정을 적절하게 다루는 데에는 복잡하지만(단순하거나 쉽지 않다) 균형잡힌 중용의 길이 있다. 그것은 끊임없는 비판과 재조절을 필요로 한다. 여기서 주인은 그의 감정(노예들)을 존중하고, 좋은 음식, 집, 의료혜택을 제공하며 그들의 말을 들어주고 그에 대답해 주며, 그들의 건강에 대해 걱정하면서 그들의 규율을 정해 주고, 제한도 하며, 분명하게 결정해 주고, 새로 방향 지어 주기도 하고, 가르치기도 하며, 더불어 누가 윗사람인가에 대하여 의심할 여지가 없이 분명히 해준다. 이것이 건전한 자기 훈련의 길이다.

감정 중에서 분명 훈련되어야만 하는 것은 사랑의 감정이다. 내가 지적한 대로 이것은 그 자체로서는 진정한 사랑이 아니라 순간적인 애착이나 정신집중일 뿐이다. 그러나 그러한 정신집중이 장차 가져다 줄 창조적인 힘을 위해서 이것은 존중되고 길러져야만 한다. 이것이 제멋대로 가게 놓아두면 그 결과는 진정한 사랑이 아니라 혼란과 비생산성에 이르고 만다. 진정한 사랑은 자아의 확장을 포함하기 때문에 거대한 양의 에너지가 요구된다. 그러나 좋든 싫든 우리가 에너지를 축적할 수 있는 시간은 하루의 24시간에 비례한다. 단순히 말해서 우리는 모든 사람을 사랑할 수는 없는 것이다. 우리 모두는 전 인류를 사랑하고픈 열망에 불타고 있을 수도 있으며, 그러한 열망이 몇몇 특정한 개인에게로 길을 잘 잡으면 그들을 진정 충분히 사랑할 수 있는 에너지의 원천이 되기도 한다. 말을 바꾸면, 우리가 진정으로 사랑할 수 있는 사람의 수효는 그다지 많지가 않으며, 능력의 한계를 넘어서서 사랑하려고 하는 것은 오히려 자기가 사랑하려는 상대방들에게 거짓말을 하는 결과를 낳고야 만다.

결론적으로, 많은 사람들로부터 사랑받고, 또 그가 자기들을 사랑해 주기를 요청받는 입장에 있는 사람이라도 자신이 진정으로 사랑할 수 있는 사람만 선택해야 한다. 이 선택은 쉬운 것이 아니다. 어쩌면 이것은 신의 역할을 맡아 수행하는 것과 마찬가지로 괴로울지도 모른다. 그러나 선택은 반드시 이루어져야만 한다.

이 선택에는 많은 요인들이 고려되어야 하는데, 첫째로 우리의 사랑을 받을 사람은 그 사랑으로 인해 정신적 성장을 이룰 가능성이 있어야 한다. 사람들의 이러한 능력에는 각각 차이가 있다. 이 사실에 대해서는 뒤에 다시 논의하기로 하자, 그러나 갑옷으로 무장이라도 한 듯 마음의 문이 꽁꽁 닫혀서 아무리 이쪽에서 노력해도 그 정신적 성장을 도와줄 수 없는 사람들도 있다. 당신의 사랑으로 정신적 성장을 도와줄 수 없는 그런 사람들을 사랑하고자 하는 것은 에너지를 낭비하는 것이고 씨를 마른땅에 뿌리는 것이 된다. 진정한 사랑은 고귀한 것이므로 진정한 사랑을 할 수 있는 사람들은 그들의 사랑을 자기 훈련을 통해서 가능한 한 생산적인 방향으로 집중적으로 발산해야 한다는 것을 알고 있다.

너무 많은 사람들을 사랑하는 데 따르는 문제와 정반대의 문제도, 역시 고찰해 볼 필요가 있다. 어떤 사람들은 동시에 한 사람 이상을 사랑하는 것이 가능하며, 진정한 사랑의 관계를 동시에 여러 사람과 유지하는 것이 가능하다. 이것은 몇 가지 이유에서 문제가 된다. 그 가운데 하나는 "천생연분은 미리 정해져 있다."라는 낭만적인 사랑의 신화다. 따라서 정해진 짝 이외는 어느 누구도 짝이 될 수 없다. 즉 이 신화는 사랑하는 관계에서 성적인 면에서의 배타성을 허용하고 있다. 균형만 제대로 유지한다면 이 신화가 인간관계의 안정과 생산적인 것에 이바지하는 데 도움이 될 것이다. 대부분의 사람들은 자신의 배우자와 자녀들과 진정한 사랑을 나누는 데에도 능력의 한계에 부딪치게 된다. 만약 배우자와 아이들과 진정한 사랑의 관계를 이룬 사람이 있다면 그 사람은 대개의 사람들이 일평생을 통해서 성취할 수 있는 것보다 더 많은 것을 성취했다 할 수 있다.

반대로 어떤 사람은 가족과의 진정한 사랑을 나누지도 못하면서 가정 밖에서 사랑의 관계를 찾으려고 떠돌기도 한다. 진정한 사랑을 베풀 줄 아는 사람이라면 제일 먼저 결혼을 통해 이룬 가족과 부모 관계에 책임을 져야 할 것이다. 물론 어떤 사람들은 사랑의 능력이 풍부해서 가족 안에서 사랑의 관계를 이룩하고도 아직 에너지가 남아서 더 많은 관계들을 성공적으로 이룩할 수도 있다. 이런 사람들에게 배타적인 사랑의 신화는 적용되지 않을 뿐만 아니라, 가족관계 밖의 다른 사람들에게 자연스럽게 줄 수 있는 사랑의 능력을 쓸데없이 제한한 것일 뿐이다. 그리고 이런 사람들은 이런 제한을 극복해 나가기 위해 '자신을 펼치기만 해 사랑이 엷어지는 것' 을 피해야 하며, 그러기 위해서는 자신을 확대시키는 지속적인 훈련을 해야만 한다. 신학자이자 『새로운 도덕 The new morality』이라는 책의 저자인 조셉 프레쳐가 내 친구 한 사람에게 이런 말을 했다.

"자유로운 사랑이란 이상이다. 불행히도 아주 소수의 사람만이 그 이상을 실현할 가능성을 가지고 있다."

그가 의미한 것은, 아주 소수의 사람만이 자기 훈련을 할 능력을 가지고 있으므로 가족 안에서나 밖에서 진정한 사랑을 하는 건설적인 관계들을 유지할 수 있다는 것이다. 자유와 훈련은 우리의 힘으로 얻어지는 것이다. 진정한 사랑의 훈련이 없는 자유란 사랑을 하지 않는 것과 같이 파괴적인 것이다.

지금 어떤 독자들은 내가 훈련의 개념에 푹 젖어서 칼빈적인 처량한 금욕 생활 스타일을 주장하고 있는 것이라고 성급한 결론을 내리고 있는지도 모르겠다. 계속해서 자기 훈련하라! 계속해서 자기 성찰하라! 의무! 책임! 신청교도주의라고 부를지도 모르겠다. 여러분이 어떻게 부를지라도 진정한 사랑을 위해서는 훈련을 기꺼이 감수해야 하며, 이것만이 생을 근본적인 기쁨으로 인도할 것이다. 다른 길을 택해서 가보라. 그러면 환희의 진귀한 순간들을 발견할지도 모르지만 그 순간들은 허무하게 달아나 버리고 점점 더 붙잡기 어려워질 것이다. 진정으로 사랑할 때 나는 나 자신을 확대하고 있으며, 나 자신을 확대할 때 성장하고 있는 것이다. 사랑을 하면 할수록 나는 더욱 커진다. 진정한 사랑은 자신을 다시 채우는 것이다. 내가 다른 사람의 정신적 성장을 도와주면 줄수록 내 자신의 정신적 성장도 더욱더 촉진된다. 나는 완전히 이기적인 인간이다. 나는 절대로 다른 사람을 위해서 무엇인가를 해주는 것이 아니라 나 자신을 위해서 하는 것이다. 내가 사랑을 통해 성장함에 따라 내 기쁨도 증가하고, 그 기쁨도 계속해서 증대될 것이다. 그래서 나를 신청교도라고 부르는 것이 더 어울릴지도 모르겠다. 그러나 나는 즐거움을 추구하는 인간이다. 존 덴버는 다음과 같이 노래했다.

사랑은 어디에나 있다. 나는 그걸 알지,

당신은 하고자 하는 대로 된다. 계속하여 그렇게 해보라.

인생은 완벽하다. 나는 그걸 믿지,

와서 나와 함께 사랑의 게임을 하자.

사랑은 분리됨에 있다

다른 사람의 정신적 성장을 촉진하는 행동이 자신의 성장을 촉진시키는 결과를 가져오기는 하지만 진정한 사랑의 주요 특징은 자신과 다른 사람의 구별이 언제나 유지되고 보존된다는 것이다. 진정한 사랑을 하는 사람은 언제나 상대를 전적으로 나와 다른 아이덴티티를 가진 한 사람으로 인지한다. 진정한 사랑을 하는 사람은 항상 사랑하는 사람의 독특한 개성을 존중하고, 더 나아가 그 개성을 격려해 준다. 이처럼 상대방과 나와의 개별성을 존중하지 못할 때, 그것은 많은 정신질환과 불필요한 고통의 원인이 되는 것이다.

다른 사람의 독립성을 인지 못하는 극단적인 형태가 바로 나르시시즘(Narcissism)이다. 솔직히 말해서 나르시시즘의 사람들은 그들의 아이들이나, 배우자나, 친구들이 감정적인 면에서 자신과 분리된 독립 개체임을 깨닫지 못한다.

내가 처음으로 나르시시즘이 어떤 것인지 이해하기 시작한 것은 바로 수잔이라고 부르는 정신분열증 환자와 상담했을 때였다. 수잔은 그때 서른한 살이었다. 그녀는 열여덟 살 이후로 여러 번에 걸쳐 자살을 기도한 심각한 일이 있었으며, 지난 13년 동안 계속해서 여러 병원에 입원해야 했고 또 정신요양원에도 입원해야만 했었다. 그러나 많은 정신과 의사들로부터 받은 훌륭한 치료 덕택에 결국 상태가 호전되기 시작한 것이었다. 수개월에 걸쳐 우리가 함께 상담하는 동안에 그녀는 신임할 만한 사람과 신임할 만하지 못한 사람을 구분하여 신임할 만한 사람들을 믿게끔 되었으며, 자기 자신이 정신분열증이라는 사실을 받아들여 이 병을 다루기 위해서는 나머지 일생 동안 굉장한 자기 훈련을 해야 할 필요가 있다는 사실도 받아들였다. 그녀는 자신을 존중하고 또 다른 사람들이 그녀를 계속해서 도와주는 것에 의존하지 않고 자기가 스스로를 보살피기 위해 필요한 것은 무엇이든지 하기로 결심했다. 이렇게 큰 진전을 보았기 때문에 내가 느끼기에는 얼마 안 가서 곧 수잔이 병원을 떠나 일생에 처음으로 성공적인 독립된 생활을 유지해 나갈 때가 가까워 온 것 같았다. 바로 그때쯤 나는 수잔의 부모를 만났는데, 매력적이고 부자인 그들 부부는 50대 중반쯤 되어 보였다. 나는 수잔의 큰 진전에 대해 그들에게 매우 기쁜 마음으로 설명했으며 또 내가 왜 낙관적인지 그 이유를 자세히 설명해 주려 했다. 그러나 내가 놀란 것은, 이렇게 설명하기를 시작하자마자 수잔의 어머니는 조용히 울기 시작하더니 희망적인 이야기를 해주는데도 울음을 그칠 줄을 몰랐다. 처음에 나는 그 어머니의 눈물이 기쁨의 눈물이라고 생각했었다. 그러나 그 부인은 정말로 슬퍼하고 있는 것이 분명했다.

마지막으로 나는, "이해할 수 없군요. 나는 오늘 가장 희망적인 것을 말씀드렸는데 부인은 슬프게 흐느끼고 계신 것 같으니 무슨 영문입니까?"라고 물었다.

"그래요, 저는 굉장히 슬퍼요." 부인은 대답했다.

"우리 불쌍한 수잔이 겪어야 할 모든 고통을 생각할 때 나는 정말 울지 않을 수가 없답니다."

그래서 나는 수잔이 병으로 고생을 해왔던 것이 사실이기는 하지만 이 고통으로부터 배운 것도 많았다는 것, 그래서 수잔은 이제 그 병으로부터 헤어나와 모든 고비를 넘겼으니 내가 예상하기에는 앞으로 다른 어떤 성인보다도 더 고통을 받을 것 같지는 않다고 이야기하였다. 그녀가 정신분열증을 겪으면서 얻은 지혜 덕분에 다른 어떤 사람보다 고통을 적게 겪으리라는 것은 사실이었다. 그러나 부인은 계속해서 울기만 했다.

"영문을 모르겠습니다, 부인." 나는 말했다. "지난 13년 동안 적어도 열두 번은 수잔의 정신과 의사와 이 같은 상담에 참여해야만 하셨고 내가 알기로는 그 중의 어느 상담도 이처럼 낙관적인 것이 아니지 않았습니까? 슬퍼하시는 것과 똑같이 기쁜 느낌은 조금도 없으십니까?"

"나는 오직 수잔이 얼마나 어려운 생활을 해야 하는가에 대해서 생각할 수밖에 없어요." 부인은 눈물을 흘리며 대답했다.

"자, 보세요. 부인." 나는 얘기했다.

"내가 수잔에 대해서 무슨 얘기를 해 드려야 부인께 좀 위로가 되고 수잔에 대해 기뻐하시게 될까요?"

그러나 부인은 "불쌍한 수잔의 인생이 그다지도 고통으로 가득 찼으니……." 하며 계속 훌쩍훌쩍 울었다.

문득 나는 그녀가 울고 있는 것이 수잔에 대해서가 아니라 자기 자신에 대해서라는 것을 깨달았다. 그 부인은 자기 자신의 괴로움과 고통 때문에 울고 있는 것이었다. 상담은 수잔에 관해서였지 그 부인 자신에 관해서가 아니었으나 그 부인은 수잔의 이름으로 자기 서러움의 눈물을 흘렸던 것이다. 어떻게 그럴 수 있을까, 하고 나는 의혹을 가졌었다. 그때 나는 그 부인이 수잔과 자기 자신을 구분하지 못하고 있음을 깨달았다. 수잔이 느꼈음에 틀림없는 것을 그 부인도 느꼈던 것이다. 부인은 수잔을 이용해서 자기 자신의 결핍된 욕구를 표현했던 것이다. 물론 부인이 이런 것을 의식적으로나 악의적으로 하고 있었던 것은 아니다. 감정적인 면에서 부인은 수잔을 자기 자신과 분리된 독립체로 인식할 수가 없었던 것이다. 수잔이 곧 그 부인 자신이었다. 그 부인의 마음에는 수잔이 특수하고 다른 삶의 길을 가진 별개의 인격체로서 존재하지 않고 있다. 아마도 수잔뿐 아니라 다른 사람들과의 관계에 있어서도 마찬가지였을 것이다. 지적으로는 다른 사람들을 자기 자신과 다른 존재로 인식하고 있었으나 더 마음 속 깊은 곳에서는 그녀에게 개별적인 사람이란 존재하지 않았다. 그 부인의 마음에는 세계 전체가 그 자신이요, 세상에는 자기 혼자만 존재한다고 새겨져 있었던 것이다.

그 후에 나는 가끔 정신분열증에 걸린 아이의 어머니들이 저 부인처럼 비정상적인 나르시시즘에 걸려 있음을 발견할 수 있었다. 이 말은 나르시시즘적인 어머니들은 정상적인 아이들을 길러 낼 수 없다는 뜻이 아니다. 정신분열증은 대단히 복잡성을 띤 장애로서 분명히 유전적 소인도 있고, 또 환경적인 원인도 가지고 있다. 그러나 우리는 수잔의 어린 시절에 어머니의 나르시시즘 때문에 얼마나 혼란스러웠을까를 상상할 수가 있다. 그래서 우리는 실제로 그런 어머니들이 그들의 아이들과 어떻게 교류하는가를 관찰해 볼 필요가 있다.

어느 날 오후 부인이 자신에 대해 우울해하고 있을 때, 수잔은 학교에서 그림을 그려 선생님에게서 A점수를 받아 집에 돌아왔다고 해보자. 수잔이 어머니에게 자랑스럽게 자기가 그림을 잘 그린다고 이야기하자마자 부인은 아마도 이렇게 대답했을 것이다.

"수잔, 가서 낮잠이나 자거라. 학교 공부를 열심히 하느라고 너무 지친 것 같구나. 학교 제도는 엉망이야. 도대체 아이들 생각을 안해 주니 말이다."

한편 어느 날 오후 부인의 기분이 매우 좋을 때 수잔이 울며 집에 돌아왔다고 해보자. 수잔은 학교에서 돌아오는 버스에서 몇 명의 짓궂은 사내아이들 때문에 울었던 것이다. 그러면 부인은 이렇게 말했을 것이다.

"존슨 씨가 그렇게 좋은 기사이시니 참으로 다행이지, 그렇지 않니? 그 기사는 너희들 모두에게 인내심이 많고, 너희들이 심하게 구는데도 그렇게 잘해 주는구나. 난 네가 크리스마스 때 잊지 말고 그 기사님한테 좋은 선물을 해야만 된다고 생각한다."

자기 도취에 빠진 사람들은 타인을 타인으로 인식하지를 못하고 단지 자신의 연장이라고 인식하고 있기 때문에 감정이입에 대한 능력이 모자란다. 감정이입이란 바로 다른 사람이 느끼고 있는 것을 느낄 수 있는 능력이다. 감정이입의 능력이 결핍되어 있기 때문에 자기 도취에 빠진 부모들은 보통 아이들에게 감정적인 면에서 적절하게 반응해 주지 못한다. 그래서 그런 부모의 아이들은 그들 자신의 느낌을 어떻게 깨닫고 받아들여야 할지 더 나아가서는 어떻게 관리해야 할지 심각한 곤란을 겪으며 자라고 있다.

보통의 부모들은—수잔의 어머니 정도는 아니라도 많은 수가—그들의 아이들이 어느 정도는 자신과는 다른 '타인'이며 특수한 개성을 지닌 독립체임을 적절히 인정하거나 혹은 충분히 이해하지 못한다. 그런 예들은 많다. 부모들이 아이에 대해서 "너는 우리 집안의 일부다."라든지 혹은 아이에게 대놓고 "너는 정말 짐 아저씨와 꼭 닮았구나."하며 마치 아이들이 자기 자신이나 가족의 어떤 유전적인 복사물인 것처럼 이야기한다. 그런데 사실 모든 아이들이 그들의 부모와 상당히 다르고 또 그들의 조상들 모두와도 다르다. 그러나 운동가인 아버지가 학자 타입의 아들에게 축구를 하라고 격려하고, 학자 아버지가 운동을 좋아하는 아들에게 책을 읽으라고 강요하기 때문에 아이들은 불필요한 죄책감과 혼란을 느끼게 된다.

한 장군의 부인이 열일곱 살 먹은 딸에 대해서 "샐리가 집에 있을 때는 제 방에 하루종일 틀어 박혀 앉아서 슬픈 시만 쓰고 있답니다. 혹시 병이라도 난 건 아닐까요? 그리고 그 애는 파티에 나가는 것을 아주 싫다고 거절한답니다. 그 애가 정말 병이 있는 것인지 염려되는군요."라고 불평한다. 샐리는 매력있고 생기발랄한 젊은 여성으로 학교에서도 우등생이고 친구들도 많았다. 그래서 샐리와 상담해 본 후에 나는 부모들에게 샐리는 완전히 건강하며, 아마도 부모들이 자신들과 똑같은 인간이 되라고 압박하는 것을 좀 자제해 주어야 하겠다고 암시해 주었다. 그러자 부모들은 샐리가 자신들과 다르게 빗나가고 있다고 말해 줄 정신과 의사를 찾아보려고 떠나갔다.

청소년들은 부모가 자신들을 순수하게 훌륭한 사람으로 기르고 싶어서 염려하는 것이 아니라, 자신이 남에게 나쁜 인상을 줄까 두려워 행동을 강요하는 경우가 있다고 불평한다.

"우리 부모들은 쫓아다니면서 계속해서 내 긴 머리를 깎으라고 야단입니다."라고 청소년들은 그런 애기들을 자주 해왔다. "부모들은 왜 긴 머리가 나한테 나쁜지 설명해 주지 않아요. 그저 다른 사람들에게 머리를 기른 애들을 가진 것을 보이기 싫어서 그러는 거지요. 그들은 정말로 우리들에 대해서는 조금도 생각해 주지 않는답니다. 그들이 염려하는 것은 모두 자기 자신의 이미지뿐이랍니다."

그런 청소년들의 항의는 당연하다. 일반적으로 부모들은 아이들의 특수한 개성을 감지하지 못하고 좋은 옷과 예쁘게 깎인 잔디와 멋진 광택이 나는 자동차처럼, 자녀들을 자신의 사회적 지위를 드러내 주는 훌륭한 물건 중의 하나로 여긴다. 이러한 부모들은 나르시시즘의 가벼운 형태라고 할 수 있다. 칼릴 지브란은 이것을 다음과 같이 표현했다. 아마도 지금까지 아이를 기르는 일에 관해 쓰여진 시 가운데 가장 멋진 글임에 틀림없다.

당신의 아이는 당신의 아이가 아니다.

그들은 그 자체를 갈망하는 생명의 아들, 딸이다.

그들은 당신을 통해서 태어났지만 당신으로부터 온 것은 아니다.

당신과 함께 있지만 당신의 소유물이 아니다.

당신은 그들에게 사랑은 줄지라도, 당신의 생각을 줄 수는 없다.

왜냐면 그들은 자신의 생각을 갖고 있기 때문이다.

당신이 그들의 육신은 집에 두지만, 그들의 영혼을 가두어 둘 수는 없다.

왜냐면 그들의 정신은 당신이 갈 수 없는 미래의 집에 살며, 당신의 꿈 속에는 살지 않기 때문이다.

당신은 그들을 애써 닮으려 해도 좋으나, 그들을 당신과 같은 사람으로 만들려고 해선 안 된다.

왜냐면 인생은 거꾸로 가는 것이 아니며 과거에 머물러서는 안 되기 때문이다.

당신은 활이 되어 살아 있는 화살인 당신의 아이들을 미래로 날려 보내야 한다.

사수는 영원의 길 위에 있는 표적을 겨냥하고 하느님은 그 화살이 날렵하게 멀리 날아가도록 그분의 능력으로 당신의 팔을 구부린다.

사수의 손에 들어간 힘을 당신은 기뻐하리라.

왜냐면 하느님은 날아가는 화살을 사랑하는 것과 같이 그 자리에 있는 활도 사랑하기 때문이다.

사람들은 일반적으로 자신과 가까이 있는 사람들이 자신과 분리된 개체임을 제대로 이해하지 못한다. 이것은 부모 노릇을 제대로 해내는 것을 방해할 뿐 아니라 결혼을 포함한 모든 친근한 관계들도 방해한다.

얼마 전의 일이다. 어떤 부부의 모임에서 나는 한 회원이 말하는 걸 들었는데, 아내의 '목적과 역할'은 집을 깨끗이 치우고 그를 잘 먹이는 데 있다고 했다. 나는 그가 주제넘은 남성 우월주의자라는 사실에 어처구니가 없었다. 나는 이런 참기 어려운 내 느낌을 보여주려고 다른 회원들에게 부부의 목적과 역할을 어떻게 인식하고 있는지를 얘기해 보자고 제안했다. 깜짝 놀란 것은, 다른 사람들 가운데 남자 여자 할 것 없이 여섯 사람이나 거의 모두 똑같은 답들을 하는 것이었다. 그들 모두가 남편이나 아내의 목적과 역할을 자기 자신과 관련해서 정의를 내렸다. 그들 모두 배우자들이 자기 자신들과는 근본적으로 분리된 존재들이고 결혼관계를 떠나서 어떤 종류의 운명을 가지고 있는 존재라는 것을 인식하지 못했다.

"아주 슬픈 일입니다." 하고 나는 탄식했다. "그러니까 당신들은 모두 결혼생활에 어려움이 있는 겁니다. 당신들이 각각 자신의 개별적 운명을 성취해야 할 책임이 있다는 것을 인식하게 되기 전까지는 당신들 모두 계속해서 난관에 부딪쳐야 할거요."

그 모임의 사람들은 심하게 야단 맞은 것으로 느꼈을 뿐만 아니라 내가 말한 것으로 인해서 매우 혼란스러워 했다. 그들은 내게 아내의 목적과 역할에 대해서 정의를 해보라고 요청했다. 내 아내 릴리의 목적과 역할에 대해서 나는 이렇게 대답해 주었다.

"그녀가 가진 목적은 최대한 성장하는 것이며 그것은 내 이익을 위해서가 아니라 그녀 자신을 위해서 그래야 할 것이며, 또 하느님의 영광을 위해서 그렇게 되어야 할 것입니다."

그러나 이 개념은 그들에게 너무나 생소하게 느껴졌을 것이다.

가까운 사람들 사이에서 분리의 문제는 오랜 세월 동안 인류를 괴롭혀 왔다. 그러나 이것은 결혼생활보다는 정치적인 면에서 더 주목을 받아왔다. 예를 들어 순수한 공산주의도 앞에 얘기한 부분들의 이야기와 다르지 않은 하나의 철학을 표방하고 있다. 즉 다시 말해서 개인의 목적과 역할이란 어떤 모임을 위해, 통합체나 사회를 위해 봉사하는 것이다. 단지 국가의 운명만이 고려되고, 개인의 운명이란 아무 결과도 가져오지 못하는 것으로 믿어지고 있는 것이다. 반면에 순수한 자본주의는 관련된 모임, 통합체, 사회를 희생하더라도 개인의 운명을 지지한다. 과부와 고아들은 굶주릴지도 모르지만 사업가는 자기가 한 일의 모든 열매들을 즐기는 것이 당연하며 방해받아서는 안 된다. 조금이라도 분별력이 있는 사람이라면 분리에 관한 이 두 가지 방식은 모두 성공적이지 않음을 알 수 있을 것이다. 개인의 건강이 사회의 건강에 의존해 있듯이 사회의 건강도 그 사회에 속한 개인들의 건강에 의존해 있다.

부부들을 다룰 때에 내 아내와 나는 결혼을 산을 오르기 위한 베이스 캠프에 비유했다. 어떤 사람이 등산하기를 원한다면 그 사람은 반드시 좋은 베이스 캠프를 가져야만 할 것이다. 그 장소에서 머무르고 양식을 공급받아야 하며, 다른 정상을 찾아 오르기 전에 그 장소에서 다시 쉬어야 할 것이다. 등산에 성공하는 사람들은 실제로 산에 오르는 시간만큼 베이스 캠프에서 이것저것 살피며 마음을 써야 한다. 왜냐하면 그들의 생존이 견고하고 잘 정비된 베이스 캠프에 달려 있기 때문이다.

전통적으로 남자 쪽에서 부부간의 문제를 만드는 것이 보편적이다. 일단 결혼하면 모든 에너지를 산을 올라가는 데 바치고 그의 베이스 캠프는 전혀 돌보지도 않고 아무 때나 편안한 상태로 쉬고 싶어 되돌아왔을 때—자기는 아무런 책임도 제대로 다하지 못했으면서도—그것이 안전한 상태로 거기에 있기를 바라는 남자가 있다. 이러한 '자본주의자'의 태도로 문제를 다루는 사람은 조만간 실패할 것이다. 그가 돌아와서 발견하게 되는 것은 그의 베이스 캠프가 잘 보살펴지지 않아 도살장이 되어 버리고 버려 둔 아내는 신경과민으로 병원에 입원했거나 다른 남자를 만나 도망갔거나 혹은 그녀의 직책이 캠프직으로서는 부적당한 상황이 되어 버렸다는 사실이다.

이와 마찬가지로 여성 쪽에서 만드는 부부 문제도 존재한다. 일단 결혼하면 자신의 일생의 목적이 성취됐다고 느끼는 여자들이 있다. 그녀에게는 결혼이란 앞으로 더 나아가 산꼭대기에 도달하기 위한 베이스 캠프가 아니라, 산꼭대기 그 자체이다. 그녀는 남편의 성취욕이나 갈망, 가정생활 밖의 경험을 제대로 이해하거나 공감하지 못한다. 그래서 남편이 가정에 소홀하다고 끊임없이 투정하며 질투하는 것으로 정력을 낭비할 것이다. 이런 태도는 부부관계를 숨막히고 어리석은 관계로 만들게 되며, 여기서 남편은 함정에 빠져 갇혔다는 느낌을 받아 '중년의 위기'를 느끼며 탈출을 시도할지도 모른다.

여성해방운동은 무엇이 유일한 이상적인 해결책인지 분명히 그 길을 제시해 주는 데 도움이 된다. 진정한 결혼은 공동협조 체제로서 상호간의 협조와 사려, 시간과 에너지를 크게 요구하고 있다. 부부는 각기 개인의 정신적 성장의 꼭대기에 도달하려는 목적을 위해서 존재하고 있는 것이다. 남성과 여성 둘 다 가정에 참여해야만 하고, 둘 다 각자의 생에 도전해 나가야만 하는 것이다.

내가 십대의 소년이었을 때 미국 시인 안 브라드스트릿이 그의 남편에게 얘기하던 사랑의 말들에 전율을 느낀 적이 있었다.

"둘이 하나가 되면 우리가 된다."

그러나 성장함에 따라 나는 부부간의 결합은 서로가 분리된 개체라는 점을 깨달음으로써 풍요로워진다는 사실을 인식하게 되었다. 흔히 그러하듯이 자신의 근본적인 외로움에 겁을 먹으며 서로 하나가 되는 결혼에만 탐닉하는 사람들은 훌륭한 결혼을 이끌어 내지 못한다. 진정한 사랑은 다른 사람의 개별성을 존중할 뿐만 아니라 서로 분리 또는 상실의 위험에 직면하면서까지 독립성을 길러 주려 애쓰는 것이다. 인생의 궁극적인 목적은 개인의 정신적 성장이며 정상으로 올라가는 이 고독한 여행은 혼자서 갈 수밖에 없다. 성공적인 결혼이나 사회의 지지 없이는 이 중요한 여행을 의미 있게 성취할 수는 없다. 결혼과 사회는 그러한 개인의 여행을 지지해 주려는 목적으로 존재한다. 그러나 진정한 사랑의 모든 경우가 다 그러하듯 다른 사람의 성장을 위한 '희생'이 결과적으로는 그와 동일하거나 그 이상 자신의 성장을 보장해 준다. 혼자서 올라갔던 정상에서 자기를 도왔던 사회 또는 가정으로 귀환하는 것은 다시 그 결혼과 사회를 새로운 단계로 올리는 데 이바지한다. 이렇게 해서 개인의 성장과 사회의 성장이 서로서로 의존하고 있으나, 성장하려 할 때에는 항상 그리고 필연적으로 외로울 수밖에 없다. 다시 한 번 예언자 칼릴 지브란은 우리에게 결혼에 관해 '분리되어 있음의 지혜

(일심동체가 아닌 이심이체)' 로 말한다.

그러나 당신 부부 사이에는 빈 공간을 두어서,

당신들 사이에서 하늘의 바람들이 춤추도록 하게 하라.

서로 사랑하라. 그러나 서로 포개어지지는 말라.

당신 부부 영혼들의 해변 사이에는 저 움직이는 바다가 오히려 있도록 하라.

각각의 잔을 채워라. 그러나 한 개의 잔으로 마시지는 말라.

서로 당신의 빵을 주어라. 그러나 같은 덩어리의 빵을 먹지는 말라.

함께 노래하고 춤추며 즐거워하라. 그러나 각각 홀로 있어라.

현악기의 줄들이 같은 음악을 울릴지라도 서로 떨어져 홀로 있듯이.

당신 마음을 주어라. 그러나 상대방 고유의 세계 속으로는 침범하지 말라.

생명의 손길만이 당신의 심장을 가질 수 있기 때문이다.

그리고 함께 서라. 그러나 너무 가까이 붙어 서지는 말아라.

사원의 기둥들은 떨어져 있어야 하며,

떡갈나무와 사이프러스 나무는

서로의 그늘 속에서는 자랄 수 없기 때문이다.

사랑은 정신치료와도 같은 것

내가 15년 전에 정신과를 선택했던 동기를 새삼스럽게 지금 다시 회상해 본다는 것은 어려운 일이다. 나는 확실히 사람들을 '돕기' 를 원했다. 의학의 다른 분야에서 사람들을 돕는 과정은 기술을 요구하는데, 나는 그것에 익숙하지 못했고 그것이 기계적인 것처럼 보였기 때문에 내 적성에는 맞지 않았었다. 나는 또한 사람들을 찌르고 쑤시고 하는 것보다는 사람들과 이야기하는 것에 더 흥미를 갖고 있다는 것을 알게 되었고, 세균이 신체에 퍼지고 있는 이상야릇한 변화보다는 인간 마음의 야릇한 변화에 더 흥미를 갖고 있는 것 같았다. 나는 정신과 의사가 어떻게 사람들을 도와주는지 전혀 알지 못했다. 그러나 정신과 의사들이 환자들을 다루는 데 도움이 되는 신기한 말들과 신기한 기술을 소지하고 있어서 이것이 정신의 매듭진 부분들을 신기하게 풀어 줄 것이라고 생각했다. 아마도 나는 마술사가 되기를 원했던 것이 분명하다. 나는 정신과 의사의 일이 환자의 정신적 성장을 돕는 일을 함축하고 있다는 생각은 눈꼽만큼도 하지 않았다. 그래서 이 일이 나 자신의 정신적 성장을 포함할 것이라는 생각도 전혀 갖지 못했던 것이다.

수련의로서 처음 10개월간 훈련 받는 동안, 나는 약물, 전기치료, 간호사의 도움이 더욱 효과적인 환자를 다루었다. 그러나 나는 계속해서 상호작용 기법과 전통적인 요술적 주문을 배웠다. 이 기간이 끝난 후 비로소 나는 신경증 환자를 맡아 볼 수 있게 되었다.

첫 환자는 마르시아라고 하는 여자였다. 마르시아는 일 주일에 세 번씩 나를 보러 왔다. 그것은 참으로 힘들었다. 그녀는 내가 원하는 이야기를 말하지 않았으며 또 내가 원하는 식으로 이야기를 하지도 않았고, 때로는 전혀 이야기하지 않기도 하였다. 어떤 면에 있어서는 우리의 가치관은 아주 달랐다. 투쟁해 나가는 가운데 그녀는 어느 정도 변화하게 되었고 나 자신도 어느 정도 변화해야만 했다. 그러나 나의 모든 기법과 태도, 말의 변화에도 불구하고 힘겨운 투쟁은 계속 되었으며, 마르시아의 증세는 나아지는 기미가 없었다. 오히려 그녀는 상담 시작 얼마 후부터는 난폭하고 무절제한 행동을 일삼고, 몇 달 동안 비행만 저지르고 있었다. 이렇게 일 년이 지나자 마침내 그녀는 이렇게 묻는 것이었다.

"선생님은 제가 형편없다고 생각하십니까?"

"제가 당신을 어떻게 생각하느냐고 묻는 것입니까?"

나는 시간을 끌기 위해서 되물었다. 바로 그것을 원하고 있다고 그녀는 말했다. 그런데 나는 무어라고 해주어야 될까? 어떤 신기한 말이나 기술이나 태도가 나를 도와줄 수 있을 것인가? 나는 이렇게 말할 수도 있을 것이다.

"왜 그걸 묻지요?" 혹은 "당신 자신은 내가 당신에 관해서 어떻게 생각한다고 생각하고 있는지요?" 혹은 "마르시아, 중요한 것은 내가 당신에 대해 어떻게 생각하느냐가 아니라 당신이 자신에 대해 어떻게 생각하고 있느냐입니다."

그러나 이렇게 우회적인 대답을 한다는 것이 비겁하게 회피하는 것으로 여겨졌으며, 일 년 내내 일 주일에 세 번씩 나를 보러 왔으니 마르시아는 적어도 내가 그녀에 대해서 어떻게 생각하는가 솔직한 대답을 들을 자격이 있다고 생각했다.

그런데 나는 이런 경험을 해 본 적이 없었다. 그 사람에 대해 어떻게 생각하는지를 면전에서 이야기하는 것은 어느 교수도 내게 가르쳐 준 적이 없었던 기술이었다. 이것은 상호작용의 행동으로 내 훈련 기간 동안에도 전혀 배운 적이 없었다. 그래서 훌륭한 의사라면 그런 방법은 좋지 않으므로 써서는 안 된다는 생각도 들었다. 어떻게 행동할 것인가. 가슴이 마구 뛰는 것을 억누르며 나는 그녀의 질문에 정면으로 맞닥뜨리기로 결심했다.

"마르시아"하고 나는 말했다. "당신은 이제껏 일 년 넘게 나를 보러 오고 있는데 사실 이 긴 시간 동안에 일이 평탄하게 진행되어 가고 있지는 않았습니다. 우리는 꽤 자주 싸웠죠. 또 이 괴로운 투쟁이 때로는 둘 다에게 지루하기도 했고 신경을 날카롭게도 했고 화나게도 했었지요. 그런데도 당신은 계속해서 나를 보러 다시 돌아오곤 했으며 이것은 어지간한 정성이 아니라면 불가능했을 거요. 또 당신에게 불편하기도 했을 터인데 매회, 매주, 매월, 이렇게 참여한 것

아닙니까? 당신이 더 좋은 사람으로 성장하기를 바라고, 열심히 노력했기 때문에 이 모든 것이 가능했던 거라고 생각해요. 당신처럼 그렇게 자신을 위해 열심히 일하고 애쓰는 사람이 형편없게 보일 리가 있겠어요? 그러니 대답은 '아니' 입니다. 당신이 형편없는 인간이라고 생각지 않습니다. 사실 나는 당신에 대해 크게 감탄하고 있습니다."

이후 그녀는 열두 명이나 되는 애인 가운데서 즉시 한 명을 결정하고 의미있는 관계를 이룩하여 결국은 성공적으로 만족스러운 결혼을 이룰 수 있게까지 되었다. 그녀는 이전처럼 난잡한 생활을 하지 않았다. 그리고 그녀는 자신이 가지고 있는 장점에 주목하기 시작했다. 우리 사이에 있던 비생산적인 투쟁은 즉시 사라지고 우리의 상담은 믿을 수 없을 만큼 급속한 진전을 보이게 되었다. 이상하게도 내가 궁지에 몰려서 그녀에 대한 내 순수하고 적극적인 느낌을 표현한 것이—사실 나는 그렇게 해서는 안 된다고 생각했음에도 불구하고—그녀를 마음 상하게 하기보다는 큰 치료의 효과를 가져다 주었고, 확실히 우리가 함께 나아가는 데 있어 전환점으로 나타나게 되었다.

이것은 무엇을 의미하는 것일까? 성공적인 정신치료를 하기 위해서 우리가 해야 하는 것은, 환자들에게 그저 듣기 좋은 이야기만을 들려 주어서는 안 된다는 것이다. 치료에서는 항상 정직해야만 할 필요가 있다. 나는 솔직히 마르시아에 대하여 감탄하며 그녀를 좋아하고 있다. 나는 오랫동안 그녀를 상담했고, 치료로 인해 우리의 관계는 꽤 가까워져 있었으므로, 내가 그녀를 좋아한다고 칭찬해 주는 것이 그녀에게는 중요했던 모양이다. 그러나, 본질적으로 중요한 것은 내가 그녀를 칭찬하고 그녀에게 감탄한다고 말해 주었기 때문에 이러한 극적인 전환이 이루어진 것이 아니라는 사실이다. 그녀와 나의 관계가 이미 꽤 오랫동안 진행되어 왔고, 그녀 스스로 내가 자기를 잘 알고 있다고 느꼈으며 또 내가 정직한 사람임을 그녀가 알고 있다는 것, 다시 말해 우리 관계의 본질적인 의미가 그러한 전환점을 마련해 주었던 것이다.

헬렌이라고 부르는 젊은 여성의 치료에서도 극적인 전환을 경험했다. 나는 헬렌을 일 주일에 두 번씩 9개월이나 치료했지만 별로 눈에 띌 만한 성과가 없었고, 솔직히 말해 감조차 잡지 못하고 있었다. 이렇게 오랫동안 시간을 보내면서도 나는 헬렌이 누구인지 거의 파악을 못하고 있었다. 나는 환자를 오랫동안 치료하면서 그 사람이 도대체 어떤 사람인지 아무런 생각도 얻지 못한 일은 이전에는 없었으며 또 해결되어야 할 문제의 성격이 어떤 것인지조차 파악하지 못한 것도 처음이었다. 나는 그녀 때문에 혼란스러웠고 여기에 대해 어떤 의미를 찾아내려 애쓰며 며칠 밤을 전전긍긍해 보았으나 성공하지 못했다. 결론적으로 확실해진 것은 헬렌이 나를 신뢰하지 못한다는 것이었다. 그녀는 큰소리로 내가 순수하게 그녀 자신에게 관심있는 것이 아니라, 단지 자기의 돈에만 흥미가 있다고 불평했다. 그녀는 이런 식으로 9개월의 치료를 진행하던 중 하루는 이렇게 말하게 되었다.

"선생님은 상상도 할 수 없으실 거예요. 선생님이 제게 흥미도 없으시고 그래서 제 느낌에 그렇게 둔감하시니 선생님과 이야기하는 것이 제게는 얼마나 좌절감을 주는지 아세요?"

"헬렌." 나는 대답했다. "좌절되는 느낌은 우리 둘 다 그런 것 같아요. 내가 이렇게 얘기하면 어떻게 느낄지 모르겠는데, 당신 경우는 내가 십 년 동안 정신치료를 해 온 중에서 가장 패배감을 주는 경우에요. 나는 이렇게 오랫동안 방향도 제대로 잡지 못한 사람을 만나 본 적이 없었는데, 아마 당신의 생각이 옳은 모양이에요. 내가 당신과 일하기에 적당한 사람이 못되는가 봐요. 나는 모르겠어요. 나는 포기하고 싶지는 않지만 정말 당신에 대해서는 혼돈스럽고, 우리가 같이 일하는 데 도대체 무엇이 잘못되고 있는지 알고 싶어 미칠 지경이에요."

그랬는데, 헬렌의 얼굴에 눈부신 웃음이 떠오르고 있었다.

"선생님, 저를 진정으로 염려하시는군요."라고 그녀는 말했다.

"뭐요?"라고 나는 물었다.

"선생님이 정말로 저를 염려해 주지 않으신다면 그렇게까지 좌절감을 느끼시지는 않으셨을 거 아니에요?"

그녀는 마치 모든 것이 뚜렷해진 것처럼 대답하는 것이었다.

바로 그 다음 면담시간부터 헬렌은 이전에 감추고 있었던 것 혹은 거짓말했던 것들을 이야기하기 시작했으며, 일 주일 이내에 나는 그녀의 근본적인 문제에 대해 명확하게 이해하고 진단을 내릴 수 있었다. 그리고 어떻게 치료를 진행하면 될 것인지도 대강 알게 되었다. 헬렌에 대한 내 반응이 그녀에게 의미있고 중요했던 이유는 내가 그녀의 일에 깊은 관심을 가지고 치열하게 투쟁을 했기 때문이었다.

우리는 이제 정신치료를 효과적이고 성공적으로 만드는 그 본질적인 요소를 알 수 있게 되었다. 그것은 '무조건 적극적인 말을 해주는 것' 도 아니고, 신기한 마술적인 말도 아니고, 기술도 자세도 아닌 것이다. 그것은 인간적인 참여요, 투쟁이다. 그것은 치료자가 기꺼이 자신의 몸을 던져 환자의 성장을 도와주기 위해 감정적인 관계에 뛰어들어, 환자와 자기 자신과 투쟁해 나가고자 하는 의욕이다. 간단히 말하자면 성공적이고 의미있는 정신치료의 근본적인 요소는 사랑인 것이다. 서양에서는 정신치료에 관하여 눈부실 정도로 많은 책들이 나오고 있는데 사랑의 문제에 대해서는 이 책들의 대다수가 침묵하고 있다. 힌두의 수도승들은 사랑이란 그들의 힘의 원천임을 아주 옛날부터 지극히 당연한 진리로서 담담히 받아들여왔다. 그러나 서양에서는 이 문제를 가장 잘 다루고 있다는 문헌에서조차 성공적인 치료자와 그렇지 못한 치료자를 분석해서, 성공적인 치료자는 '따뜻함' 과 '감정이입' 의 특징이 있다고 기술하는 정도가 고작이다.

근본적으로 우리는 사랑의 주제를 힘겨워하는 것 같다. 여기에는 수많은 이유들이 있다. 그 중 하나는 서구문명에 가득 찬 진정한 사랑과 낭만적인 사랑의 혼돈 때문이고, 다른 하나는 지금 다루었던 것과 같은 혼돈들 때문이다. 또 다른 이유는 우리들은 '과학적인 의학' 에서 주장하는 이성적인 것, 유형적인 것, 측정 가능한 것에 대한 편견을 갖고 있기 때문이다. 사랑이란 만질 수 없는 무형의 것이고 완전히 규정할 수도 없고 이성을 초월한 형태이기 때문에 그 자체가 과학적인 분석의 대상이 될 수 없다는 것이다.

또 하나의 이유는 정신분석자는 초연하게 거리를 두어야 한다는 강력한 정신분석의 전통 때문이다. 그 전통은 프로이트 자신보다도 프로이트의 후계자들에 의해 만들어진 것 같다. 이와 같은 전통 안에서는 환자들이 치료자를 향해 가지는 사랑의 느낌은 일반적으로 '전이'라 하고, 치료자가 환자들에 대해서 가지는 사랑의 느낌은 '역전이'라고 하는데, 이것을 해결의 실마리를 제공한다고 보기보다는, 문제의 일부가 되므로 피해야만 한다고 주장한다. 앞에 설명한 전이가 부적당한 느낌, 인식, 반응이라고 불려지고 있는 것이다. 환자가 치료자를 사랑하게 되는 것은 잘못이 아니다. 치료자는 환자의 이야기를 무비판적으로 계속해서 진정으로 들어주고, 환자들이 이전에는 경험해 보지 못한 수용을 경험케 해주며 그들을 이용하는 것이 아니라 고통을 덜어 주고자 노력한다. 그러므로 환자가 이런 치료자를 사랑하는 것은 하나도 어색한 일이 아니다. 사실 전이의 본질은 많은 경우 환자가 치료자와 사랑하는 관계를 발전시키는 데 있는 것이 아니라, 환자를 치료하기 위해 성공적인 사랑 관계를 체험하도록 도와주는 것에 지나지 않는다. 마찬가지로 치료자가 환자에게 사랑의 감정을 갖게 되는 것도 이상할 것이 없다. 환자가 정신치료의 훈련을 받기로 결정하고 치료에 협조하며 치료자로부터 배울 의욕을 갖는 등 이런 둘의 관계를 통해서 환자가 성공적으로 성장하기 시작하는데, 치료자가 사랑의 느낌을 갖게 되는 것이 부당할 것이 무엇인가?

정신치료는 어떤 의미에서 부모 역할을 대신하는 것이다. 정신치료자가 환자에게 사랑의 느낌을 가지는 것은 좋은 부모가 아이에게 가지는 사랑의 느낌과 조금도 다를 바가 없다. 오히려 치료자가 치료를 성공적으로 하려면 환자를 사랑하는 것이 필수적이다. 치료자가 환자에게 보여 주는 순수한 배려가 동시에 환자에게 사랑의 감정을 일으키게 되는 것은 불가피한 일이다. 대부분 정신적인 병은 사랑의 결핍이나 사랑의 결함으로 인해 생기는 것이다. 예컨대 어떤 아이가 부모로부터 정신적 성장을 위해 꼭 필요한 사랑을 받지 못하면 자폐증과 같은 이상행동을 보이게 되는 것이다. 그러므로 환자가 정신치료를 통해서 치료가 되기 위해서는 환자가 받지 못했던 순수한 사랑의 최소한 일부만이라도 정신치료자로부터 받아야만 하는 것이다. 만약 치료자가 환자를 순수하게 사랑할 수 없다면 순수한 치료가 생겨나지 않을 것이다. 아무리 경력이 훌륭하고 숙련된 치료자일지라도 사랑을 통해서 환자에게 자신을 확대할 수 없다면 어떠한 치료도 성공할 수 없을 것이다. 반대로 화려한 경력도 없고 훈련도 충분히 못 받은 평범한 치료자일지라도 사랑할 줄 아는 능력이 있다면 아주 유명한 치료자와 똑같은 성과를 거둘 것이다.

사랑과 섹스는 밀접하게 상호 연관되어 있으므로 치료자와 환자와의 성적 관계에 대해 언급해 보기로 하자. 이 문제는 현재 상당히 주목을 받고 있는 문제이다. 정신치료에 있어서 사랑하는 관계가 필연적이므로 환자와 치료자들이 서로 성적인 매력을 강하게 느낄 수 있다. 그러한 감정을 성적으로 성취해 버리고 싶은 욕구가 거세게 일어날 수도 있다.

어떤 정신치료자들은 환자와 성적인 관계를 가진 치료자를 비난하기도 한다. 그러나 내가 보기에 그런 비난을 하는 사람들이야말로 오히려 환자를 진정으로 사랑하지 않는 치료자이며 성적인 욕구에 대한 이해가 얕아서 그럴 것이라 여겨진다. 더욱 깊이 생각해서 환자의 정신적인 성장이 성적 관계를 가짐으로써 진전된다는 결론에 이른다면, 나는 서슴지 않고 그런 관계들을 가질 것이다. 그러나 15년간 정신치료를 해 오면서 그런 경험을 해 본 적은 없다. 그리고 그런 경우는 생기기도 어렵다고 생각된다.

왜냐하면 첫째로, 좋은 치료자의 역할은 우선 좋은 부모의 역할인데 좋은 부모들은 자녀들과 성적 관계를 갖지 않는다. 부모가 해야 하는 것은 아이들을 돕는 것이지, 자신의 만족을 위해 아이를 이용하는 것이 아니다. 마찬가지로 치료자는 환자를 돕는 것이지, 치료자 자신의 요구에 봉사하도록 환자를 이용하는 것이 아니다. 부모의 직책은 아이를 독립할 수 있도록 도와주는 것이며, 치료자와 환자의 경우도 똑같다. 환자와 성적인 관계를 가지는 것이 치료자가 자기 자신의 욕구를 만족시키기 위해 환자를 이용한 것이 아니라, 환자의 독립성을 격려해 주는 것이라고 어떻게 말할 수 있겠는가.

많은 환자들이, 특히 아주 매력적으로 보이는 대부분의 환자들이 부모에게 성적인 집착을 갖고 있다. 이것은 분명히 그들의 자유와 성장을 저해한다. 마찬가지로 치료자와 환자간의 성적 관계는 그들을 자유롭게 풀어놓아 주기보다는 환자의 미숙한 집착을 더 굳게 해주는 것 같다.

관계가 성적으로 발전되지 않았을지라도 치료자가 환자와 '사랑에 빠지는' 것은 해롭다. 왜냐하면 우리가 이미 본 것처럼 사랑에 빠지면 자아 경계가 무너지며, 개인들 간에 존재해야 할 정상적인 독립심을 무너뜨리기 때문이다.

환자와 사랑에 빠지는 치료자는 환자가 필요로 하는 것에 대해서 객관적일 수가 없으며, 그들의 요구를 치료자 자신의 요구로부터 분리할 수가 없게 된다. 치료자들은 환자들에 대한 순수한 사랑 때문에라도 스스로 환자들과 사랑에 빠지지 않도록 주의해야 한다. 진정한 사랑은 사랑하는 사람을 독립된 개체로 존경해야 하므로 진정한 사랑을 하는 치료자는 자기 환자의 인생은 자신과는 분리되어 있으며, 또 분리되어야 한다는 것을 정확히 알고 있다. 이러한 입장을 존중하는 내가 지나치게 엄격하게 보일지도 모르겠다. 내 경험으로는, 환자였던 사람과 치료 이후에 사교적인 만남을 가진 것이 그에게는 결정적인 손실을 주었다. 물론 환자였던 사람들과의 사회관계들이 그들에게뿐만 아니라 나 자신에게도 분명히 유익한 경우도 있었다. 다행스럽게도 나는 친한 친구 몇몇도 성공적으로 정신분석해 낼 수 있었다. 어쨌든 환자와 상담시간 외의 시간에 사교 관계를 갖는 것은 '치료자와 환자' 라는 관계가 공식적으로 종결된 후라 할지라도 언제든지 경계 태세를 늦추어서는 안 된다. 그리하여 치료자의 욕구를 채우느라 환자의 욕구에 손상이 생긴 것은 아닌지 세밀하게 살피면서 조심스럽게 사교 관계를 이끌어 나가야 한다.

정신치료가 진정한 사랑의 과정이어야만 한다는(성공적이려면 반드시 그래야 된다는) 사실이 전통적인 정신 의학계에서는 이단적인 견해로 취급된다. 같은 동전의 다른 이면이라 할 수 있는 다음의 견해—정신치료가 진정하게 사랑하는 것이라면 사랑은 정신치료처럼 해야 한다—도 이단일 것이다. 우리가 배우자를 순수하게 사랑하고, 부모를, 아이들을, 친구들을 진정으로 사랑한다면, 또 우리가 우리 자신들을 확대시켜 그들의 성장을 위해 도움이 되도록 한다면 우리가 그들과 더불어 정신치료를 하고 있다는 것인가?

내 대답은 "그렇다."이다.

때때로 칵테일 파티에서 어떤 사람이 내게 말한다.

"펙 선생님, 선생님은 직업적인 생활과 사적인 생활을 분간치 못하고 계신 것이 분명합니다. 도대체 누가 돌아다니면서 자기 가족과 친구들을 분석하고 다니겠습니까. 안 그래요?"

이런 질문은 어리석은 것이다. 그들은 무심히 이렇게 내뱉을 뿐, 그 질문의 답에 흥미도 없으며, 제대로 이해하지도 못할 것이다. 그러나 그런 상황은 내게 정신치료를 가르치고 보여 줄 수 있는 기회를 준다. 거기에서 나는 왜 내가 직업적인 생활과 개인적인 생활을 분리시키려고 하지 않는지 설명할 수 있다. 만약에 내 아내나, 내 아이들이나, 내 부모나, 내 친구들이 어떤 환상, 허위, 무지, 불필요한 장애로 고통받고 있다고 인식한다면 내게 돈을 지불하는 환자들에게 하는 것과 마찬가지로 나 자신을 그들에게 확대하여 가능한 한 그런 상황을 고쳐 주어야 한다는 의무를 가지는 것은 당연하다. 내 가족과 친구들이 돈을 지불하고 나의 정신치료를 받지 않았다고 해서 나는 그들의 심리적인 욕구를 살피면서 내 지혜와 사랑을 베풀지 말아야 된다는 것인가? 그렇지는 않다. 내가 쓸 수 있는 어떠한 지혜를 모두 동원해서라도 내 힘이 닿는 한에서 내가 사랑하는 사람들에게 내가 아는 것을 가르쳐 주고 무엇이든 내가 줄 수 있는 것을 주어, 정신적인 성장과 인생의 항로에 도움이 되도록 시도할 좋은 기회를 취하지 않는다면 내가 어떻게 좋은 친구, 좋은 아버지, 남편 혹은 아들이 될 수 있겠는가? 더욱이 나는 내 친구들과 내 가족들에게 그들이 할 수 있는 범위 내에서 나에게도 이러한 지혜와 사랑을 베풀기를 기대한다. 그들의 비판이 때로는 빗나가고, 가르침이 성인들처럼 사려 깊지 못할지라도 나는 아이들로부터 많은 것을 배우고 있는 것이다. 내 아내도 내가 그녀를 지도하는 만큼 나를 지도해 주고 있다. 친구들이 만약 나의 앞날에 대하여 사랑어린 관심으로 정직하게 대해 주지 않는다면 내 친구들을 친구라고 부르지 않을 것이다. 그들의 도움이 없는 것보다는 있는 편이 내 성장에 훨씬 도움이 되지 않겠는가?

진정으로 사랑하는 관계는 어떤 관계이더라도 그 관계는 상호간의 정신치료적 관계다. 물론 내가 항상 이런 가치관에 따라 살아온 건 아니다. 한동안 나는 아내의 비판보다도 아내의 칭찬을 더 좋아했다. 그녀의 힘을 길러 주려고 노력하기보다는 의존성을 길러 주려고 했다. 남편과 아버지로서의 내 이미지는 공급자 그 자체였다. 내 책임은 집에 돈을 벌어 주는 것이 끝이었다. 내가 원하는 집이란 편안한 장소이지 도전의 장소는 아니었다. 그때라면 나는 정신치료자가 그의 기법을 자기 친구들과 가족에게 베푸는 것은 위험하고 비윤리적이며 파괴적이라는 주장에 동의했을 것이다. 그렇게 동의했던 데에는 내 직업을 오용하게 될지도 모른다는 두려움과 더불어 나의 게으름도 큰 동기로 작용했을 것이다. 정신치료와 사랑은 똑같다. 하루에 여덟 시간 일하는 것이 열여섯 시간 일하는 것보다 더 쉽다. 나의 지혜를 구하며, 그것을 얻으려고 다가와, 돈을 지불하는 사람을 50분이란 한정된 시간 동안만 사랑하는 것은 내가 베푸는 것을 당연하게 여기며, 나의 권위를 인정하지도 않으면서 끊임없이 요구만 해대며, 가르침을 요구하지도 않는 사람을 사랑하는 것보다 훨씬 쉬운 일이다. 가족이나 친구들에게 상담을 하는 것은 진료실에서와 똑같은 정도의 치밀한 노력과 자기 훈련이 요구되지만, 조건은 더욱 나쁘다. 다시 말해서 가족이나 친구들은 더 많은 노력과 사랑을 요구한다. 물론 그렇다고 해서 나는, 다른 치료자들이 이 말을 배우자와 자녀를 지금 당장 정신치료하라고 권하는 말로 듣지는 않기를 바란다.

한 사람이 정신적 성장의 여로에 있다면 그 사람의 사랑할 능력은 점점 자라고 있는 것이다. 그러나 그것은 항상 제한되어 있으므로, 능력 이상으로 정신치료를 감행해서는 안 된다. 사랑이 없는 정신치료는 실패하기 쉽고, 해롭기까지 한 것이다. 당신이 하루에 여섯 시간 사랑할 수 있다면 당장은 그것으로 만족하라. 당신의 역량이 이미 대개의 사람들보다 더 크기 때문이다. 정신적 성장으로 가는 길은 아직도 멀기만 하며, 당신의 능력이 성장하기 위해서는 충분한 시간이 필요하기 때문이다. 친구들이나 가족과 정신치료를 실행하는 것, 서로서로 모든 시간을 기울여 사랑하는 것은 우리의 이상이며 성취해야 할 목표이지만 즉각적으로 성취될 일이 아닌 것이다.

이미 지적한 바 있지만 우리네 보통사람들도 순수한 사랑만 할 수 있다면, 전문적인 훈련을 받지 않았다 할지라도 정신치료에 성공할 수 있다. 그러므로 내가 자신의 가족과 친구에게 정신치료를 전개해야 한다고 한 말은 전문적인 치료자들만을 대상으로 할 것이 아니다.

때로 환자들이 나에게 언제 그들의 치료가 종결될 것이냐고 묻는데, 나는 "당신 자신이 좋은 치료자가 될 수 있을 때"라고 대답해 준다. 이 대답은 가끔 집단요법에서 가장 유용하다. 거기에서는 환자들이 서로서로 정신치료를 시행하고 있고 또 성공하는 경우도 많다. 그러나 많은 환자들은 이런 관계에서 성공적으로 정신치료를 해내지 못한다는 지적은 매우 싫어하며, 심지어 이렇게 말하기도 한다.

"그건 큰 일이에요. 그걸 하는 것은 내가 사람들과 가지는 관계에 있어서 항상 생각을 해야 할 것을 의미하는 것이니까요. 나는 그렇게 깊이 생각하기를 원치 않아요. 나는 그렇게 열심히 일하고 싶지도 않아요. 나는 그저 자신을 즐기고 싶답니다."

환자들은 내가 가끔 그들에게 모든 인간의 상호교제는 배우거나 가르치는 좋은 기회이므로 이를 통해 배우지도 가르치지도 않는 것은 그들이 좋은 기회를 지나치고 마는 것이라고 말해 주면 그들은 다음과 같은 대답을 한다. 대개의 사람들은 그러한 높은 목적을 성취하거나 삶을 그렇게 열심히 일하면서 살기를 원치 않는다고 말이다. 그렇다. 이런 대답은 납득할 만한 이유가 있다. 즉 대다수의 환자들은 매우 숙련되고 사랑할 줄 아는 치료자들에게 상담을 받고 있음에도 불구하고 그들의 능력을 완전히 성취하기에는 아주 모자라는 상태로 치료가 종결된다. 그들은 정신적 성장이라는 길을 따라 짧게 또는 상당한 거리까지 여행을 한 셈이지만, 여행을 완수하지는 못했다. 그것은 너무나 어렵다. 적어도 그들에게는 그렇게 보일 것이다. 그들은 보통사람으로 만족할 뿐 신처럼 사랑을 넓은 세상에 펼쳐 보이려고는 하지 않는 것이다.

사랑의 신비

사랑의 신비라는 문제는 앞에서 이미 논의한 바 있다. 즉 사랑이란 신비한 주제지만, 지금까지 그 신비에 대해 알려진 바는 거의 없다는 것이다. 지금까지는 사랑의 신비에 관해 질문하고 나름대로 대답을 찾고자 했다. 그러나 쉽게 답할 수 없는 이유들이 여기에 있다.

그런 질문들은 지금까지 논의되었던 구체적 자료에서 제기된 것이 아니라 논리적으로 유추 · 제기된다. 예를 들어 자기 훈련이 사랑을 토대로 해서 발달한다는 사실은 분명하다. 그러나 사랑은 어디서 오는 것이냐 하는 것은 여전히 풀어야 할 과제로 남는다.

한편, 사랑의 결핍이 정신병의 주요 원인이 된다는 것과, 사랑의 실재가 결과적으로 정신치료에 있어서 기초적인 치료 요소가 되고 있다는 것은 암암리에 인정되고 있는 사실이다. 그렇다면 왜 어떤 사람들은 사랑이 없는 환경에서 태어나고 자랐으며 끊임없이 내버림 당하고 매를 맞았는데도 정신치료의 도움 없이 성숙하고 건강하며 경우에 따라서는 성자와도 같은 사람들이 될 수 있었나? 반대로 어떤 환자들은 분명히 다른 사람들보다 더 병이 심한 것도 아니고,

가장 유능하고 애정 넘치는 치료자한테서 정신치료를 받았음에도 불구하고 정신적 성장을 이루지 못하는 것은 어떤 이유일까?

이런 질문들에 대한 대답은 은총에 관해 다룰 마지막 장에서 취급하려고 한다. 그리고 이에 대한 설명은 나 자신을 포함해서 어떤 사람도 완전히 만족시키지는 못할 것이다. 그러나 내가 미흡하나마 대답해 보려는 것은 독자들에게 조금이나마 도움이 되기를 바라기 때문이다.

사랑에 대한 논의에서 의도적으로 생략하거나 얼렁뚱땅 넘겨버린 문제들도 있다. 내가 사랑하는 사람이 처음으로 내 앞에 알몸으로 서서 모든 것을 눈앞에 드러냈을 때 내 전신으로 전해져 온 느낌, 그것은 경외였다. 왜 그랬을까? 만약 성이 본능 이상의 그 무엇도 아니라면 왜 나는 '성욕'과 '굶주림'만을 느끼지 않았을까? 그러한 단순한 굶주림만으로도 인류의 번식을 충분히 보장하고도 남음이 있었을 것이다. 왜 경외하는 느낌이 있었을까? 왜 성이 경외스런 느낌과 복잡하게 엇갈려 있을까? 또한 무엇이 아름다움을 결정하는 것일까?

나는 순수한 사랑의 상대는 사람이어야만 된다고 얘기했는데, 그 이유는 사람들만이 성장을 가능하게 하는 정신을 가지고 있기 때문이다. 그러면 유명한 목공이 완벽하리만치 아름답게 만든 공예품에 대해선 어떠한가? 혹은 중세기 마돈나의 아름다운 조각들은 어떠한가? 고대 그리스의 델피에 있는 가마를 탄 동상들은? 이런 무생물체들도 이 작품을 만든 예술가들의 사랑을 받고 있지 않은가? 이 예술품의 아름다움이 창조자의 사랑과 어떠한 관계가 있는 것은 아닐까? 자연의 미에 대해서는 어떠한가. 때때로 우리가 '창조' 라고 이름짓는 그 자연은? 왜 우리는 아름다움을 느끼거나 기쁨을 느낄 때 눈물을 흘리는 등 이상하고 이치에 안 맞는 반응을 하게 되는가? 어떤 음악은 악기로 연주되거나 노래로 불려질 때 그다지도 우리를 감동시킬 수 있을까? 여섯 살 난 내 아들이 병원에서 편도선 수술을 받고 집에 돌아온 첫날 밤, 내가 피곤해서 마루에 누워 있을 때 아들이 옆으로 와서 내 잔등을 살살 문질러 주기 시작했다. 그때 왜 나는 눈이 젖어 오는 것을 느꼈을까?

아직 논의되지도 않았으며 가장 이해하기 어려운 차원의 사랑이 분명히 존재한다. 이런 질문들은 사회 생물학에 의해 답을 얻을 수 있으리라고 생각하지 않는다. 심리학적인 지식을 가지면 조금은 도움이 될지도 모르겠다. 그러나 아주 조금밖에 도움이 못 될 것이다. 신비주의자들이나 종교적인 심성을 가진 사람들은 그런 것들을 가장 많이 이해할 것이다. 이런 문제들에 대해 어렴풋이나마 통찰력을 얻고자 한다면 우리는 이들과 종교적인 문제에 관심을 가져야 할 것이다. 그래서 나는 이 책의 나머지 부분에서 종교의 다양한 측면들을 다뤄 보려고 한다.

다음 장에서는 아주 제한된 방식이지만 종교와 성장 과정과의 관련성에 대해서 논의할 것이다. 마지막 장에서는 은총에 초점을 두고 성장 과정에 있어서 은총이 어떤 역할을 하는가를 취급할 것이다. 은총의 개념이 종교에 있어서는 상당히 익숙해져 있는 개념이지만, 심리학을 포함한 과학과는 아주 이질적인 것이다. 어쨌든 나는 은총이라는 현상을 이해하는 것이 인간 존재들의 성장 과정을 완전히 이해하는 데 근본적인 도움이 되리라 믿는다. 바라건대 다음에 계속되는 논의가 다소나마 종교와 심리학자 사이에 커져가는 간격을 좁히는 데 이바지하게 되기를 간절히 기원한다.

아직도 가야 할 길

The Road Less Travelled

셋_ 성장과 종교

세계관과 종교

사람들은 훈련, 사랑, 생활의 경험을 통해서 성장함에 따라 세계와 그 세계 안에서의 자신의 위치에 대한 이해도 성장하게 된다. 반대로 사람들이 훈련과 사랑과 생활의 경험을 통해 제대로 성장하지 못한다면 그들의 이해심도 성장하지 못한다. 그 결과 사람들마다 인생이 도대체 어떤 것인가에 대하여 이해의 폭과 그 세련됨에 있어서 놀라울 정도로 다양한 편차가 생겨나게 되었다.

이러한 이해가 곧 우리의 종교이다. 비록 부정확하고 제한된 것이라 할지라도 인간이라면 누구나 어느 정도의 삶에 대한 이해(세계관)를 가지고 있으므로 누구나 종교를 가지고 있다 말할 수 있을 것이다. 이 사실은 널리 인식되지는 않았지만 가장 중요한 사실이다.

우리는 종교를 너무 편협하게 정의하기 때문에 고통을 받고 있다. 즉 우리는 종교란 반드시 신을 섬겨야 하며 어떤 의식이나 예배집단을 갖고 있어야만 한다고 믿고 있다. 교회를 다니지 않거나 초월적 존재에 대한 믿음을 갖지 않은 사람에 대해서는 종교적이 아니라고 말하기 쉽다. 나는 학자들이 이런 말을 하는 것도 들어왔다.

"불교는 진정한 종교가 아니다." 라든가 "신비주의는 종교라기보다는 철학이다." 등등. 우리는 종교를 커다란 원목에서 잘라낸 한 조각처럼 일률적으로 보려고 한다. 이런 단순한 개념 때문에, 성향이 전혀 다른 두 사람이 모두 자기가 기독교인이라고 말할 때 우리는 당혹스러움을 느낀다. 또 때로는 정규적으로 미사에 참여하는 가톨릭 신자보다 무신론자나 유태교도들이 기독교 윤리에 더 철저할 수도 있음에 혼란스러울 수도 있다. 다른 정신치료자들을 참관하면서 내가 자주 발견하게 되는 것은 환자들이 어떤 식으로 세상을 보는가에 대해 치료자들이 별로 관심을 두지 않는다는 사실이다. 이에 대한 몇 가지 이유 중 한 가지는 만약에 환자들이 자기는 신의 존재를 믿지 않기 때문에 종교적이 아니라고 스스로를 생각한다면, 그들은 종교를 가지고 있지 않은 것과 같으므로 그 문제는 더 이상 정밀한 조사를 할 필요가 없다고 생각하는 것이다. 그러나 사실 모든 사람은 세계의 본질적 성질에 대해 드러나건 드러나지 않건간에 일련의 관념과 믿음을 가지고 있다.

세계는 근본적으로 혼돈스럽고 무의미한 것이라고 생각하는 환자는 즐길 수 있는 것이라면 아무리 사소한 것이라도 그때 그때 즐기는 것이 현명하다고 느낀다. 또 세계란 비정하게 먹고 먹히는 곳이라 믿는 환자는 세계 속에서 생존하기 위해서는 자신도 무자비한 사람이 되어야 한다고 믿을지도 모른다. 혹은 세계란 근본적으로 선한 것이며 따라서 그곳은 좋은 것만 생겨나므로 장래에 대해 불안해 할 필요가 없다고 느끼는 사람도 있다. 또한 자신의 삶을 어떻게 이끌던지 세상은 살아지게 마련이라고 생각하는 사람도 있다.

또 어떤 사람은 세상은 견고한 도덕이 지배하는 우주이기 때문에 조금이라도 나쁜 짓을 하게 되면 얻어맞고 쫓겨나는 곳이라고 생각한다. 사람들이 가지고 있는 세계관은 모두 다른 방식들로 이루어져 있다. 조만간에 정신치료를 하는 과정에서 대개의 치료자들은 환자가 어떻게 세계를 보고 있는지를 인식하게 될 것이고, 만약에 치료자가 찾아보려고만 한다면 보다 일찍 인식할 수도 있을 것이다. 환자의 세계관은 항상 그들의 문제에 근본적인 부분을 차지하고 있으므로, 그들의 세계관부터 교정을 하는 것이 치료에 절대적으로 필요하다는 것은 치료자의 기본적 지식이다. 그래서 나는 내 책임 아래 있는 치료자들에게 "당신네 환자들의 종교를 찾아내 보시오. 그들은 종교가 없다고 하더라도 찾아내야 합니다."라고 충고한다.

보통 한 사람의 종교나 세계관은 불완전하게 의식되고 있을 뿐이다. 환자들은 흔히 자신이 세계를 어떻게 보고 있는지를 인식하지 못하며, 때로는 그들이 실제로는 다른 종류의 신앙에 사로잡혀 있으면서도 자기는 그와는 다른 어떤 종교를 갖고 있다고 생각하기도 한다.

매우 성공한 기술자인 스튜어트라는 사람은 오십대 중반에 심한 우울증에 빠지게 되었다. 일에 성공하고 모범적인 남편이고 아버지임에도 불구하고 그는 자신을 무가치하고 악한 사람이라고 느꼈다. "내가 죽으면 세상은 더 좋은 곳이 될 것이다."라고 그는 이야기했다. 그래서 그는 두 번이나 자살을 기도했다. 어떠한 현실적인 설득과 노력도 자신이 쓸모없는 인간이라는 생각을 고쳐 줄 수가 없었다. 불면증이나 불안과 같은 심각한 우울증 증세와 더불어 그는 음식을 삼키는 데 큰 어려움을 겪고 있었다.

"음식이 맛이 없기 때문만은 아닙니다." 그는 말했다.

"목구멍에 칼날이 똑바로 꽂혀 있는 것 같아요. 그래서 국물 이외의 것은 삼킬 수 없답니다."

특별한 X-레이 검사도 그의 이런 증세에 대한 원인을 찾아내지 못했다. 그런데 그는 종교에 대해 대수롭지 않게 여기며 이렇게 말했다. "나는 무신론자이며 평범하고 단순한 사람입니다. 나는 신학자가 아닙니다. 내가 믿는 것은 단지 볼 수 있고 만질 수 있는 것들뿐입니다. 내가 달콤한 사랑을 내리시는 하느님에 대해 어떤 신앙을 가졌더라면 지금보다 더 행복했을지 모르겠지만, 솔직히 말해서 난 그런 놀음에는 속이 뒤집힌답니다. 나는 어렸을 때 그런 것을 충분히 가졌었지만 이제 그런 것에서 떠나 멀리하게 된 것이 얼마나 다행인지 모르겠습니다."

스튜어트는 중서부의 아주 작은 마을에서 태어나 완고한 근본주의파 목사와 똑같이 완고한 근본주의파 부인의 아들로 자랐다. 그러나 어떤 기회가 생겨 그는 집과 교회를 한꺼번에 떠나 버렸다.

치료를 시작한 지 수개월이 지나서 그는 다음과 같은 간단한 꿈을 다시금 헤아려 보며 이야기했다.

"배경은 내가 어렸을 때 살던 미네소타 집이었습니다. 나는 아직도 거기서 어린애처럼 살고 있는 것 같았어요. 그런데도 나는 지금 내 나이와 똑같다는 느낌도 들었어요. 밤중이 되었는데 한 남자가 집으로 들어왔습니다. 그 사람이 우리 목을 자르려고 하는 것이었어요. 나는 그 남자를 본 적이 없는데 이상하게도 나는 그가 누구인지를 알고 있었답니다. 내가 고등학교 다닐 때 데이트를 했던 여자친구의 아버지였어요. 그것이 전부에요. 결말도 없고요. 나는 그 남자가 우리 목을 자르려 한다는 것을 알고 두려움에 놀라 잠에서 깨어난 거죠."

나는 스튜어트에게 그의 꿈 속에 나타났던 그 남자에 대해서 아는 모든 것을 내게 이야기해 보라고 했다.

"사실 아무 것도 더 이야기할 수 있는 게 없답니다."라고 그는 말했다. "나는 그 사람을 전혀 만난 적이 없습니다. 나는 그 사람 딸과 단지 두어번 데이트했을 뿐입니다. 데이트래 봐야 고작 교회의 청소년부가 끝난 다음에 그녀의 집까지 같이 걸어가 준 것뿐이랍니다. 걸어가면서 어떤 숲 뒤의 캄캄한 데서 살짝 그녀에게 키스를 한 적이 한 번 있을 뿐입니다."

여기서 스튜어트는 좀 어색한 웃음을 지으면서 계속했다.

"나는 그녀의 아버지를 전혀 만난 적이 없었는데도 어쩐지 그가 누구인지를 알아볼 수 있을 것 같았어요. 그는 우리 마을 기차 정거장의 역장이었습니다. 가끔 내가 정거장에 나가서 여름날 저녁에 기차가 들어오는 것을 보곤 했을 때 그를 만났던 적이 있었겠지요."

내 마음에 무엇인가 떠오르는 것이 있었다. 나도 어렸을 때 노곤한 여름 저녁이면 기차가 지나가는 것을 바라보며 지낸 적이 있었다. 기차 정거장은 활동이 있는 곳이었다. 그리고 정거장의 역장은 모든 활동의 지휘자였다. 그는 큰 기차들이 어디로부터 와서 우리의 작은 마을에 닿는지를 알고 있었고 또 기차들이 어디를 향해 달려가는지도 알고 있었다. 그는 어떤 기차들이 정거하고 어떤 기차들이 소리내며 땅을 뒤흔들고 지나가는지를 알고 있었다. 그는 스위치를 올렸다 내렸다 하면서 신호를 주었다. 그는 우편물을 받기도 하고 보내기도 했다. 그리고 이런 좋은 일들을 하지 않을 때는 사무실에 앉아서 더 좋은 일들을 하고 있었다. 조그마한 열쇠를 가지고 신비로운 리듬의 언어를 두드리면서 전 세계로 통신을 보내고 있었다.

"스튜어트," 나는 말했다. "당신은 무신론자라고 말했지요. 나는 당신 말을 믿고 있습니다. 당신의 마음 한편에는 하느님이 존재하지 않는다고 믿고 있는 것입니다. 그렇지만 내가 의심되는 것은 당신 마음의 다른 한편에서는 하느님을 믿고 있다는 것입니다. 위험스러운 하느님, 목을 베는 하느님을 말이죠."

내 의심은 옳은 것이었다. 우리가 함께 상담하는 과정에서 스튜어트는 때로는 주저하고 저항하려고 애썼지만, 점차 그 자신 안에 이상하고 얄궂은 신앙이 존재한다는 것을 인식하기 시작했다. 그는 무신론을 뛰어넘어 어떤 가상, 즉 세계가 악의 힘에 의해서 조정되고 방향지워지고 있다는 것, 그 힘이 그의 목을 벨 수 있을 뿐 아니라 그를 범죄자로서 처벌하려 하고 있다는 가상을 믿고 있는 것이었다. 우리는 또한 서서히 그의 '범죄'에 중점을 두기 시작했다. 그것은 사소한 성적 사건으로, 기차 정거장 역장의 딸에게 '몰래 키스한 것'으로 상징되고 있는 작은 일이었다. 결국은 모든 것이 명백해졌는데(그의 우울증에 대한 다른 이유들과 마찬가지로) 스튜어트의 소위 '목 베는 꿈'은 그가 속죄를 하고 있는 것이었다. 상징적으로 스튜어트는 그 자신의 목을 베는 것이었고, 그렇게 함으로써 하느님이 문자 그대로 목을 벨 것을 방지할 수도 있을 것이라는 희망에서 그렇게 하는 것이었다.

사악한 신과 악한 세계에 대한 스튜어트의 관념은 어디서 온 것일까? 어떻게 사람들의 종교가 발달하는 것일까? 무엇이 인간의 특수한 세계관을 결정해 주는 것일까? 여기에는 복잡한 결정 요인들이 뒤섞여 있다. 그러나 나는 그 문제들을 상세히 다루지는 않을 것이다. 많은 사람들의 종교성 발달에 있어서 가장 중요한 요인은 그들의 문화인 것이다. 우리가 만약 유럽 사람이라면 그리스도가 백인이라고 믿을 것이고, 아프리카 사람이라면 그리스도가 흑인이라고 믿을 것이다. 한 인도 사람이 베나레스나 봄베이에서 태어나 거기서 자랐다면 그는 힌두교인이 되기 쉬울 것이고, 힌두교가 가진 비관적인 세계관을 갖게 될 것이다. 만약 미국에서 태어나 인디애나에서 자란 사람이라면, 힌두교도보다 기독교도가 되기 쉬우며, 그리하여 그는 힌두교도보다는 다소 낙관적인 세계관을 지니게 될 것이다. 우리는 주변에 있는 사람들이 믿는 것을 따라서 믿는 경향이 있으며, 어린 시절에 자아형성 과정에서 세계의 본질에 대해 들은 것을 그대로 진리로 받아들이게 된다.

그러나 우리의 문화 가운데 가장 중요한 부분은 바로 가족이라는 사실을—정신치료자를 제외하고는—잘 모른다. 우리의 성장 발달에 가장 기본이 되는 문화는 가족 문화이고, 우리의 부모는 그 '문화의 지도자들' 인 것이다. 더욱이 가족 문화의 영향 가운데 가장 중요한 것은 부모가 말해 준 신과 사물의 본질이 아니라, 부모가 행동으로 보여 주는 세계다. 즉 그들이 서로에게, 또는 가족들에게, 가장 기본적으로는 자신에게 어떻게 행동하는가 하는 것이다. 달리 말해 보면, 우리가 자라면서 세계의 본질에 대해서 배우게 되는 것은 가족이라는 작은 우주에서 실제로 경험하는 것으로 결정된다는 것이다. 우리의 부모들이 이야기하는 것으로 세계관이 결정된다기보다는 오히려 그들의 행동으로 창조해 내는 특수한 세계가 바로 그것을 결정해 준다.

"내가 목을 베는 하느님에 대한 개념을 가졌다는 것을 인정합니다." 스튜어트는 말했다. "그런데 그것이 도대체 어디서 온 것일까요? 우리 부모는 진심으로 하느님을 믿으며, 그에 대해 얘기하셨지요. 그 하느님은 사랑의 하느님이었어요. 예수님은 우리를 사랑하고 하느님도 우리를 사랑하며, 우리는 하느님과 예수님을 사랑하고……. 사랑, 사랑, 사랑, 이것이 내가 들은 소리의 전부예요."

"당신은 행복한 어린 시절을 보냈습니까?" 나는 물었다.

스튜어트는 나를 물끄러미 쳐다보았다.

"어처구니없는 소리는 좀 그만 두세요." 그는 말했다. "내가 행복하지 않았다는 것을 다 아시면서……. 아시다시피 나는 비참했어요."

"왜 비참했었지요?"

"그것도 잘 아시면서, 선생님은 내 어린 시절이 어떠했었는지 잘 아시지 않습니까. 난 죽도록 매를 맞았답니다. 혁대, 나뭇가지, 빗자루, 솔, 무엇이든 손에 잡히는 것으로 나를 때렸지요. 내가 하는 일은 무엇이든지 매맞을 이유가 있었어요. '하루에 매 한 대가 의사를 안 불러도 되게 한다'는 것, 모르세요? 또 그것이 선량한 크리스찬을 만들어 낸다는 것도 아시죠?"

"그들이 당신 목을 조르려 했다거나 목을 베려 한 적은 없었습니까?"

"아뇨, 그렇지만 내가 주의하지 않았더라면 분명히 그렇게 했을 겁니다."

그리고는 오랫동안 침묵을 지켰다. 스튜어트의 얼굴은 매우 침울하게 되었다. 끝으로 무거운 소리로 그는 말했다. "이제 이해가 가기 시작하는군요."

스튜어트처럼 소위 '괴물 하느님'을 믿는 사람은 훨씬 더 많다. 나는 이와 비슷하게 신이란 무자비하다는 관념을 지닌 환자들을 많이 보아왔다. 이 책의 첫 부분에서, 우리가 어렸을 때는 부모들이 신이고, 그들이 어떤 방법으로 일을 하는가 하는 것은 곧 그렇게 해야만 하는 당위의 사실로서 인식하게 된다고 말했다. 하느님의 성격에 관한 우리의 첫째 견해는 바로 우리의 부모의 성격을 투사한 것이며 또는 부모들의 성격을 혼합한 것에 지나지 않는다. 우리 부모가 사랑하고 용서하는 사람들이면, 우리는 사랑하고 용서하는 하느님을 믿게 되기가 쉽다. 우리의 부모들이 혹독하게 처벌하는 사람들이면, 우리는 그와 마찬가지로 괴물 같은 하느님에 대한 개념을 가지고 성장하기 쉽다. 그리고 만약에 부모들이 우리를 잘 돌보아 주지 않는다면, 세상도 우리를 돌보아 주지 않는다고 생각하게 된다.

우리의 종교관이나 세계관이 대부분 우리의 특수한 어린 시절의 경험에 의해서 결정된다는 사실이 우리로 하여금 문제의 핵심을 바로 볼 수 있게 해준다. 다시 말해서 종교와 현실 사이의 관계가 무엇인가 하는 것이 문제다. 이것은 곧 소우주의 문제요, 또 대우주의 문제이다. 정말 주의하지 않으면 그의 목이 잘려나갈 정도로 위험한 곳이라는 스튜어트의 세계관은 그의 어린 시절 가정이라는 작은 우주에서 볼 때에는 완전히 현실적인 것이다. 다시 말해서 그는 두 사람의 악한 어른들의 지배하에서 살았다. 그러나 모든 부모들이 악한 것은 아니고, 모든 어른들이 악한 것도 아니다. 더 큰 세계관으로 볼 때, 세상에는 많은 다른 종류의 부모들이 있고, 많은 다른 사람들, 사회들, 그리고 문화들이 있는 것이다.

현실적인 종교나 세계관을 발전시키려면, 다시 말해서 최대한 현실 세계와 그 안에서의 우리 자신의 역할에 부합되는 종교와 세계관을 발전시키려면, 우리는 계속해서 우리의 이해를 갱신하고 더 넓은 세계에 대한 새로운 지식을 얻기 위해 지속적으로 이해의 범위를 확대시켜야만 한다. 이것이 바로 지도 만들기와 전이의 문제

가끔 환자들의 어린 시절의 본질과 그에 따른 세계관은 그가 지닌 '최초의 기억'에서 파악해 낼 수 있다. 그래서 나는 가끔 환자들에게 이렇게 묻는다. "당신이 기억할 수 있는 제일 첫 번째의 것이 무엇인지 내게 얘기해 보시오." 그들은 그렇게 할 수 없다고 저항하면서 너무나 많은 어린 시절의 추억이 있다고 말한다. 그러나 내가 그 여러 기억들 중에서 하나를 택해서 얘기해 보라고 강요하면 그 대답은 가지각색인데, "내가 기억하기는 우리 어머니가 나를 안고 밖으로 데리고 나가서 아름다운 해지는 광경을 보여준 것을 기억합니다."로부터 시작해서, "내가 부엌 바닥에 앉아서 오줌을 싸서 바지가 젖었다고 어머니가 숟가락을 쳐들고 흔들며, 내게 소리소리 지르던 일을 기억합니다."라는 것까지 있다. 이런 첫 번째 기억들은 스크린에 나타나는 영상들처럼 빨리 스쳐갈 수 있다. 왜냐하면 그것이 바로 어린 시절의 본질을 상징하는 정확한 기억들이기 때문이다. 이런 최초의 기억들이 환자들의 가슴 깊이 숨어 있는 존재의 본질에 대한 생각과 똑같이 일치한다.

이다. 이에 대해서는 이 책의 제1부에서 상당히 깊게 논의한 바 있다. 스튜어트가 가지고 있는 현실에 관한 지도는 그의 가족이라는 소우주 속에서는 정확한 것이었다. 그러나 그는 어른의 세계에까지 그 지도를 전이시켰다. 그러나 성인의 세계에까지 전이된 지도는 부적절하며 결함투성이였던 것이다. 그런데 대부분 성인의 종교는 어느 정도는 어린 시절에서 전이된 산물이라 할 수 있다.

우리들은 대부분 자신의 능력보다 더 좁은 이해 범주 내에서 살아가므로, 개인을 둘러싼 특수한 문화, 부모, 어린 시절의 경험이 우리 이해의 범주에 미치는 영향을 피할 수 없다. 그러므로 인간 세계가 이렇게 혼란으로 가득 차 있다는 것은 놀라운 일이 아니다. 인간은 서로서로를 접촉해야만 할 상황에 놓여 있으면서도, 현실의 본질에 관해서 굉장히 다른 견해를 가지고 있으며, 그 견해가 각 개인이 이미 경험했던 작은 우주관에 기초를 두고 있기 때문에 개인마다 자신이 지닌 견해가 옳다고 믿으면서 살고 있다.

더욱이 대개 우리는 자신의 세계관을 충분히 깨닫지도 못하고 있을 뿐 아니라, 그것의 유래가 되는 자기 경험이 독특한 것임을 깨닫지 못하고 있다.

브라이언 웨지라고 하는 정신과 의사는 국제관계 분야의 전문가로서 미국과 소련과의 협상들에 대해서 연구했다. 그 결과 그는 인간 존재와 사회, 세계의 본질에 관한 소련인과 미국인들의 기본적인 가정들의 윤곽을 파악할 수 있었다. 이 가정들이 양측의 협상하는 태도를 좌우하고 있었다. 그런데 양편 모두 상대방이 다른 가정위에서 행동하고 있다는 사실은 물론 자기 측의 가정도 제대로 모르고 있었다. 그러므로 소련과 미국, 양측 모두 상대방의 협상하는 태도를 미치광이짓이라고 보거나 고의로 악랄하게 행동하는 것이라고 간주하게 되는 것은 필연적인 결과일 수밖에 없다. 우리는 속담에 나오는 세 장님들과 같다. 각각 자기가 만지는 코끼리의 일부분을 가지고 그 동물 전체의 본질을 알고 있다고 주장하는 것과 마찬가지이다. 그래서 우리는 서로 다른 작은 우주의 세계관을 가지고 논쟁하는 것이며, 그래서 이러한 모든 전쟁이 성전(聖戰)이 되고 마는 것이다.

종교로서의 과학

정신적 성장이라는 것은 작은 우주에서 출발하여 보다 더 큰 우주로 들어가는 여행이라고 하겠다. 초기의 단계에서는 그것이 인식의 여행이지 신앙의 여행은 아니다. 우리가 가진 이전의 경험들로 이루어진 작은 우주로부터 탈피하고, 또 전이로부터 우리 자신들을 해방시키기 위하여 우리는 배울 필요가 있는 것이다. 우리는 계속해서 인식망을 확장하고 시야를 넓혀가야만 하는데, 이런 것은 새로운 정보들을 세세하게 소화하고 통합함으로써 가능하게 되는 것이다.

인식을 넓히는 과정이 바로 이 책의 주된 주제다.

앞에서 사랑은 자기 확장이라고 정의하면서, 사랑의 모험들 중에서도 미지의 새로운 경험으로 뛰어드는 것이 중요하다고 지적했다. 그리고 훈련에 관한 첫 부분의 마지막에서 새로운 것을 배우는 것은 오래 전에 형성된 낡은 자신을 포기하고 낡아빠진 지식을 죽이는 것을 요구하고 있음에 주목했다. 우리가 넓은 시야를 발달시키기 위해서는 기꺼이 좁은 시야를 죽여야만 한다. 단기적으로 볼 때는 이렇게 하지 않는 것이 더 평안할 것이다. 즉 우리가 있는 곳에 그대로 머물러 있고, 그대로 작은 우주관으로 그려진 지도를 사용하고, 숭배해 오던 자신의 의견들을 말살시키는 고통을 피하는 것이 더 편하다. 그러나 정신적 성장의 길은 반대 방향에 놓여 있다. 우리는 낡은 사고방식을 근본적으로 회의하며, 두렵고 익숙하지 않은 것을 적극적으로 모색하고 이전에 배워 깊이 간직하고 있던 가치관에 과감히 반기를 듦으로써 정신적 성장을 시작한다. 성스러움으로 가는 길은 모든 것에 대한 회의에서 비롯된다.

실제적인 의미로 보면 우리는 과학으로부터 시작하는 것과 같다. 우리는 부모들의 종교를 과학이라는 종교로 대치함으로써 시작할 수 있다. 우리가 부모들의 종교에 반항하고 거부해야만 하는 이유는 그들의 세계관이 우리가 능력껏 성취할 수 있는 세계관보다 더 좁은 것이 틀림없기 때문이다.

만약에 우리 경험을 충분히 잘 이용하고, 여기에 성인의 경험을 포함하고, 또 앞으로의 신세대의 경험을 추가한다면 우리는 더 넓은 세계관을 갖게 되기 때문이다. 완전한 형태로 물려 내려오는 종교라는 것은 있을 수가 없다. 생동적이며, 우리에게 가능한 한 최선의 것이 되기 위해서는 종교가 철저하게 개인적인 것이어야만 한다. 이 말은 현실이라는 가혹한 시련을 경험하면서 불처럼 타오르는 회의와 의문을 통해서 빚어지고 굳어진 개인적인 것이라야만 한다는 의미이다. 신학자인 알란 존스는 다음과 같이 말한 적이 있다.

우리가 가진 문제 중의 하나는 우리 중의 아주 소수의 사람들만이 독특한 개인 생활을 발달시켜 왔다는 것이다. 우리에 대한 모든 것은 간접적인 것으로 보이고 우리의 감정까지도 그렇게 보인다. 많은 경우에 우리는 활동하기 위해서 간접적인 정보에 의존해야만 한다. 나는 의사, 과학자, 농부의 말을 신뢰한다. 내가 잘 알지 못하는 어떤 부분에 대해 살아 있는 지식을 소유하고 있기 때문이다.

내 콩팥에 대한 상태, 콜레스테롤의 영향에 관해서, 또 닭을 기르는 데 관해서라면 간접적인 지식만을 가지고 살 수 있다. 그러나 삶의 의미, 목적, 죽음이 문제가 될 때에는 간접적인 지식은 소용이 없다. 나는 간접적인 하느님에 대한 간접적인 신앙을 가지고 생존할 수는 없는 것이다. 내가 살아남기 위해서는 나 자신만의 개인적인 언어와 특수한 체험이 있어야 한다.

그러므로 정신적 건강과 정신적 성장을 위해서 우리는 우리 자신의 종교를 발달시켜야만 하며 부모들의 종교에 의존해서는 안 된다. 그런데 도대체 이 '종교로서의 과학'이란 무엇일까? 과학을 일종의 종교로 보고자 하는 것은 과학이 여러 가지 중요한 신념을 가진 굉장히 복잡한 하나의 세계관이기 때문이다. 이 중요한 신념들에는 다음과 같은 것이 있다. 즉 세계는 실재하며, 따라서 관찰할 수 있는 객관적 대상이다. 인류가 세계를 시험한다는 것은 가치있는 일이다. 세계에는 원리가 있다. 즉 세계는 어떤 법칙을 따르고 있으므로 예측 가능하다. 그러나 인간은 편견이나 미신을 따르고, 있는 그대로를 보지 않고 자신이 원하는 것만 보려고 하는 뿌리 깊은 나쁜 버릇을 가진 나약한 연구자다. 그러므로 정확히 고찰하고 이해하기 위해서는 인간 존재를 과학적인 방법으로 연구하는 훈련을 쌓아야 한다. 이러한 훈련의 핵심이 경험이다. 그러므로 우리가 실제로 그것을 경험하지 않는 한 우리는 그것을 안다고 생각할 수가 없는 것이다. 과학적인 방법을 쓰는 훈련이 경험으로 시작되지만, 단순한 경험 그 자체만을 믿을 수 없다. 믿을 수 있게 되기 위해서는 그 경험이 실험의 형식으로 반복되어져야만 한다. 더욱이 그 경험은 정당성이 입증되어야 하는데, 다른 사람들도 똑같은 처지에서 똑같은 것을 경험해야만 한다는 것이다.

기본 개념이 되는 말은 '실제', '조사', '지식', '의심', '경험', '훈련' 등이다. 이 말들은 우리가 일상적으로 사용하는 말들이다. 과학은 회의의 종교이다. 어린 시절의 경험에서 비롯된 소우주로부터 도피하기 위하여, 그리고 문화라는 소우주로부터 도피하기 위하여, 또 부모들이 우리에게 물려 준 반쪽 진리로부터 도피하기 위하여 우리는 지금까지 배워 온 것에 대해서 회의를 품어야 한다. 이것이 기본적인 태도다. 과학적인 태도를 취한다는 것은 소우주의 경험을 대우주의 경험으로 변경시킨다는 뜻이다. 우리는 과학자가 되는 것으로부터 시작해야만 한다. 이미 이런 시작을 한 많은 환자들이 내게,

"나는 종교적이지 않습니다. 나는 교회를 안 다닙니다. 나는 더 이상 교회와 부모들이 얘기해 준 많은 것들을 믿지 않고 있습니다. 나는 부모가 가졌던 신앙을 버렸습니다. 아마도 나는 그다지 영적이 못 되는 것 같습니다."

라고 말한다. 자신이 영적인 존재가 아니라고 생각하는 그들에게 사실은 그렇지 않다고 말해 주면 그들은 흔히 충격을 받는다. 그때

나는 다음과 같이 말한다.

"당신은 종교를 가지고 있습니다. 그것은 심오한 종교입니다. 당신은 진리를 숭배하고 있습니다. 당신은 당신의 성장 가능성을 믿고 있습니다. 즉 정신적 발전의 가능성을 믿고 있습니다. 당신의 종교는 아주 강력하므로 당신은 기꺼이 도전에 따르는 괴로움과, 무지를 극복하려는 고통을 감수하고 있는 것입니다. 당신은 치료라는 모험을 선택했으며 당신이 하고 있는 이 모든 것이 당신의 종교로 인한 것입니다. 당신이 부모들보다 덜 영적이라고 말하는 것이 진실이라고 나는 확실히 말할 수가 없습니다. 내가 말할 수 있는 것은, 당신이 부모들보다 영적으로 발달하였고, 당신의 영적인 것이 당신 부모들의 영적인 것을 능가해서 보다 더 위대해졌다는 것입니다."

일종의 종교로서의 과학이 다른 많은 세계관을 능가하는 발전적 도약을 이루어 낼 수 있는 것은 그것이 갖는 국제적 성격 때문이다. 우리는 전 세계적인 과학자의 공동체 속에서 서로의 의견을 교환한다. 그리고 하나의 참된 공동체의 형태로 접근하기 시작하고 있는데, 이는 가톨릭 교회의 성격과 유사해 보인다. 가톨릭 교회는 진정한 국제적 형제애라고 할 수 있다. 모든 나라의 과학자들은 우리들 대부분의 일반인들보다 훨씬 잘 상대방과 대화할 수 있다. 그들은 어느 정도는 자신이 속한 문화의 소우주를 성공적으로 극복해 낸 것이다. 그만큼 그들은 현명하다.

나는 과학적인 태도를 가진 사람들이 갖는 회의적인 세계관은 맹신, 지엽적 미신, 검증되지 않은 전제들에 기초를 둔 세계관보다 발전된 것이라고 생각한다. 그러나 과학적인 태도를 지닌 사람들 역시 정신적 성장이라는 여행에 있어서는 이제 막 시작한 것에 불과하다고 생각한다. 특히 과학적인 마음을 가진 사람들이 가진 하느님의 실재에 대한 견해도 단순한 농부들이 조상들의 신앙을 맹목적으로 추종하는 것과 마찬가지로 편협하다.

과학자들은 하느님의 실재 문제를 다룰 때 큰 어려움을 겪는다. 하느님에 대한 믿음이라는 현상을 세련된 회의주의를 가지고 살펴볼 때 그것은 매우 부정적으로 보이기 때문이다. 우리는 독단주의와 더 나아가 전쟁과 종교재판, 종교대학살을 보게 된다. 또 우리는 위선을 본다. 사람들이 형제애를 부르짖으면서 신앙의 이름으로 살인을 하고 늘 자기들의 주머니들을 채우려 하고 수단 방법을 가리지 않고 혹독한 행위를 하고 있는 것을 본다. 우리는 가지각색의 종교적 예식과 상징들을 보면서 당혹감을 느낀다. 여섯 개의 팔과 여섯 개의 다리를 가진 여신, 왕좌에 앉은 남자, 하나의 코끼리, 무의 본질을 나타내는 자, 다신(多神)들, 집안의 수호신, 삼위일체, 통일체 등등……. 우리는 무지, 미신, 집착을 본다. 하느님을 믿는 데 대한 기록의 나열은 참으로 가련한 꼴이다. 하느님에 대한 신앙이 없었더라면 인간은 더 잘 되었을지도 모르며, 하느님이란 단지 하늘에 둥둥 뜬 과자일 뿐만 아니라 어쩌면 독을 주는 과자일지도 모른다는 의심마저 생긴다. 하느님이란 인간의 마음에 있는 환상이라고 결론을 짓는 것이 합리적으로 보인다. 파괴적인 공상, 그리고 하느님에 대한 신앙은 꼭 치료를 받아야만 할 인간 정신병리의 보편적인 형태라고 결론을 내리는 것이 합리적으로 보인다.

그래서 우리는 질문을 하게 된다. 하느님을 믿는 것이 병일까? 그것이 전이의 표현일까? 부모라는 소우주에서 유래된 세계관을 부적당하게 대우주적 세계관으로 투사했기 때문일까? 혹은 달리 생각해서, 그러한 신앙이란 우리가 더 높은 단계의 인식과 성숙을 갈구함에 따라 버려야만 할 원시적이고 어린애 같은 생각의 한 형태라고 할까? 우리가 이런 질문에 과학적인 답을 하고자 한다면 실제 임상자료로 돌아가는 것이 근본적으로 필요하다. 한 사람이 가지고 있는 하느님에 대한 신앙이 정신치료의 과정을 통해서 어떻게 변화되는 것일까?

캐시의 경우

캐시는 내가 보아 온 사람들 중에서 어느 누구보다도 가장 심한 공포증을 가진 사람이었다. 내가 그녀의 방에 제일 처음에 들어갔을 때 캐시는 방구석에 앉아서 무엇인가 주문을 외는 것 같은 소리를 내면서 혼자 중얼중얼거리고 있었다. 내가 문가에 서 있는 것을 쳐다보더니 그녀의 눈은 공포로 점점 커지는 것이었다. 그녀는 통곡을 하고 울면서 자기 몸을 구석에 처박고 마치 그 벽을 뚫고 나가려는 것처럼 계속해서 자신의 몸을 벽으로 밀어붙이고 있었다. 나는 말을 붙여 보았다.

"캐시, 나는 정신과 의사입니다. 나는 당신을 다치게 하지 않을 것입니다."

나는 의자를 가져다 그녀로부터 거리를 두고 앉아서 기다렸다. 그래도 그녀는 계속해서 구석으로 파고들었다. 그러더니 그녀는 한참 후에 긴장을 풀고 흐느끼기 시작했다. 얼마 후 그녀는 울음을 멈추고 다시 주문을 외기 시작했다. 나는 그녀에게 무엇이 잘못됐느냐고 물었다. "나는 죽을 거예요."하고 그녀가 주문 외기를 중단하지도 않고 불쑥 말하는 것이었다. 그녀는 더 이상 내게 할 말이 없었던 것이다. 계속해서 주문만 읊어댔다. 5분에 한 번씩 지친 것 같이 쉬면서, 다시 3, 4분 동안 훌쩍거리다가는 주문 외기를 되풀이하는 것이었다. 내가 어떤 질문을 하든지 간에 그녀는 주문 외기의 리듬을 깨뜨리지 않고 "나는 죽을 거예요."라고만 대답을 하는 것이었다. 그녀는 자기의 죽음을 주문 외기로 막을 수 있다고 생각하는 것 같았다. 그래서 쉴 수도 잠들 수도 없었다. 그녀의 남편 하워드는 젊은 순경이었으며, 나는 그로부터 최소한의 단서밖에 얻지 못했다. 캐시는 20세였다. 그들은 2년간 결혼생활을 해 왔다. 그들의 결혼에는 아무 문제가 없었다. 캐시는 자기 부모와도 가까운 사이였다. 이전에 정신병을 앓은 적도 없었다. 이것은 매우 놀라운 일이었다.

그녀가 갑자기 그런 증상을 보인 날 아침에도 그녀는 아주 상쾌한 기분으로 남편을 차에 태워 직장에 데려다 주었다. 그런데 두 시간 후에 캐시의 언니로부터 하워드에게 전화가 걸려 왔다. 캐시의 언니가 캐시를 찾아갔을 때 그녀가 이상한 상태에 있는 것을 발견했던 것이다. 그들은 캐시를 병원에 데려갔다. 그녀는 최근에 조금도 이상하게 굴지 않았었다. 한 가지 일만은 제외하고. 거의 4개월 동안 그녀는 사람들이 모인 곳에 나가는 것을 두려워했다. 그래서 그녀를 도와주기 위해 하워드는 그녀를 차 안에서 기다리게 하고 그녀 대신 수퍼마켓에서 시장을 보아야 했다. 그러나 그녀는 혼자 남아 있는 것도 두려워하는 것 같았다. 그녀는 기도를 많이 했다. 하워드가 그녀를 안 이후 줄곧 그녀는 기도를 했었다. 그녀의 가족은 매우 종교적이었다. 캐시의 어머니는 적어도 일 주일에 두 번씩은 미사에 나갔다. 이상한 것은 캐시가 결혼하자마자 미사에 가는 것을 중지했다는 것이다. 하워드는 그것이 무척 기뻤다. 그러나 그녀는 여전히 기도를 열심히 했다.

"그녀의 신체적 건강은 어떤가요?"라고 물었다. "아주 좋은 편이었지요. 그녀는 병원에 입원한 적이 없답니다. 몇 년 전에 결혼식에서 기절한 적이 한 번 있습니다."

또한 "피임은 하고 있나요?"라고 물었다. "피임약을 먹고 있었지요. 아 잠깐, 한 달 전에 중지했어요."

한 달 전에 그녀가 남편에게 피임약을 그만 먹겠다고 얘기했다. 그녀는 약 먹는 것이 위험하다든가 혹은 어떻다고만 말했다. 남편은 거기에 대해 별로 신경쓰지 않았다고 한다.

나는 캐시에게 다량의 진정제를 주어 밤에 잠을 잘 수 있도록 해주었다. 그러나 그 다음 이틀 동안에도 그녀의 태도는 그대로였고 아무 것도 변하지 않았다. 쉴새없이 기도하거나 죽음이 임박했음을 확신한다고 되풀이해서 이야기할 뿐이었다. 공포심도 줄지 않고 그대로였다. 마침내 4일째 되던 날 나는 그녀에게 최면제 주사를 놓았다. "이 주사가 졸립게 할 것입니다, 캐시."라고 나는 말해 주었다.

"그렇지만 잠은 자지 않을 것이고 또 죽지도 않을 것입니다. 기도하는 것을 중지할 수 있게 해줄 것입니다. 아주 맥이 풀리는 느낌을 갖게 해줄 것입니다. 내게 얘기할 수 있게 될 것입니다. 병원에 오던 날 아침에 무슨 일이 일어났었는지 내게 얘기해 줘야 해요."

"아무 일도 안 일어났어요." 캐시는 대답했다.

"차로 남편을 직장에 데려다 주었지요?"

"네, 그리고는 집으로 돌아왔어요. 그리고 내가 죽을 것이라는 것을 알았어요."

"그날 집으로 돌아올 때에 매일 아침 남편을 직장에 데려다 주고 올 때처럼 모든 것이 그대로였나요?"

캐시는 다시금 기도하기 시작했다.

"기도를 그만두시오, 캐시." 하고 나는 명령했다. "당신은 완전히 안전합니다. 조금 맥이 풀리고 노곤한 느낌이 들 뿐입니다. 자, 캐시! 그날 아침에 집으로 돌아오는 길에 무엇인가 다른 것이 있었지요? 그 다른 것이 무엇이었는지 당신은 내게 얘기해야 합니다."

"다른 길로 해서 돌아왔어요."

"왜 그랬지요?"

"빌의 집 앞으로 해서 왔어요."

"빌이 누구지요?" 나는 물었다.

캐시는 다시 한 번 기도를 시작했다.

"당신의 남자 친구입니까?"

"그랬었지요. 내가 결혼하기 전에요."

"빌이 무척 보고 싶군요, 그렇지 않아요?"

캐시는 통곡을 하고 울었다. "오, 하느님, 나는 죽을 겁니다."

"그날 빌을 만나 보았나요?"

"아뇨."

"그렇지만 그를 만나기를 원했지요?"

"나는 죽을 거예요." 캐시는 대답했다.

"당신이 빌을 다시 만나고 싶어 하는 것 때문에 하느님이 당신을 벌하실 거라고 느낍니까?"

"네."

"그래서 당신이 죽을 거라고 믿는 거군요?"

"네." 다시 한 번 캐시는 기도를 시작했다.

나는 십 분 동안이나 그녀가 기도하는 것을 그대로 내버려두고 그 동안에 생각을 종합해 보았다.

끝으로 나는 그녀에게 말해 주었다.

"캐시, 당신은 자기가 하느님의 마음을 잘 안다고 믿기 때문에 죽을 것이라고 확신하는 것이지요. 그렇지만 그건 잘못입니다. 왜냐하면 당신은 하느님의 마음을 알지 못하기 때문입니다. 당신이 아는 것은 누군가 하느님에 대해서 이야기해 준 것을 들은 것에 불과하거든요. 게다가 당신이 하느님에 대해서 들은 이야기 중에 많은 것이 잘못된 이야기입니다. 내가 하느님에 대해서 모든 것을 다 알고 있지는 못하지만 당신보다는 더 잘 알고 있고, 또 당신한테 하느님에 대해서 얘기해 준 사람들보다는 더 잘 알고 있어요. 예를 들어서 나는 매일매일 당신같이 부정한 생각을 하는 사람들을 보고 있는데, 그들은 그래도 하느님한테서 처벌을 받지는 않아요. 그들이 계속해서 나를 보러 오기 때문에 안답니다. 나와 얘기를 하고, 그들은 점점 기뻐하게 됩니다. 당신이 더 기뻐하게 될 것과 마찬가지로요. 우리가 함께 풀어나갈 것이기 때문입니다. 당신은 당신 자신이 나쁜 사람이 아니라는 것을 배워야 됩니다. 당신은 진리와 당신 자신과 하느님에 대해서 배울 것입니다. 그러면 당신은 훨씬 더 기분이 좋아질 것입니다. 그렇지만 지금은 잠을 자야 합니다. 당신이 잠에서 깨어날 때에는 더 이상 당신이 죽을 것이라고 두려워하지 않게 될 것입니다. 그래서 내일 아침 다시 나를 볼 때에는 나와 이야기를 할 수 있을 것이고, 우리는 하느님에 대해서 이야기하고 당신 자신에 관해서도 이야기를 할 것입니다."

다음날 아침에 캐시는 좀 나아져 있었지만 아직도 죽지 않을 것이라는 사실을 믿지 못하고 있었다. 그러나 그녀는 지금 당장 죽을 것이라는 생각은 더 이상 안했다. 서서히 많은 날들이 지나면서 그녀는 자신의 이야기들을 조각조각 들려 주었다. 고등학교 3학년 때 그녀는 하워드와 성관계를 가졌었다. 그는 그녀와 결혼하기를 원했으며 그녀도 동의했다. 그런데 2주일 후, 친구의 결혼식에서 그녀는 결혼하기를 원치 않는다는 생각이 갑자기 떠올랐던 것이다. 그때 그녀는 기절을 했다. 그 후로 그녀는 자신이 정말로 하워드를 사랑하는지에 관해서 혼돈을 겪게 되었다. 그러나 이미 그와 혼전 관계를 가졌으므로 만약에 그녀가 하워드와 결혼함으로써 그들의 관계를 신성하게 하지 않는다면 그 죄가 더욱 커질 것이라고 굳게 믿었기 때문에 반드시 결혼을 해야만 한다고 느꼈던 것이다. 그녀는 아이를 원치 않았으며, 적어도 그녀가 하워드를 사랑한다는 것을 확신하기까지는 아이를 갖지 않을 생각이었다. 그래서 피임약을 먹기 시작했으며, 그것은 또 다른 죄가 되었던 것이다. 그녀는 이런 죄들을 차마 고백할 수가 없어서 결혼 후 미사에 가는 것을 중지함으로써 위안을 받았다. 그녀는 하워드와의 성관계를 즐겼다. 그러나 결혼식을 올린 그날부터 하워드는 캐시에게서 성적으로 흥미를 잃었다. 그는 이상적인 배우자로서 그녀에게 선물을 사 주고, 그녀를 공손히 대해 주며, 과외 일을 퍽 많이 하여 그녀가 직장을 갖지 않게 해주었다. 그런데 성 문제에 대해서는 캐시가 그에게 구걸해야 할 정도였다. 두 주일에 한 번 성관계를 갖는 것이 거의 전부였고, 그것이 그녀의 끊임없는 권태증을 풀어 주는 탈출구였다. 이혼은 말도 안 되는 금기사항이었다.

그 결과 캐시는 성적인 환상들을 갖기 시작했다. 그녀는 아마도 이러한 생각들이 기도를 더 열심히 하면 없어질 것이라고 생각했던 것 같다. 그래서 그녀는 매 시간 오 분씩 의식적으로 기도하기 시작했다. 그런데 하워드가 이것을 알아차리고 그녀를 놀렸던 것이다. 그래서 그녀는 기도하는 것을 숨기기로 마음먹고, 하워드가 저녁에 집에 있을 때 못한 양을 채우기 위해, 낮에 그가 집에 없을 때면 더 많이 기도했다. 이것은 그녀가 기도를 더 자주, 더 빨리 해야 한다는 것을 의미했던 것이다. 그녀는 이 두 가지를 다 하기로 결정했다. 그녀는 이제 매 30분마다 기도를 했는데, 5분 동안 기도하는 시간에 속도를 두 배로 올렸다. 그러나 그녀의 성적 부정(不貞)에 관한 환상은 계속됐으며 그것은 점점 더 잦아졌고 고질이 되었다. 그녀는 밖에 나갈 때마다 남자를 보게 될지도 모르기 때문에 사람들이 모인 장소를 무서워하게 되었다. 그녀는 다시 미사에 참석해야겠다고 생각했다. 그러나 그녀가 미사에 나가 자신의 환상에 대해 신부에게 고백하지 않는다면 죄를 짓는 것이 될 것이라는 점을 인식하게 되었다. 그래서 그녀는 미사에 참석할 수도 없었다. 그녀는 다시 기도하는 속도를 두 배로 더 빨리 했다. 이것을 용이하게 하기 위해서 그녀는 고심 끝에 기도의 한 줄거리가 하나의 특별한 기도문이 되도록 체계를 세웠다.

이것이 그녀의 공포증의 시작이었던 것이다. 얼마 안 가서 그녀는 이 기도문에 완전히 통달하여 5분 동안 네 가지의 기도를 읊을 수가 있었다. 처음에는 그녀가 기도문에 완전하게 통달하느라고 바빠서 부정의 공상이 사라져 버린 것 같았지만, 이제 그 기도문에 익숙해지자 그 환상들이 전보다 강한 힘으로 밀려왔다. 그녀는 이 환상을 실제로 어떻게 행동으로 옮길까 궁리를 했다. 그래서 그녀는 옛 남자 친구인 빌에게 전화를 해보기로 생각했다. 오후에 술집에 가 보는 것도 생각해 보았다. 그녀는 자기가 참으로 이런 짓을 하게 될지도 모른다는 공포에 사로잡혔다. 그녀는 임신에 대한 두려움이 이런 행동들을 막는 데 도움이 되기를 바라면서 피임약을 끊고 먹지 않았다. 그러나 그 욕망은 점점 더 강해졌다. 어느 날 오후 그녀는 자신이 수음을 하기 시작했다는 것을 발견했다. 그녀는 무서움에 떨었다. 그것이 모든 죄 가운데 가장 나쁜 죄라고 믿었다. 그녀는 찬물로 샤워를 하면 나아진다는 얘기를 들었기에 아주 찬물—견딜 수 없으리만치 차가운 물—로 샤워를 했다. 그것은 하워드가 집에 돌아올 때까지 도움이 되어 주었다. 그러나 다음날이면 모든 것은 다시 되풀이되었다.

결국은 마지막날 아침에 캐시는 자신이 상상해 온 그대로 하기로 했다. 하워드를 직장에 데려다 주고는 빌의 집으로 차를 몰아 갔던 것이다. 그녀는 차를 집 앞에 세웠다. 그리고 기다렸다. 아무 일도 일어나지 않았다. 아무도 집에 없는 것 같았다. 그녀는 차에 기대어 서서 요부의 자세를 취해 보았다.

"제발, 빌이 나를 좀 보게 해주세요. 제발 그가 나를 알아보게 해주세요."

그래도 여전히 아무 일도 안 일어났다.

"제발 누구든지 나를 좀 보아요. 나는 누구하고 간에 음탕한 짓을 해야겠어요. 오, 하느님, 나는 창녀예요, 나는 바빌론의 창녀예요. 오, 하느님, 나를 죽여 주세요. 나는 죽어야만 합니다."

캐시는 차에 뛰어들어 아파트로 쏜살같이 달려갔다. 면도칼을 쥐고 자기 손목을 베려했다. 그러나 그럴 수가 없었다. 그렇지만 하느님은 하실 수 있다, 하느님은 하실 것이다, 하느님은 그녀에게 마땅한 것을 주실 것이다, 하느님이 끝장을 내 주실 것이다.

"오 하느님, 나는 정말 무서워요. 무서워 죽겠으니 빨리 좀 해주세요. 무서워 죽겠어요."

그녀는 기도를 하면서 기다리고 있었다. 그녀의 언니가 발견했던 것이 바로 이 모습이었던 것이다.

이 모든 이야기는 수개월 동안 많은 괴로움을 겪은 다음에 그 전체가 환히 나타나게 되었던 것이다. 문제의 대부분이 죄에 대한 개념에 있었다. 캐시는 수음이 죄라는 것을 어디서 배운 것일까? 누가 그것이 죄라고 이야기해 주었을까? 왜 수음이 죄가 되는가? 왜 부정이 죄인가? 무엇이 죄를 만드나, 등등.

나는 정신치료보다 더 흥미진진하고 매력적인 직업은 없을 것이라고 생각한다. 조각조각 떨어져 있는 환자의 이야기를 제대로 꿰어 맞춰서 사건의 전후를 추적하기란 사실 지루하고 고역스러운 일이기도 하다. 그러나 치료자의 끊임없는 애정과 도전은 결국 환자로 하여금 스스로 자기 문제를 풀게 한다. 예를 들면 캐시가 성에 대한 자신의 생각과 같은 많은 부분들을 상세하게 이야기하기 시작한 것은 자신이 가진 생각이 정말 죄인지를 의심하면서부터였다. 이와 더불어 교회 전체의 권위와 지혜에 대한 자신의 경험도 의심해야 할 필요가 있었다. 그녀가 그렇게 할 수 있었던 것은 오직 나를 같은 편으로 삼아 힘을 갖게 되었기 때문이었다. 내가 참으로 그녀의 편이 되어 마음 속 깊이 그녀에게 가장 도움이 되는 사람이기를 원하고 악으로 인도하지 않으리라는 것을 그녀는 차츰 느끼게 되었기 때문이다. 그녀와 내가 서서히 이룩해서 가지게 된 이러한 '치료적인 우호관계'는 모든 성공적인 정신치료에 필수요소다.

이 작업의 많은 부분은 외래로 진행되었다. 캐시는 최면제 주사를 맞고 상담한 지 일 주일 후에 퇴원할 수 있었다. 그러나 십 개월간의 치밀한 정신치료 후에야 그녀는 죄에 대한 자신의 개념들에 대해서 이야기할 수가 있었다.

"가톨릭 교회가 내게 금해야 할 상품 목록을 팔았나 보지요."

이 기점에서 상담의 새로운 단계가 시작될 수 있었다. 우리는 다음 질문들을 시작했던 것이다. 즉 어떻게 해서 이런 일들이 생겼는가, 왜 그녀는 자신으로 하여금 이런 상품들을—자물쇠, 묵주나 통 등—사도록 하였는가? 어떻게 해서 그녀는 자기 자신을 위해서 더 깊이 생각할 수 없게 되었으며, 왜 교회에 대하여 도전하게 되었을까?

"그렇지만 어머니가 교회에 대한 의문은 금물이라고 내게 그러셨어요."라고 캐시는 말했다. 그래서 우리는 캐시와 그녀의 부모들과의 관계에 대해서 캐어 보기 시작했다.

아버지는 일을 했다. 그는 일을 하고 또 일을 하고는 집에 돌아오면 맥주를 들고 의자에 앉아 잠들곤 했다. 어머니는 집안살림을 꾸려 나갔다. 혼자서, 아무한테서도 간섭이나 도전을 받지 않고, 서로 의견 충돌을 일으키는 일도 없이, 묵묵히 살림을 꾸려 나갔다. 어머니는 친절했으나 융통성이 없었으며, 베풀었으나 아이들을 수용하지는 않았다. 평화스럽지만 서로 융화되기 어려웠다.

"너는 그것을 해서는 안 된다. 선량한 소녀들은 그런 짓을 하지 않는다."

"너는 그런 신발을 신고 싶지는 않을 거야, 그렇지? 좋은 집안 소녀들은 그런 신발을 안 신는 거란다."

"네가 미사에 가고 싶은지 아닌지는 문제가 아니란다. 주님께서 우리가 미사에 가는 것을 원하시기 때문이야."

점차로 캐시는 교회라는 커다란 힘 뒤에 숨겨진 어머니의 거대한 힘을 깨닫게 되었다. 그녀의 어머니는 아주 부드러웠지만 너무나 지배적인 성격이었으므로, 어머니에게 반항한다는 것은 꿈도 못 꿀 일이었음을 절실히 느끼게 되었다.

그러나 정신치료는 대개 그렇게 순조롭게 진행되지 못한다. 그녀가 병원에서 퇴원한 지 6개월 후 어느 일요일 아침, 하워드는 캐시가 아파트 욕실에 문을 잠그고 들어앉아 다시 기도를 하고 있다고 전화를 걸어왔다. 즉시, 그는 내 지시대로 캐시를 설득시켜 다시 병원으로 데려왔다. 캐시는 내가 제일 처음 만났을 때처럼 무엇엔가 몹시 놀라고 있었다. 이번에도 역시 하워드는 무엇이 또 캐시를 그렇게 만들었는지 그 이유를 전혀 모르고 있었다. 나는 캐시를 진료실로 데리고 들어갔다.

"기도는 그만해요, 캐시." 하고 나는 명령했다. "그리고 내게 무슨 일인지 말좀 해봐요."

"말할 수가 없어요."

"할 수 있어요, 캐시."

캐시는 기도를 하느라고 숨쉬기도 어려운 것 같았지만, "아마 선생님이 그 진실의 약을 다시 주신다면 할 수 있을지도 모르겠어요." 라고 제안했다.

"아니에요, 캐시." 나는 대답했다. "지금 당신은 혼자서도 해낼 수 있는 힘을 지녔어요."

그녀는 울부짖었다. 그리고는 나를 쳐다보더니 다시 기도를 시작했다.

그녀가 나를 쳐다보았을 때, 나는 그녀가 나에 대해 미친 듯이 분노하고 있다는 것을 눈치챘다.

"당신은 나한테 화를 내고 있군요, 그렇죠?" 하고 물었다.

그녀는 기도를 계속하면서 고개만 가로저었다.

"캐시," 하고 나는 다시 얘기했다. "당신이 나한테 왜 화를 내고 있는지 열두 가지 이상의 이유를 생각해 낼 수가 있어요. 하지만 당신이 나한테 얘기하지 않는 한 내가 어떻게 알겠소. 나한테 얘기할 수 있을 거요, 괜찮으니 얘기해 보아요."

"나는 죽을 거예요." 그녀는 몹시 괴로운 듯이 말했다.

"아니, 그렇지 않아요. 캐시, 당신은 죽지 않을 거요. 나는 당신이 나에게 화내고 있다고 해서 당신을 죽이지는 않을 거요. 나한테 화를 내도 괜찮아요."

"내가 앞으로 살아갈 날이 그리 길지 못할 거예요."

이 말은 무엇인가 이상하게 들렸다. 내가 기대했던 말이 아니었다. 어쩐지 부자연스럽게 들렸다. 그러나 나는 무슨 말을 해야 좋을지 잘 몰라서, 계속해서 이말 저말 반복만 하고 있었다.

"캐시, 나는 당신을 사랑하고 있소." 나는 말했다. "당신이 나를 미워하고 있을지라도 나는 당신을 사랑하고 있소. 내가 당신을 사랑하고, 당신이 미워하는 것까지도 사랑하는데, 어떻게 당신이 나를 미워한다고 해서 벌을 줄 수가 있겠소?"

"내가 미워하는 것은 선생님이 아니랍니다." 그녀는 훌쩍거렸다. 그때 나는 아차, 하고 떠오르는 게 있었다.

"너의 날들이 오래지 않을 것이다. 이 땅 위에서 오래지 않을 것이다. 그렇지요, 캐시? 너의 어머니와 너의 아버지를 공경하여라, 그리하여 너의 날들이 이 땅 위에서 오래 갈지어다. 다섯째 계명. 그들을 공경하라 그렇지 않으면 죽는다. 그것이 바로 이유지요, 그렇지 않소?"

"나는 그녀를 미워해요." 캐시는 중얼거리듯 말했다. 그리고는 더 크게, 마치 자기 자신의 목소리에 용기를 얻은 듯 큰소리로 무시무시한 말을 했다. "나는 그녀를 미워해요, 우리 어머니를 미워해요. 그녀는 전혀 내게 주지를 않았어요…… 내게 주지 않았어요…… 전혀 내게 주지 않았어요. 그녀는 절대로 내가 나이기를 허락치 않았어요. 나를 자기처럼 만들었어요. 그녀는 나를 만들었어요. 나를 만들었어요, 나를 만들었다구요. 그녀는 내가 나 자신이 되는 것을 조금도 허락하지 않았어요."

실제로 캐시의 치료는 아직 초기 단계였던 것이다. 매일매일 수많은 공포는 그녀 앞에 당당하게 찾아왔으며, 그것도 수많은 다양한 방식으로 엄습해 와서는 자기 자신이 되고자 하는 그녀 앞에 우뚝 서는 것이었다. 그녀는 어머니가 자신을 완전히 지배했다는 사실을 깨닫게 되었고, 왜 자신이 그런 지배를 그대로 받아들였는가 하는 문제에 직면해야만 했다. 어머니의 지배에서 벗어나 자신의 가치를 정립하고 스스로 결정을 내리는 과정에 직면한 지금, 그녀는 다시 두려워진 것이다. 어머니에게 결정권을 주는 것이 더 안전했고, 어머니의 가치관과 교회의 가치관을 그대로 채용하는 것이 보다 간편했다. 그녀 자신이 실존의 방향을 만들어 나가는 것은 더욱 힘든 일이었다. 나중에 캐시는 이렇게 이야기하게 되었다.

"선생님, 나는 과거의 나와 지금의 나를 바꿔치기 하지 않을 거예요. 그런데 때로는 아직도 그때를 갈망할 때가 있답니다. 그때의 내 생활이 더 쉬웠답니다. 적어도 어떤 한 면에 있어서는 말입니다."

좀더 독립적으로 행동해 나갈 수 있게 됨에 따라, 캐시는 하워드에게 애인으로서 실패자라고 직접적으로 지적했다. 하워드는 자신의 태도를 고치겠다고 약속했다. 그러나 아무런 변화도 일어나지 않았다. 캐시는 그에게 압력을 가했다. 하워드도 불안과 고민으로 시달리게 되었다. 그는 이미 다른 정신치료자의 치료를 받고 있었다. 그는 자신의 내부에 동성애적 느낌들이 깊이 자리잡고 있다는 것과, 또 캐시와 결혼함으로써 이에 대항하고 있다는 점을 다루기 시작했다.

캐시는 매우 매력적이었기 때문에 그는 그녀와의 결혼을 '큰 횡재' 이자, 그의 남성으로서의 자질을 세상에 증명하는 데 유용한 상품으로 생각했다. 그러나 그녀를 사랑하지는 않았다. 그는 이런 사실을 인정하고, 캐시는 기꺼이 이혼에 동의했다. 캐시는 큰 의류상점에 판매원으로 취직했다. 캐시는 자신의 일과 관련하여 내려야 하는 수없이 작고 독자적인 결정들을 나와 함께 힘들지만 천천히 풀어나갔다. 점차적으로 그녀는 더 자신감을 가지게 되었으며, 확고한 자기 주관도 지니게 되었다. 그녀는 다시 결혼하여 아이를 가질 것을 염두에 두며 많은 남자들과 데이트를 했다. 그러나 당분간은 그녀의 생활을 즐기고 있었다. 그녀는 상점의 보조 구매 담당자가 되었다. 치료를 끝낸 후 캐시는 구매 전문 담당자로 진급을 했으며, 최근에 내가 그녀로부터 들은 바에 의하면 다른 더 큰 상점으로 직장을 옮겨서 아주 기쁘다고 한다. 또한 캐시는 더 이상 교회에 다니지 않고 있으며, 자기를 가톨릭 신자로 생각지 않고 있다. 그녀는 자기가 하느님을 믿는지 안 믿는지 알지 못하고 있으나 솔직히 말해서 하느님에 대한 문제가 그녀의 인생에 그다지 중요한 것 같아 보이지 않는다.

내가 캐시의 경우를 이렇게 길게 묘사한 이유는, 이것이 종교적으로 양육하는 것과 정신병리와의 관계를 표현해 주는 전형적인 경우이기 때문이다. 수백만의 캐시들이 존재하고 있다. 나는 가끔 우스갯소리로, 가톨릭 교회가 나로 하여금 정신과 의사로 먹고 살게끔 해주고 있다고 말하곤 한다. 침례 교회나 루터파 교회, 장로 교회 혹은 다른 어떤 교회도 마찬가지라고 말할 수 있을 것이다. 교회가 물론 캐시의 신경증의 유일한 원인은 아니었다. 어떤 의미로 볼 때 교회는 바로 캐시의 어머니가 부모로서의 지배권을 확고하게 굳혀 나가는 데 사용된 도구였던 것이다.

부권의 부재에 의해 더욱 가속화된 어머니의 지배적인 성격이 신경증의 근본적인 원인이라고 보는 것이 더 정확할 것이다. 그러나 교회도 그 책임을 면할 수는 없다. 그녀가 다닌 가톨릭 학교의 어느 수녀와 신부도 캐시가 종교의 교리에 대해 의문을 가지거나 스스로 생각하도록 가르쳐 주지 않았다. 그들은 다른 교육은 무시하고 교리만 지나치게 가르쳤다거나, 교리를 비현실적일 정도로 엄격하게 적용하거나, 교리가 오용되었을 지도 모른다는 것을 반성해 본 적도 없었다. 캐시의 문제를 분석하자면, 그녀가 하느님을 전심을 다해 믿고 십계명을 믿고 죄의 개념을 믿고 있었지만 종교와 세계에 대한 그녀의 이해는 그저 물려받은 것일 뿐, 그녀가 자신의 욕구와 이해에 맞게 선택한 것은 아니라는 점이 문제였다. 그녀는 질문한다거나, 도전한다거나, 혹은 그녀 스스로 생각할 능력은 없었다. 그런데도 불구하고 캐시가 다닌 교회는 그녀가 더욱 적응을 잘하는 훌륭한 인간이 되도록 도와준 적은 없었다. 오히려 교회는 대개의 경우 주어진 것을 아무런 의심없이 받아들이는 것만을 좋아하는 것 같다.

캐시의 경우와 같은 사례를 많이 접하면서 심지어 어떤 정신치료자들은 종교를 적으로까지 인식하게 되었다. 그들은 종교에 관해서 그 자체가 하나의 신경증이라고까지 생각하기도 한다. 즉 종교는 본래 타고난 비합리적인 사고들의 종합체로서 이것은 사람들의 마음을 쇠사슬로 채우고 정신적인 성장을 향한 그들의 본능을 억압하는 데 종사하고 있다는 것이다. 대단한 합리주의자요 과학적인 프로이트는 사물들을 대략 그러한 관점에서 본 것 같다. 현대의 정신의학에서 가장 영향력이 큰 인물이라 할 수 있는 그의 이러한 태도는 곧 종교를 신경증으로 보는 데에도 큰 영향을 미쳤다. 그래서 정신과 의사들은 자신을 고대 종교의 미신과 비합리적이며 권위적인 태도의 파괴적인 힘에 대결하여 고귀한 투쟁을 하는 현대 과학의 기사라고 생각하기도 한다. 그리고 사실 정신치료자들은 환자들의 마음을 낡은 종교 관념과 개념들로부터 해방시키기 위해 많은 시간과 노력을 기울여야만 한다.

마르시아의 경우

그러나 모든 경우들이 캐시의 경우와 똑같지는 않다. 많은 다른 유형들이 있으며, 어떤 것은 매우 보편적이기도 하지만, 어떤 것은 아주 특수한 양상을 띠기도 한다. 마르시아는 내가 장기 치료했던 첫 번째 환자였다. 그녀는 20세 중반의 굉장히 부유한 젊은 여성으로서 그녀의 무욕증(無慾症) 때문에 큰 관심을 끌게 되었다. 그녀는 이유없이 늘 불행하고 우울했다. 확실히 그녀는 기쁨이라고는 전혀 없는 사람처럼 보였다. 그녀는 아주 부유하고 대학교육까지 받았음에도 불구하고 천박하고 더럽고 나이 먹은 이민 여성처럼 하고 다녔다. 치료하던 첫해 내내 그녀는 잘 맞지도 않는 청색, 회색, 검정 혹은 갈색의 옷을 입었으며, 같은 색의 아주 더럽고 낡은 천으로 된 가방을 들고 다녔다. 그녀는 무남독녀로서 그 부모는 둘 다 아주 성공한 대학교수들이었다. 부모들은 사회학자들로서 종교는 '공중에 뜬 구름처럼 잘 가라고 손 흔들어 보낼 것' 으로 믿는 사람들이었다. 그들은 그녀가 십대에 여자 친구와 교회에 나갔던 것을 가지고 놀리곤 했다. 처음 상담에 임할 때까지, 마르시아는 부모의 생각에 동의하고 있었다. 처음 그녀는 자신만만하게, 자기가 무신론자라고 했던 것이다. 감상적인 무신론자가 아니라 참된 무신론자로, 인류가 하느님이 실존하고 있다느니 혹은 하느님이 실존하는지도 모르겠다느니 하는 환멸로부터 도피할 수 있다면 보다 더 발전될 것이라고 믿는 그런 참된 무신론자라고 의기양양하게 주장하곤 했다. 그러나 흥미롭게도 마르시아의 꿈들은 새들이 방으로 날아 들어오고 그들의 주둥이에는 두루마리가 물려져 있는데 그 위에 괴상한 고대 언어로 알기 어려운 메시지들이 써 있다는 종교적인 상징들로 가득 차 있었다.

그러나 나는 이런 무의식적인 것을 가지고 마르시아를 상대하지는 않았다. 우리는 2년이라는 치료 과정이 경과하는 동안 한번도 종교 문제를 취급하지 않았다. 우리가 기본적으로 중점을 두었던 것은 그녀의 부모들과의 관계에 대한 것이었다. 아주 지적이며 합리적인 두 부모가 그녀에게 경제적으로는 잘 도와주었으나 감정적으로는 이상하게도 언제나 엄격하고 커다란 거리를 두는 것이었다. 그들의 감정적인 거리에 덧붙여 그들 둘 다 자신의 생활에만 노력이라는 투자를 하고 있었기 때문에 마르시아를 위해서는 시간과 에너지를 조금밖에 내어 줄 수 없었다. 그 결과 평안하고 변함없는 가정을 갖기는 했어도 마르시아는 속담에서도 언급되었듯이 '불쌍한 부잣집 소녀'로서 심리적인 고아가 되어 있었다. 그러나 그녀는 이에 대해서 직시하기를 두려워했다. 내가 그녀의 부모들에 의해 마르시아가 심각하게 상처를 입고 있다고 암시했을 때 그녀는 이에 반항했으며, 또 그녀가 고아처럼 옷을 입고 있다고 지적했을 때에도 분개했다. 이것이 바로 새로운 유행일 뿐이며, 나는 그것을 비판할 아무런 권리도 없다고 강력하게 반발했다.

마르시아를 치료하는 데 있어서 진전은 괴로울 정도로 느렸지만, 매우 극적이었다. 성공적인 치료의 결정적인 요소는 우리가 서서히 함께 이룩할 수 있었던 온정과 친근한 관계였으며, 이것은 그녀가 부모로부터는 결코 얻지 못했던 경험이었다.

2년째 치료를 하던 어느 날 아침이었다. 마르시아가 상담하러 들어왔는데 새로운 핸드백을 들고 있었다. 그것은 낡은 천 가방의 삼분의 일밖에 안 되는 크기였고 아주 밝은 색이었다. 그 후로 거의 한 달에 한 번 정도 새로운 색깔의 옷들—밝은 주홍, 노랑, 연한 청색, 녹색들—을 사기 시작했다. 입는 옷도 그렇게 바뀌었다. 이제 막 피어난 꽃이 그 꽃잎들을 서서히 흔드는 것 같았다. 나와 가졌던 마지막 두 번째 상담시간에 그녀는 자기가 얼마나 기분 좋게 느끼고 있는가를 즐거워하면서 말하는 것이었다.

"선생님, 참 이상하지요. 제 안쪽만 변한 것이 아니라, 제 바깥 쪽도 모든 것이 다 변한 것 같아요. 내가 아직도 여기에 있으며, 같은 집에 살고 있고, 같은 일들을 하고 있음에도 불구하고 온 세상이 다르게 보이는 것 같고, 느낌도 매우 다르답니다. 내가 무신론자라고 선생님께 이야기했던 것을 기억하고 있어요. 왜 그렇게 말했는지 저도 잘 모르겠어요. 솔직히 말씀드리면 저는 무신론자가 아닌 것 같아요. 이젠 때때로 세상이 옳게 느껴질 때면 나는 내 자신에게 '하느님은 정말로 계시는 게 분명해. 하느님 없이 어떻게 세상이 그렇게 옳을 수가 있겠어?' 하고 말한답니다. 참 우습지요, 나는 이런 것들에 대해서 어떻게 이야기해야 할지 모르겠어요. 나는 아주 큰 사진의 작은 일부분처럼 어딘가 커다란 것에 연결되어 있는 것 같이 느껴져요. 그리고 내가 그 그림을 잘 보지는 못하지만 나는 그것이 거기에 있다는 것을 알고 있고, 또 나는 그것이 선하다는 것을 알고 있으며, 내가 그것의 일부라는 것을 알고 있습니다."

앞의 캐시의 경우에는 치료를 통해서 하느님의 개념이 절대시되는 유신론에서 하느님은 무의미하다는 무신론으로 철저하게 탈바꿈하였다. 이와는 반대로 마르시아는 하느님에 대한 개념을 무의미하게 여겼던 위치로부터 이동해서 매우 중요하고 의미있게 생각하는 위치로 옮겨 간 것이었다. 똑같은 과정, 똑같은 치료자였으나 정반대의 결과를 낳았다. 그러나 결과는 둘 다 성공적이었다. 이것을 어떻게 설명할 수 있을 것인가?

캐시의 경우에는 치료자가 그녀의 종교적인 관념들을 적극적으로 맹공하여 그녀의 생에서 하느님에 대한 개념의 영향을 극적으로 감소시키는 방향으로 변화를 가져오도록 노력한 경우다. 그런데 마르시아의 경우에는 하느님에 대한 개념이 오히려 그 영향력을 증대하기 시작했다. 그러나 치료자가 없었다면 그녀의 종교적 개념들은 어떤 방법으로도 바뀌지 않았을 것이다. 그러나 그와 같은 치료가 정말 필요한 것일까 하는 회의가 생길지도 모른다. 치료자가 적극적으로 환자의 무신론이나 불가지론에 도전해서 고의로 환자를 인도할 필요성이 있는 것일까? 이것을 설명하기 전에 또 다른 유형을 고찰해 보기로 하자.

데오도르의 경우

테드가 나를 찾아왔을 때 그는 30세의 은둔자였다. 그는 이전의 칠 년간을 숲 속 깊숙히 있는 조그마한 오두막집에서 살았다. 그에게는 3, 4명의 친구가 있었으나 그리 가깝지는 않았다. 3년 동안 그는 한 번도 데이트를 하지 않았다. 가끔 그는 대수롭지 않은 목공 일을 했으나 대개는 고기잡이나 독서를 하는 것으로 그날 그날을 채웠으며 나머지 많은 시간들은 별로 중요하지 않은 일들을 결정하느라 보내버렸다. 즉 저녁에 무엇을 해 먹을까, 그리고 어떻게 요리를 할까, 혹은 비싸지 않은 도구를 살 수 있을까 하는 등등의 문제였다. 사실 물려받은 유산이 있어 그는 퍽 부유했다. 또한 지적으로도 총명했다.

그런데 첫 면담에서 그는 자기 이야기를 마비된 듯한 태도로 말했다.

"나는 내 인생에 있어 더 건설적이고 더 창조적인 일을 해야만 된다는 것을 알고 있습니다. 그런데 나는 아주 작은 결정도 할 수 없으니 하물며 큰 결정을 어찌 하겠습니까? 나는 경력을 쌓아 가야 합니다. 대학원에 진학해서 전문적인 직업을 가져야 합니다. 그런데 아무 것에 대해서도 열정을 가질 수가 없으니 어떻게 하지요? 나는 모든 직업을 생각해 보았습니다. 교사, 학자, 외교관, 의학, 농업, 생태학……. 그러나 아무 것도 흥미가 없는걸요. 하루나 이틀 동안은 흥미를 가질지도 모릅니다. 그런데 모든 분야가 다 결코 해결될 수 없는 문제들을 가지고 있는 것 같습니다. 인생도 해결될 수 없는 문제처럼 생각돼요."

테드는 18세 되던 해 대학에 입학하면서 문제가 시작되었다고 설명했다. 그때까지는 모든 것이 좋았다. 그는 안정되고 유복한 집에서 두 형들과 함께 아주 정상적인 어린 시절을 보냈다. 부모는 서로 사랑하지도 보살피지도 않았지만, 테드는 부족하나마 잘 돌봐주었다. 그는 성적도 좋았고, 사립학교에서 만족스럽게 지내고 있었다. 그런데—아마도 이것이 위기의 시작이었나 보다—한 여자와 열정적으로 연애를 했었는데 대학에 입학하기 일 주일 전에 그녀가 그를 배반했다. 매우 낙심한 그는 대학 1년을 술로 보냈다. 그래도 그는 그런 대로 좋은 성적을 유지해 나갔다. 그리고는 여러 차례 연애를 했는데 매번 어느 정도까지 가면 더 이상 진전을 보지 못하고 실패하곤 했다. 그의 성적은 떨어지기 시작했으며 무엇에 관해 논문을 써야 할지도 결정할 수가 없었다. 3학년 때에는 친한 친구 행크가 교통사고로 죽었지만 그는 그 충격을 참아냈고, 그 해에 술을 끊기까지 했다. 그러나 무엇을 결정해야 할 때의 어려움은 더 악화되었다. 그는 단순히 졸업 논문을 무엇에 관해서 쓸지, 그 주제도 선택할 수가 없었다. 학과 과정을 다 마친 후 그는 학교 밖에 방을 하나

빌렸다. 졸업하기 위해 필요한 것은 오직 짧은 논문을 내는 것이었는데, 그런 논문은 누구나 한 달이면 할 수 있는 것이었다. 그는 3년에 걸쳐서 그것을 겨우 해냈다. 그리고는 아무 것도 하지 못했으며, 7년 전에 이곳 숲으로 들어오게 된 것이었다. 그는 자기의 문제가 성적인 것에 그 근거를 두고 있다고 확신하게 되었다. 결국 그의 문제들은 실연에서 비롯되었으며, 그것이 문제라고 생각하게 된 것이다. 그래서 그는 프로이트가 쓴 책은 거의 다 읽었다(정신과 의사인 내가 읽었던 것보다도 훨씬 더 많이 읽었었다). 그래서 치료의 첫 6개월 동안 우리는 어린 시절의 성적인 경험을 추적해 보았다. 그런데 특별한 점이라고는 찾아내지 못했다. 그러나 그 동안 그의 성격상의 여러 재미있는 면들이 나타났다. 그 중 하나는 그가 열정이라고는 한 톨도 없다는 것이었다. 그는 좋은 날씨를 원했으면서도 막상 날씨가 좋으면 그저 어깨를 움츠리며 이렇게 말했던 것이다.

"별 차이 없지. 근본적으로 하루는 그 다음 날과 마찬가지인걸."

호수에서 낚시질을 했을 때 그는 굉장히 큰 생선을 잡았다.

"그렇지만 나 혼자 먹기에는 너무 크고, 나누어 먹을 친구도 없었기 때문에 고기를 다시 물에 던져 버렸어요."

이렇게 열정이 없는 것과 아울러 그의 감추어진 교만을 발견했는데, 그것은 그가 세상의 모든 것을 다 알고 있지만 그 안에 있는 모든 것이 그에게는 못마땅할 뿐이라는 태도였다. 그의 눈은 냉소자의 눈이었다. 그는 이러한 교만을 부림으로써, 자신에게 감정적으로 영향을 줄지도 모를 모든 것들을 그 자신으로부터 멀리 떼어놓으려 했던 것이 아닌가 싶었다. 끝으로 테드는 굉장히 비밀을 즐기는 경향이 있으며, 이것은 치료에 방해가 된다는 결론을 내렸다. 문제의 실마리가 될 어떤 중요한 사건들은 힘겹게 캐내야만 했다. 한번은 그가 꿈 이야기를 했다.

"나는 교실에 있었습니다. 어떤 물건이 있었는데—그게 무엇인지는 모르겠지만—나는 그걸 상자 안에다 넣었습니다. 나는 그 물건 주위에다 상자를 만들어 둘러쌓았으며, 그 안에 무엇이 들어 있는지 아무도 알 수 없게 했습니다. 나는 그 상자를 죽은 나무 속에다 집어넣고 아주 가늘게 나무로 만든 나사못을 박아서 상자를 쓸모없는 나무껍데기처럼 꾸몄어요. 그런데 교실에 앉아서 갑자기 그 나사못이 나무껍질과 함께 날아가 버리지나 않을까 걱정이 되었습니다. 나는 퍽 초조했지요. 그래서 나는 숲으로 달려가서 나사못을 꼭 조였으며, 아무도 그 나사못과 나무껍질을 구별할 수 없게 했습니다. 그런 다음에야 마음이 놓여서 교실로 돌아왔습니다."

다른 많은 사람들과 마찬가지로 학급과 교실은 테드의 꿈에 있어서 치료를 상징하는 것들이었다. 그는 내가 그의 신경증의 핵심을 발견하는 것을 원치 않은 것이 분명했다.

치료를 시작한 지 여섯 달, 드디어 면담 중에 테드의 갑옷에 자그마한 틈이 생기기 시작했다. 그는 그 전날 밤을 아는 사람의 집에서 보냈었다.

"정말 끔찍한 밤이었습니다." 테드는 한탄했다. "날더러 그가 새로 산 레코드를 들으라는 것이었습니다. 닐 다이아몬드의 영화 '조나단 리빙스턴 시걸'을 위한 배경음악이었지요. 그건 정말 고문을 받는 것처럼 괴로웠습니다. 어떻게 교육받은 사람들이 그런 부패된

점액이 흐르는 것 같은 것을 좋아하는지, 어떻게 그런 걸 음악이라고 하는지 나는 이해를 하지 못하겠습니다."

나는 그의 교만한 태도가 다른 어느 때보다 격렬함을 알아챘다.

"조나단 리빙스턴 시걸은 종교적인 이야기이지요."라고 나는 의견을 말하면서 물었다. "그 음악도 역시 종교적이었나요?"

"내 생각으로는 그것을 음악이라고 부를 수 있다면 그것은 그만큼 종교적이라고 할 수 있을 겁니다."

"아마 그것이 종교적이어서 당신 비위를 거슬린 건 아닌가요?" 하고 나는 암시를 주었다.

"예, 나는 확실히 그런 종류의 종교를 달가워하지는 않는 것 같습니다."라고 테드는 대답했다.

"그런 종류의 종교란 무엇이죠?"

"감상적인 것이죠, 구역질 나게." 테드는 말을 거의 내뱉다시피 했다.

"그럼 다른 종류의 종교는 어떤 것이 있나요?" 하고 내가 물었다.

테드는 아주 당황해 했다.

"별로 뭐, 다 그런 거겠죠. 일반적으로 종교는 내 흥미를 끌지 못하고 있어요."

"당신은 언제나 그런 식이었나요?"

그는 힘없이 피식 웃으며 말했다. "아니죠, 머리가 깨지 못했던 청소년 때는 퍽이나 종교에 심취했었지요. 최고학년 때엔 다니고 있던 기숙 학교에서 우리가 운영하던 조그마한 교회의 집사까지 했는걸요."

"그런데 어떻게 되었지요?"

"무엇이 말입니까?"

"당신 종교가 어떻게 되었느냐구요." 나는 다시 물었다.

"아마 성장해 가면서 저절로 종교를 멀리하게 된 것 같아요."

"왜 멀리하게 되었죠?"

"무슨 의미인가요?"

테드는 이제 비위가 상해서 초조한 기색을 보이며 되물었다.

"어떻게 그것을 멀리하게 되었느냐구요? 그냥 그렇게 했지요, 그것뿐입니다."

"언제 그것을 극복할 수 있었나요?"

"모르겠어요. 그냥 그렇게 된 거지요 뭐. 내가 말씀드리지 않았나요? 대학에 입학한 후로는 전혀 교회에 가지 않았다고요."

"전혀 안 갔어요?"

"전혀."

"당신이 고등학교 최고학년이었을 때는 교회의 집사였다고 했지요?"

이어서 나는 말했다. "그해 여름에는 연애에 실패했고, 그리고 이후 당신은 전혀 교회에 간 적이 없다고요? 그것은 돌연한 변화였군요. 혹시 여자 친구가 당신을 떠난 것이 당신의 종교관에 무슨 영향을 주었다고는 생각지 않습니까?"

"모르겠어요. 아무 생각도 나지 않아요. 다른 많은 친구들도 나와 똑같이 다니던 교회를 그만 두었어요. 우리들은 종교에 매혹당하지 않을 나이가 되었다고 생각해요. 어쩌면 내 여자 친구가 어떤 영향을 주었는지도 모르지만, 안 그럴 수도 있지요. 어떻게 그걸 압니까? 내가 아는 것은 단지 종교에 흥미가 없어졌다는 것뿐입니다."

두 번째 변화의 기점은 한 달 후에 왔다. 우리는 테드가 어떤 일에도 열성이 부족하다는 것에 중점을 두고 있었는데, 이 결함은 테드 자신도 이미 자각하고 있는 바였다.

"내가 무언가에 열정을 가졌던 것은 내 기억으로는 대학 삼학년 때였어요. 가을학기 말, 영국 현대시라는 과목의 과제에 심취했었어요."

"그 논문은 무엇에 관한 것이었지요?" 나는 물었다.

"정말 그걸 기억해 낼 수 있을 것 같지가 않군요. 하도 오래 전이었으니까요."

"천만에, 당신은 원하기만 하면 기억할 수 있어요." 나는 말했다.

"글쎄요. 제랄드 홉킨스와 관련된 것임에 틀림없다고 생각되는데요. 그 사람은 진정한 현대시의 선구자라 할 수 있어요. '알록달록한 아름다움' 이라는 시를 중심으로 과제를 다루었던 것 같습니다."

나는 서재로 가서 대학 시절에 사용했던 먼지 앉은 영국 시집을 들고 돌아왔다. 「알록달록한 아름다움」은 819페이지에 있었다. 나는 그것을 읽었다.

얼룩진 사물들을 위해 하느님께 영광을—얼룩소같이 두 색깔로 된 하늘을 위해;

헤엄치는 송어의 장미빛 반점을 위해;

막 캐어 낸 붉은 석탄, 떨어진 밤을 위하여 참새의 날개를 위하여;

구획짓고 갈라 놓은 들판—그늘진 곳, 놀고 있는 밭, 경작지들을 위하여;

그리고 모든 공장의 톱니와 기계와 정연한 것들을 위하여;

맞은 편의, 고유하고, 야윈, 낯설은 모든 사물들을 위하여;

변하기 쉽고 주근깨 투성이의 것들을 위하여(누가 그 방법을 알겠는가?)

빠르기도 하고 느린 것들, 달콤하기도 하고 시기도 하며, 눈부시기도 하고 어두컴컴하기도 한 모든 사물들을 위하여,

하느님의 아름다움은 변함이 없도다;

하느님을 찬미하노라.

나는 눈물이 글썽해져서 말했다. "이 시 자체가 열정에 대한 시이지요."

"네."

"또 아주 종교적인 시이고."

"네."

"가을학기 말에 이에 대한 논문을 썼으니, 그러면 아마도 1월달이었겠군요."

"네."

"내 계산이 정확하다면 당신 친구 행크가 죽은 것은 다음 달인 2월이었지요?"

"네."

나는 엄청난 긴장으로 점점 팽창되는 것을 느낄 수 있었다. 어떻

게 하는 것이 바른 일일지 확신할 수 없었다. 다만 잘되기만을 바라면서 나는 더 캐어 물었다.

"당신은 17세에 처음으로 진정으로 사랑하던 여자 친구에게서 실연당하고 교회에 대한 열정을 포기했습니다. 그리고 3년 뒤 가장 친한 친구가 죽자 당신은 모든 것에 대한 열정을 포기했습니다."

"내가 포기했던 것이 아니에요. 나한테서 빼앗아 간 것이지요."

이제 테드는 감정이 너무나 격해져 되는 대로 소리를 질렀다. 그가 그렇게 감정적인 것을 나는 처음 보았다.

"하느님이 당신을 거절했으므로 당신도 하느님을 거절했다는 말입니까?"

"나라고 그렇게 못할 게 어디 있습니까? 더러운 세상, 이 세상은 정말 언제나 더러워요."

"당신의 어린 시절은 행복했었다고 생각되는데?"

"아니에요, 그것도 더러운 것이었어요."

그의 말이 맞았다. 테드의 두 형들은 그와 비교도 안 되는 악질로, 그를 못살게 굴었었다. 그의 부모들 또한 그들 자신의 일들에 너무 바빴고, 또 서로 미워하기에 바빠서 아이들의 문제를 대수롭지 않은 문제로 여겼다. 그래서 그를 위해 아무런 보호도 해주지 않았던 것이다. 오랫동안 시골로 도망가서 혼자 산책하는 것이 그가 가질 수 있는 최대의 위로였으며, 이로써 우리가 알 수 있었던 것은 그의 은자적인 태도의 뿌리는 10세도 되기 전에 시작되었다는 것이다. 기숙 학교가 조금은 잔인하다고 할만한 일들은 있었지만, 그런대로 그에게는 위로가 되었었다. 테드가 세상에 대한 원한들에 대해서 이야기하면서, 그의 분노와 그 배출은 더욱 고조되었다.

그 다음의 몇 달 동안 그는 어린 시절의 고통과 행크의 죽음에 대한 고통을 다시 되살려 겪었을 뿐만 아니라 또한 수천 가지나 되는 조그마한 죽음과 거절과 상실들의 고통을 겪었다. 생 전체가 하나의 죽음과 고통, 위험과 폭력의 소용돌이같이 보였다.

15개월의 치료 후에 또 다른 전환점이 왔다. 테드는 면담시간에 작은 책 한 권을 가져와서 말했다.

"선생님은 내가 항상 많은 비밀을 가지고 있다고 얘기하셨는데, 사실 그렇습니다. 어젯밤에 나는 옛날에 쓰던 것들을 치우다가 내가 대학교 2학년 때 쓴 일기책을 발견했답니다. 나는 그걸 보려고도 하지 않았습니다. 아마 선생님은 수정되지 않은 십 년 전 그대로의 것을 읽어 보기를 원하실 것이라고 생각했지요."

나도 그것을 원한다고 말했으며 이틀 밤 동안에 그의 일기를 다 읽었다. 그것은 테드가 고립자이고, 상처를 가지고 있으며, 교만함 때문에 모든 것들과 동떨어져 있는 때가 많다는 것을 확인시켜 주는 것이었다. 그러나 하나의 간단한 삽화가 내 눈에 띄었다. 그는 어떻게 해서 1월달의 어느 일요일날 혼자 등산을 갔었는지를 설명하면서, 그가 심한 눈보라를 만나 깜깜해진 지 몇 시간 후에야 기숙사에 돌아왔다는 것이었다. '나는 일종의 상쾌함을 느꼈다' 고 그는 기록했다.

'내 방의 안전한 곳으로 돌아온 것에 대해서였다. 그것은 내가 지난 여름에 거의 죽을 뻔했던 경험과 비슷한 것이었다.'

그 다음날 우리의 대화 시간에 나는 그에게 어떻게 그가 거의 죽을 뻰했는지를 얘기해 보라고 요청했다.

"아, 제가 얘기하지 않았던가요?"라고 테드는 말했다.

테드가 내게 이미 얘기했다고 주장할 때는 나는 그가 그것을 감추려 하는 것임을 잘 알고 있었다.

"또 비밀을 가지려고 하는군?" 나는 말했다.

"아닙니다. 확실히 전에 얘기했던 것 같은데요. 내가 얘기한 것이 틀림없습니다. 어쨌든 그 사건은 별로 중요한 일이 아니었어요. 선생님은 기억하시지요? 내가 대학 1학년과 2학년 중간, 여름에 플로리다에서 일했다고 말했잖아요. 그때 태풍이 있었답니다. 선생님이 아시다시피 나는 태풍을 좋아한답니다. 태풍이 한참일 때 나는 부두에 나갔답니다. 그때 큰 물결이 나를 휩쓸어 갔어요. 그리고는 다른 물결이 다시 나를 밀어 올려 주었지요. 그게 전부였습니다. 순식간에 일어난 일이었지요."

"태풍이 한창인데 부둣가에 나갔다고?". 의심스럽다는 듯 물었다.

"내가 얘기했잖아요, 태풍을 좋아한다고요. 나는 그 근본적인 분노에 접근하기를 원했답니다."

"그건 이해할 수 있지만" 하고 나는 말했다. "아무리 폭풍을 좋아한다고 해도, 나라면 자신을 그런 위험에 던질 것 같진 않은데."

"그렇지만 제게는 자살충동이 있다는 것 아시잖아요." 테드는 거의 장난조로 대답했다. "그해 여름에 나는 정말 자살할 것 같은 기분이었습니다. 내가 분석해 보니, 솔직히 말해서 의식적으로 자살하기 위해 부둣가에 나갔을지도 모른다는 생각도 들어요. 그렇지만 나는 확실히 생에 대해 별로 관심이 없었으며 내가 자살할 가능성이 농후했음을 인정합니다."

"그때 당신 몸이 휩쓸려 들어갔다고요?"

"네, 무슨 일이 일어나고 있는지 거의 알지 못했답니다. 물결이 하도 많이 덮쳐와서 앞도 볼 수가 없었답니다. 아주 큰 물결이라고 느꼈고 그 물결이 나를 쳤다고 느꼈으며, 내 자신이 멀리 씻겨 내려갔다고 느꼈습니다. 또 나 자신을 물 속에서 잃어버렸다고 느꼈지요. 나 자신을 구하기 위해 아무 것도 할 수가 없었어요. 내가 죽을 것이라는 것이 확실했었습니다. 나는 공포에 가득 찼었지요. 한 일 분이나 되었을까, 나는 자신이 물결에 휩쓸려 다시 뒤로 몰려지는 것을 느꼈습니다. 그리고는 한 순간에 부두의 콘크리트 바닥에 내던져졌답니다. 나는 부둣가로 기어가서, 한 손 한 손 기어서 뭍으로 돌아왔답니다. 멍이 좀 들었지요. 그것이 전부예요."

"그래 그 경험에 대해서 어떻게 느끼고 있지요?"

"무슨 의미입니까? 내가 그것에 대해 어떻게 느끼냐고요?" 테드는 저항하듯이 물었다.

"내가 묻는 바 그대로요. 그것에 대해 어떻게 느끼지요?"

"구조를 받은 데 대해서 말입니까?" 그는 질문하는 것이었다.

"그래요."

"글세, 아마 운이 좋았다고 생각했던 것 같군요."

"행운이라고?" 나는 물었다. "그저 하나의 행운이라고? 당신을 부둣가로 밀어준 파도가 우연이란 말입니까?"

"그렇죠, 그것뿐이에요."

"어떤 사람들은 그걸 기적이라고 부를 거요."하고 나는 설명했다.

"내가 생각컨대 그건 단지 운이 좋았을 뿐인걸요."

"당신이 생각컨대 그저 다행한 일이었다고요?" 나는 그가 한 말을 반복하면서 그의 마음을 건드려 보았다.

"그렇다니까요. 제기랄, 나는 운이 좋았던 것뿐이에요."

"그것 참 흥미있군. 테드." 나는 말했다. "언제든지 당신에게 고통스러운 일이 생길 때면 하느님에 대항하여 욕하고, 세상이 더럽고 몹쓸 곳이라고 욕을 하면서, 무슨 좋은 일이 생기면 그저 행운이라고 생각한다는 말이지요? 하나의 조그만 비극이 일어나도 그것은 하느님 탓이고, 하나의 기적적인 축복이 일어난 것은 그저 행운이었다고…… 이것을 당신은 어떻게 생각하지요?"

세상에서 일어나는 일들에 대해 취하는 그의 변덕스러운 태도를 지적해 주었더니 테드는 궂은 일만이 아니라 좋은 일에, 또 어두운 면이 아니라 밝은 일 등 세상의 정의와 아름다움에 직면하기 시작했다. 그가 경험한 행크의 죽음과 또 다른 죽음들의 고통을 해소해 나가면서 그는 생의 다른 면을 고찰해 보기 시작했다. 그는 고통의 필연성을 용납하게 되었고 실존의 상반되는 성질, 곧 '얼룩진 것들을' 쾌히 받아들이게 되었다. 이러한 수용적 태도는 물론 우리 관계가 따뜻하고 사랑이 많고 점진적으로 기쁨이 증대됨에 따라 가능했던 일이었다. 그는 변해 가기 시작했다. 시험삼아 그는 다시 데이트를 하기 시작했다. 그리고 조금이나마 열성을 나타내기 시작했다. 그의 종교적인 성향이 꽃피기 시작했으며, 그는 도처에서 생과 사, 창조와 파괴와 재생의 신비들을 보았다. 그는 신학책을 읽었다. 그는 「지저스 크라이스트, 슈퍼스타」의 음악을 듣고 복음성가를 들었으며 「조나단 리빙스턴 시걸」도 샀다.

치료 2년이 지난 어느 날 아침에 테드는 이제 스스로 삶을 꾸려 나갈 때가 왔다고 말했다.

"나는 대학원에서 심리학을 공부해 보려고 합니다."라고 그는 말했다.

"선생님은 내가 선생님을 그대로 모방하려는 것이라고 말씀하시겠지요. 그렇지만 꼭 그런 것만은 아니라고 생각되는군요."

"계속해서 얘기해 봐요." 나는 요청했다.

"내가 해야 할 가장 중요한 일이 무엇일까 하는 것을 생각해 보았습니다. 학교로 돌아가면 나는 가장 중요한 것들을 공부하기 원하거든요."

"계속해요."

"나는 인간의 정신이 제일 중요하다고 결론지었습니다. 그래서 건강하지 못한 정신을 치료하는 것이 중요하다고 생각하게 되었어요."

"인간의 정신치료가 가장 중요한 것이라고요."

"글쎄요, 어찌 생각하면 하느님이 가장 중요하군요."

"그럼 왜 하느님을 공부하지 않지요?" 나는 물었다.

"무슨 말씀이세요?"

"하느님이 가장 중요하다면, 왜 하느님을 공부하지 않느냐는 말입니다."

"죄송합니다. 난 선생님의 말씀을 이해할 수가 없군요." 테드는 말했다.

"그건 당신 자신이 이해하는 것을 막고 있기 때문이지요."하고 나는 대답했다.

"난 정말 이해 못하겠어요. 인간이 어떻게 하느님을 공부할 수 있습니까?"

"학교에서 심리학을 공부하듯이, 학교에서 하느님을 공부하면 되지요." 나는 대답했다.

"신학교를 말씀하시는 것입니까?"

"그래요."

"목사가 되는 것을 말씀하시는 겁니까?"

"그래요"

"그건 안 되지요, 나는 할 수 없습니다." 테드는 깜짝 놀랐다.

"왜 안 되지요?"

테드는 다시 거짓말을 하게 되었다. "정신치료자와 목사 사이에는 어떤 차이가 필연적으로 있는 것은 아니거든요. 내가 의미하는 것은 목사들도 치료를 많이 한다는 말입니다. 그래서 정신치료를 하는 것은, 일종의 목회를 하는 것과 같습니다."

"그럼, 왜 당신은 목사가 될 수 없나요?"

"선생님은 내게 압력을 가하고 계십니다." 테드는 발끈했다.

"내 인생은 나 개인의 결정에 달린 것이지요. 내가 인생을 어떻게 살것이냐 하는 것은 순전히 내게 달렸으니까요. 치료자들은 환자를 대신해서 무엇을 선택해 주는 것이 아니지 않습니까? 내가 나를 위해 선택할 것입니다."

"이것 좀 봐요."하고 나는 말했다. "나는 당신을 위해서 어떠한 선택을 해주고 있는 것이 아닙니다. 내가 하고 있는 것은 순수하게 분석자의 역할일 뿐이죠. 당신 앞에 열려 있는, 고를 수 있는 대안들을 분석하고 있는 것뿐입니다. 그런데 당신은 무슨 이유가 있어서인지 가능한 여러 대안들 가운데 하나를 고려하기를 원치 않고 있어요. 당신은 가장 중요한 일을 하기를 원하고 있습니다. 그리고 당신은 바로 하느님을 가장 중요한 존재로 느끼고 있습니다. 그런데 내가 하느님이라고 하는 인생의 대안을 보게 하려고 끌어 잡아당기니까 당신은 거기에 저항하려는 거지요. 당신은 그것을 할 수 없다고 말했지요. 할 수 없다면 그것으로 좋아요. 그런데 왜 할 수 없다고 느끼는지에 대해서 관심을 가지는 것은 내 영역입니다. 왜 당신은 신학을 배제하고 있나요?"

"나는 그저 목사가 될 수가 없답니다." 테드는 서툴게 말하는 것이었다.

"왜 안 되지요?"

"왜냐면요…… 왜냐하면 목사가 되는 것은 공개적으로 하느님의 사람이 되는 것을 의미하지요. 하느님에 대해 가지고 있는 신앙을 대중 앞에 공개해야만 된다는 말입니다. 나는 공개적으로 하느님께 열정적으로 몰두해야만 해요. 나는 그걸 제대로 해낼 자신이 없다는 것입니다."

"그렇지요, 당신은 그것을 몰래 해야만 하지요. 그렇지요?" 하고 나는 말했다. "그것이 당신의 신경증의 원인입니다. 당신은 그것을 꼭 비밀로 간직해야만 한다는 것이지요. 당신은 대중 앞에서 열성적일 수가 없다는 것이지요. 당신의 열정을 장 속에다 틀어박아 두어야만 한다는 거지요, 그렇죠?"

"이것 좀 보세요." 테드는 고함쳤다. "선생님은 내가 어떤지 모르십니다. 선생님은 나 같은 사람이 어떻게 살아가고 있는지 모르세요. 내가 무엇이든지 열성을 가지고 말하면 항상 형들이 그걸 가지고 놀리곤 했거든요!"

"보아하니 당신은 아직도 열 살이로군." 나는 핀잔을 주었다. "그리고 형들이 아직도 당신 주위에 있고."

내가 몰아붙이자 테드는 이제 더 이상 피하지 못하고 속에 있던 것들을 털어놓기 시작했다.

"그것뿐만이 아니에요." 그는 울면서 말했다. "바로 우리 부모들이 그렇게 나에게 벌을 주었어요. 내가 무엇이든 잘못할 때마다 내가 사랑하는 것을 내게서 빼앗아 버렸어요. '자, 보자, 테드가 제일 좋아하고 있는 것이 무엇이지? 오, 그래, 다음 주에 아주머니한테 가는 거야, 그 애는 정말로 그 여행에 대해서 좋아하고 있거든. 그러니 우리가 그에게 얘기해서 잘못한 대가로 아주머니를 보러 갈 수 없다고 해야겠어. 바로 그거야. 그리고 그 다음은 그의 활과 화살이야. 테드는 정말 활과 화살을 좋아하거든. 그러니까 우리는 그걸 빼앗아 버리는 거야. 단순하지.', 단순한 방법이에요. 무엇이건 내가 좋아하는 것이면 다 빼앗아 버리기만 하면 되었으니까요. 나는 사랑하는 것을 모두 잃어버렸어요."

그렇게 해서 우리는 테드의 신경증의 가장 깊은 핵심에 도달했다.

점차적으로, 계속해서, 그는 지금 열 살이 아닌 것을 상기시키면서, 또 그가 아직도 부모의 손아귀에 있는 것도 아니고, 형들과 가까이 있는 것도 아님을 상기시키면서 조금씩 조금씩 그는 스스로를 강요하여 생에 대한 열정과 사랑 그리고 하느님에 대한 사랑을 불러일으키게 했다. 그는 신학교에 진학하기로 결정했다.

그가 떠나기 수주 전에 그로부터 전달의 면담에 대한 수표를 받았다. 무엇인가 눈에 띄는 것이 있었다. 그의 서명이 더 길어진 것 같았다. 나는 자세히 들여다보았다. 이전에는 항상 '테드(Ted)' 라고 서명했었다. 그런데 그가 이번에는 '데오도르(Theodore)' 라고 서명했던 것이다. 나는 그 변화에 대해 그에게 일깨워 주었다.

"선생님이 그걸 알아보시기를 바라고 있었습니다."하고 그는 말했다.

"아마 나는 아직도 비밀을 가지고 있는가 봅니다. 그렇지요? 내가 어렸을 때 우리 아주머니께서 내게 말씀하시기를 데오도르라는 이름이 '하느님을 사랑하는 자' 라는 의미를 가지고 있기 때문에 자랑스럽게 여겨야만 한다고 하셨습니다. 저는 자랑스러웠습니다. 그래서 형들에게 그 얘기를 했었지요. 그런데 그들은 그것을 가지고 나를 또 놀렸지요. 그들은 나를 계집애 같다고 불렀어요. 계집애 같은 애야, 왜 제단에 가서 키스하지 않니? 왜 너는 찬양 대장한테 가서 키스하지 않니?" 테드는 웃음지었다. "그런 거 전부 아시죠? 그래서 나는 이름 때문에 쑥스럽게 느끼게 되었답니다. 몇 주일 전부터 나는 그것을 더 이상 쑥스럽게 느끼지 않게 되었어요. 그래서 이제는 내 이름 전부를 사용하는 것이 좋겠다고 결정했습니다. 결국 나는 하느님을 사랑하는 자이니까요. 그렇지 않습니까?"

아기와 목욕물

앞의 사례들은 다음 질문에 대한 대답으로 나온 것들이다. 신에 대한 믿음이 정신병리의 한 유형인가? 우리가 만약에 어린 시절에 배운 것, 지방의 인습과 미신의 진흙탕 속에서 뛰쳐나오기 위해서라면 이것은 반드시 짚고 넘어가야 하는 문제다. 그런데 이 사례들이 보여 주고 있는 것을 보면 그 답이 단순하지 않다.

그 답이 어떤 때는 "그렇다."이다. 교회와 어머니가 캐시에게 가르쳐 주었던 하느님에 대한 불문의 신앙은 분명히 그녀의 성장을 더디게 했고 정신에 독이 들게 했다. 신앙에 대하여 회의하고 그것을 박차고 일어났을 때 그녀는 더 넓고 만족스러우며 생산적인 삶으로 모험해 나아갈 수 있게 되었다. 바로 그때서야 그녀는 자유로이 성장하게 되었다.

그러나 또 어떤 때는 하느님을 믿는 신앙이 정신병리의 한 유형인가, 하는 질문에 대한 답이 "아니다."일 수도 있다. 마르시아는 어린 시절의 차가웠던 소우주에서 벗어나 더 넓고 더 따뜻한 세계로 들어가면서 하느님에 대한 신앙도 역시 그녀 안에서 조용히 그리고 자연스럽게 자랐다. 그리고 테드가 버렸던 하느님에 대한 신앙은, 그의 정신의 기본적인 부분의 해방과 부활로 회복되었다.

우리는 같은 질문의 긍정적인 대답과 부정적인 대답 앞에서 어떻게 해야만 할까? 과학자들은 진리를 탐구하며 열성적으로 질문한다. 그렇지만 그들도 인간이며, 다른 모든 사람들과 마찬가지로 그들의 답이 정확하고 명백하며 또 간단하기를 원할 것이다. 단순한 해결을 바라는 과학자들이 하느님의 실재에 대해 회의하게 될 때 다음의 두 가지 함정에 빠지게 마련이다. 그 첫째가 아기를 목욕물과 함께 내버리는 것이다. 그리고 둘째는 좁은 동굴 속에 갇힌 것처럼 시야가 좁아지는 일이다.

확실히 현실적으로 하느님을 둘러싸고 있는 그 주위에는 많은 더러운 목욕물이 있다. 성전들, 종교 재판, 동물 제물, 인간 제물, 미신, 파문, 교리주의, 무지, 위선, 독선, 강직, 잔인, 책 불사르기, 마귀 불태우기, 성무 집행, 공포, 복종, 병적인 죄의식, 정신 이상 등등 그 항목은 거의 끝이 없다. 그런데 이 모든 것이 하느님이 인간에게 행한 것인가 아니면 인간이 하느님에게 저지른 것인가? 하느님에 대한 신앙이라 믿어졌던 것들이 사실은 파괴적인 교리주의에 불과하다는 것은 분명하다. 그러면 인간들이 하느님을 믿는 경향이 있는 것이 문제일까, 혹은 인간들이 독단적인 것이 문제일까? 무신론자를 알고 있는 사람이라면 누구나 어떤 신앙인이 자신의 신앙에 대해 독단적인만큼 그도 독단적일 수 있다는 사실을 알 것이다. 우리가 제거해 버릴 필요가 있는 것은 하느님에 대한 믿음인가, 혹은 독단주의인가?

과학자들이 아기를 목욕물과 함께 던져버리기 쉬운 또 다른 이유는 내가 이미 암시한 것처럼 과학 자체가 하나의 종교이기 때문이다. 최근에 과학적인 세계관을 갖게 되었거나 또 그것으로 개종한 지 얼마 안 되는 과학자는 기독교의 십자군이나 알라의 군대와 조금도 다를 바 없이 광신적이다. 이런 현상은 신에 대한 믿음이 무지, 미신, 강직, 위선과 밀접하게 관련된 문화나 가정의 출신 배경을 지닌 사람이 과학에 입문했을 때 더욱 두드러진다. 그런 경우 지적인 동기와 마찬가지로 감정적인 동기를 가지고 처음에 믿었던 신앙의 우상을 깨뜨려 버려야만 한다. 그러나 과학자들에게서 그들의 성숙도를 재는 지표는, 과학도 어떤 다른 종교와 마찬가지로 독단으로 빠질 수 있다는 것을 인식하고 있느냐 하는 데 있다. 나는 정신적인 성장을 위해 지금까지 배운 것을 회의하는 과학적인 태도를 길러야 한다고 강력하게 주장해 왔다. 그러나 과학 자체의 주장들이 가끔 문화의 우상이 되므로, 우리들은 이들에 대해서도 마찬가지로 회의적이 되어야 할 필요가 있다. 성장한 뒤에는 신에 대한 믿음에서도 벗어날 수 있다. 그러나 반대로 나는 성장함에 따라 신에 대한 믿음으로 깊이 들어갈 수 있음을 이야기하고자 한다. 회의적인 무신론이나 불가지론이 인간이 도달할 수 있는 최고의 인식 상태라고는 말할 수 없는 것이다. 이와 반대로 하느님에 대한 허위 주장과 거짓 개념들의 배후에는 진정한 신의 존재를 증명할 개념들이 숨겨져 있을 수도 있다. 이것이 바로 신학자 폴 틸리히가 '하느님을 초월한 신' 이라고 언급했을 때 의미한 바이고, 또 지적인 기독교도들이 "하느님은 죽었다, 하느님이여, 영생하시라."고 부르짖었던 이유이다.

정신적 성장은 어떻게 해야 가능할까? 어째서 처음에는 미신에서 나와 불가지론에로 그리고는 불가지론에서 나와 하느님에 대한 정확한 지식에로 인도되는 것일까? 이 과정에 대해서 바로 900년 전 수피 아바는 다음과 같이 말했다.

> 사원과 건물들이 부스러지기 전까지
> 우리의 신성한 일은 성취되지 않을지어다.
> 믿음이 배척당하기 전까지, 그리고 배척이
> 믿음으로 되기 전까지
> 진정한 모슬림(Moslim)은 없을 것이다.

정신적 성장의 길이 회의적인 무신론이나 불가지론으로부터 하느님을 믿는 정확한 신앙으로 인도되는 것이든 아니든 간에 사실 문제가 되는 것은 마르시아나 테드와 같은 지적으로 세련되고 회의적인 사람들이 신앙의 방향으로 성장하게 된다는 것이다. 여기서 지적되어야만 하는 것은, 그들이 이 신앙으로 성장하게 된 것은 캐시가 신앙을 버림으로써 성장할 수 있었던 것과는 다르다는 것이다. 회의하기 이전의 하느님은 회의를 거친 후의 하느님과 전혀 다르다.

앞에서 이미 설명한 것처럼 이 세상에는 단독 단일의 종교란 있을 수 없다. 다수의 많은 종교들이 있고, 여러 차원의 믿음이 있다. 어떤 종교들은 어떤 사람들에게 건전하지 않지만, 또 다른 종교들은 건전할 수도 있는 것이다.

이것은 모두가 정신과 의사나 정신치료자들인 과학자들에 의해서 특별히 얻어진 결론이다. 사람들의 성장 과정을 직접적으로 취급하고 있기 때문에 그들은 누구보다도 더 개인의 믿음의 건전성 여부에 관해서 판단을 내리도록 요구받고 있다. 정신치료자들은 엄격하게 프로이트적인 전통을 지키지는 않더라도 일반적으로 회의하는 태도를 지니고 있으므로, 이들은 하느님에 대한 어떤 열광적인 믿음을 병적인 것으로 생각하는 경향이 짙다. 경우에 따라서는 이런 경향이 지나쳐서 편견을 가질 때도 있다.

얼마 전에 나는 대학 선배 한 분을 만난 적이 있는데 그는 수년간 수도원에 들어가야 할지의 여부를 신중하게 고려하고 있었다. 그는 그 전해부터 줄곧 정신치료를 받아 오고 있었다.

"그렇지만 나는 내 치료자에게 수도원이나 내 종교적 신앙의 깊이에 대해서는 이야기할 수가 없었어."라고 그는 살짝 애기했다. 그리고 "그가 나를 이해할 것이라고는 생각지 않아."라고 덧붙이기까지 했다.

나는 이 대학 선배에 대해 그리 잘 알지 못했으므로, 그를 위해 수도원이 어떤 의미를 가지는지 혹은 그의 수도원에 가입하려는 욕망이 신경증적인 것인지 예측할 길이 없었다. 그러나 나는 그에게 이렇게 애기하고 싶었다.

"당신은 그것에 대해 당신 치료자에게 꼭 애기해야만 할 것입니다. 치료를 위해서 환자는 모든 것에 대해 공개적이어야 할 필요가 있으니까요. 특별히 이처럼 심각한 문제라면 더 그렇지요. 당신은 당신의 치료자가 객관적이라고 믿어야만 합니다."

그러나 나는 그렇게 말하지 못했다. 왜냐하면 그의 치료자가 객관적인지, 그리고 참으로 환자가 의미하는 그대로를 이해할 만한 역량을 지니고 있는지 제대로 확신이 서지 않았기 때문이었다.

종교에 대해서 단순한 태도를 가진 정신과 의사들은 어떤 환자들에게는 오히려 해로울 수도 있다. 그들이 모든 종교가 선하고 건전하다고 여겨도 마찬가지다. 만약 그들이 아이를 목욕물과 함께 내버리듯이 모든 종교를 병적인 것으로 여긴다면 그것도 역시 해롭기는 마찬가지다. 그리고 마지막으로 환자들의 종교 문제에 개입하는 것이 옳다고 믿으면서도 문제가 복잡하다는 핑계 아래 완전한 객관성이라는 장막 뒤에 숨어 종교 문제에는 자신을 개입시키지 않으려는 태도도 환자에겐 해롭다.

내가 하고자 하는 말은 치료자들이 객관성을 버려야만 된다는 것이 아니다. 그들의 객관성과 자신들의 정신적인 태도와 균형을 맞추는 것이 쉬운 일이라고 말하려는 것도 아니다. 반대로 나는 모든 종류의 정신치료자들이 자신들이 적극적으로 개입하려 들지 않는 태도에 대해 재고해 볼 필요가 있다고 주장하고 싶은 것이다. 그리고 종교적인 문제에 있어서도 훨씬 더 세련된 태도를 갖도록 힘써 나가야만 된다고 충고하고 싶다.

동굴 속에 갇힌 것과 같은 과학적 태도

가끔 정신과 의사들은 환자들이 이상하리만치 혼란스러운 시야를 가지고 있는 것을 대하게 된다. 즉 이 환자들은 그들 바로 앞에 있는 아주 좁은 영역만 볼 수 있는 것이다. 그들은 그들이 초점을 맞춘 것 외에는 왼쪽이나 오른쪽에 있는 그 어느 것도 볼 수 없으며, 위나 아래에 있는 것도 볼 수가 없다. 그들은 두 개의 사물이 서로 동시에 엇갈려 있는 것을 볼 수 없으며, 오직 한 번에 한 가지 물건만 볼 수 있고, 다른 것을 보려면 머리를 돌려야만 한다. 그들은 오직 좁은 동굴 속에서 바라보는 작은 빛만을 볼 수 있고, 끝에 확실히 보이는 것만 볼 수 있는 이 증세를 즐긴다. 육체적으로는 그 증세를 설명할 만한 아무런 장애도 발견할 수가 없다. 어떤 이유에서인지 그들은 눈에 직접 보이는 것, 또는 그들이 주의를 갖고 선택해서 보는 것 이상의 것을 보고 싶어하지 않는 것 같다.

과학자들이 아기를 목욕물과 함께 내던져 버리는 중요한 이유는 그들이 아기를 보지 못하기 때문이다. 많은 과학자들이 하느님이 실재한다는 증거를 보지 못하는 것도 그들이 같은 종류의 좁은 시야를 가졌기 때문이다. 이것은 자기가 만들어 놓은 심리적인 울타리로, 스스로 정신의 영역으로 주의를 돌리는 것을 막고 있다.

일종의 과학적 태도라 할 수도 있는 이러한 동굴 속 시야를 지니게 되는 여러 이유들 중 나는 두 가지를 논의해 보고 싶다. 이것은 과학적 전통의 성격에서 기인된 것으로서, 첫째 것은 방법론의 문제이다. 과학은 경험과 정확한 관찰과 정당성을 매우 중요시하므로 측정을 특히 강조한다. 무엇을 측정해 보는 것은 어떤 면에서 그것을 경험하는 것이고, 그러므로 우리는 아주 정확한 관찰을 할 수 있으며, 다른 사람들도 반복해서 정확한 관찰을 할 수 있다. 실제로 측정이라는 방법을 사용함에 따라 과학은 우주 사물을 이해하는 데 거대한 진보를 할 수 있게 되었다. 그리하여 측정은 과학적인 우상이 되어 버렸다. 그 결과 과학자들은 회의주의뿐만 아니라 측정할 수 없는 것은 바로 거부해 버리는 태도를 기르게 되었다. 이것은 마치 이렇게 말하는 것과도 같다.

"측정할 수 없는 것은 알 수 없다. 알 수 없는 것에 대해서는 걱정할 필요 또한 없다. 그런고로 우리가 측정할 수 없는 것은 관찰해 볼 중요성도 가치도 없는 것이다."

이러한 태도 때문에 많은 과학자들이 사물 중에서 만져서 알기 어려운 것은 모두 회의와 관찰의 대상에서 제외시켜 버렸다. 물론 하느님에 대한 문제들도 포함된다. 연구하기에 쉽지 않은 것들은 연구할 가치도 없다는, 이러한 우스꽝스럽지만 일반화된 가정이 비교적 최근에 발달된 몇몇 분야에 의해서 도전받기 시작했다. 그 하나가 과학적인 연구 방법들을 아주 세련되게 발전시켜 나가는 것이다. 전자 현미경, 스펙트럼 사진 측정기, 또 컴퓨터들과 같은 하드웨어와 통계학적 기술과 같은 소프트웨어를 사용함으로써 수십 년 전만 해도 측정하지 못했던, 점점 증가해 가는 혼잡한 현상들을 우리는 이제 측량할 수 있게 되었다. 과학적 시야가 확장되고 있는 것이다. 그러므로 아마도 우리는 곧 다음과 같이 말할 수가 있게 될 것이다.

"우리의 시야 밖에 있는 것은 이제 아무 것도 없다. 우리가 무엇이건 연구하기로 마음만 먹으면 언제나 그것을 연구할 방법을 찾을 수가 있다."

동굴 속에 갇혀서 사물을 바라보는 것과 과학적인 태도를 피하도록 해주었던 것은, 패러독스의 실상에 대한 최근의 발견이다. 한 백년 전만 해도 패러독스는 과학적인 정신에 과오를 의미하는 것이었다. 그러나 빛의 성격과 같은 현상을 연구해 보면서 전기자장, 양자이론, 상대성 이론과 같은 류의 물리학이 지난 세기를 걸쳐 성숙되어, 어느 정도 수준에 도달했음에도 불구하고 현실의 실제 모습은 패러독스를 안고 있다는 것을 점증적으로 인정하게 되는 지점에까지 이르게 되었다. 그래서 로버트 오펜하임은 이렇게 썼다.

우리는 가장 간단해 보이는 문제에 대해서도 전혀 대답할 수 없거나, 얼핏 보기에는 물리학이론에서 절대 긍정할 수 없는 이상한 선문

답을 연상케 하는 대답을 하곤 한다. 예를 들어 만약에 전자의 위치가 그대로인지 아닌지 묻는다면 우리는 '아니다' 라고 해야만 한다. 전자의 위치가 시간과 함께 변하고 있는지에 대해 묻는다면 우리는 '아니다' 라고 해야만 한다. 그렇다면 전자는 쉬고 있는 것이냐고 묻는다면 우리는 역시 '아니다' 라고 해야만 한다. 그러나 또 그것이 움직이는 가운데 있느냐고 묻는다면 우리는 '아니다' 라고 해야만 한다. 부처도 인간의 사후세계에 관하여 질문을 받았을 때 그렇게 대답했다. 그러나 17, 18세기 과학의 전통에 비추어 볼 때 그것은 결코 정답이라고 말할 수 없는 것들이다.

신비주의자들은 수세기 동안 우리에게 패러독스에 관하여 이야기해 오고 있다. 과학과 종교가 서로 만나는 접점이란 과연 가능한 것일까? 우리가 "인간은 죽을 운명과 영생의 운명을 동시에 가지고 있다.", 또 "빛이 하나의 파동이고 동시에 또 하나의 입자이다." 라고 말할 수 있을 때 우리는 같은 언어로 이야기하기 시작하는 것이 된다. 정신적 성장의 길이 종교적 미신으로부터 과학적 회의주의에로 진행되고 있는데 이것이 궁극적으로는 우리를 진정한 종교적 세계로 인도하는 것을 가능하게 해줄까?

종교와 과학의 통합 가능성이 시작되고 있다는 것이 현재 우리의 지적 생활에서 일어나고 있는 가장 중요하고 통쾌한 일이다. 그러나 이것은 오직 시작에 불과하다. 대부분의 종교인과 과학자들은 아직도 스스로가 만든 좁은 틀 속에 머물러 있으며, 그 좁은 시야로 인해 광대한 세상을 제대로 보지 못하고 있다. 예를 들어 기적에 관한 문제에 대한 양쪽의 태도를 고찰해 보자. 대개의 과학자들에게는 기적이라는 생각마저도 불합리한 것이다. 지난 400여 년 동안에 걸쳐서 과학이 여러 개의 '자연법칙', 즉 '두 물체간의 인력은 그 무게에 비례해서 증가하고, 그 물체들간의 거리에는 반비례해서 감소된다.' 또는 '에너지 불멸의 법칙'을 해명해 왔다. 그러나 자연법칙을 발견하는 데 성공한 과학자들은 측정을 우상화했던 것처럼 자연법칙도 우상화했다. 그 결과 자연법칙으로 설명될 수 없는 사건은 어떤 것이든 과학적인 관점에서는 절대 일어날 수 없는 사실로 간주되고 있다. 그리고 방법론에 대해서 과학은 이렇게 말하는 경향이 있다. "연구하기가 매우 어려운 것은 연구 가치를 갖지 못한다." 그리고 자연법칙에 관해서도 과학은 이렇게 말한다. "이해하기가 어려운 것은 실존하지 않는다."

이에 비해 교회는 다소 너그러운 편이라고 할 수 있다. 종교적 관점에서는 알려진 자연법칙에 따라서 이해할 수가 없는 것은 기적이라고 하며, 그리고 이 기적들은 실존하는 것이라고 한다. 그러나 교회는 기적의 존재를 믿기만 할 뿐 그 기적들을 아주 가까이 관찰해 보는 데는 별로 관심이 없었다. "기적은 과학적으로 검토될 필요가 없다."고 하는 것이 종교계의 압도적인 태도다. "그들은 단순히 하느님의 역사하심으로 믿어야만 한다."는 것이다. 종교인들은 그들의 종교가 과학에 의해서 흔들리기를 원치 않고 있으며 이것은 마치 과학자들이 자기들의 과학이 종교에 의해 흔들려지기를 원치 않는 것과 마찬가지이다. 예를 들어서 기적으로 병을 치료하는 일들을 가톨릭 교회는 신도들이 신의 존재를 믿게끔 만드는 데 이용해

왔으며, 그러한 태도는 신교도들에게도 영향을 주었다. 그런데 교회는 의사들에게 이런 제안을 하지 않는다. "우리와 함께 이러한 놀라운 현상들을 연구해 보시겠습니까?" 의사들도 신앙인들에게 이렇게 제안하지 않는다. "그런 일들을 과학적으로 같이 검토해 보지 않겠습니까?"라고.

오히려 의사들은 기적으로 치료되는 것을 부인한다. 기적으로 치료되었다고 하는 질병이란 본래 존재했던 것도 아니고, 그것은 마치 히스테리의 전환적 반응과 같은 환상의 장애였거나 그렇지 않으면 오진이었을 뿐이라고 주장한다. 그러나 몇몇 순수한 의사들과 종교적 진리를 추구하는 사람들은 그러한 현상의 본질이 환자들 안에서 자발적으로 일어난다는 것을 발견하게 되었다. 그리고 그것을 분명한 정신치료의 성공적인 예로 검토해 보기 시작했다.

십오 년 전, 의과대학을 졸업할 때 나는 기적이란 전혀 없다고 확신했었다. 그러나 현재 나는 기적이 있다는 것을 확신하고 있다. 내 의식 안에서의 이러한 변화는 두 가지 요인들이 서로 손을 잡고 작용한 결과라고 하겠다. 그 첫째 요인은, 내가 정신과 의사로서 가져온 여러 경험들이 처음에는 아주 평범한 것처럼 보였지만 더 깊이 생각해 보니 환자들과 함께 일하며 그들의 성장을 촉진시킨 것은 내가 논리적으로 설명할 수 없는 것들로서 기적이라 할 수밖에 없음을 깨닫게 되었던 것이다. 이것은 나로 하여금 내가 이전에 가졌던 '기적적인 것이 일어난다는 것은 불가능하다'는 가정을 회의하게 했다. 그러자 나는 기적적인 치유의 가능성에 대해 개방적인 태도를 갖게 되었다. 이 개방적인 태도가 바로 내 의식에 변화를 가져오게 한 원인의 두 번째 요인이었다. 이제 나는 일상적인 존재들을 기적적인 것을 바라보는 눈으로 보기 시작하게 되었다. 많은 것을 보면 볼수록 나는 더 많은 것을 발견할 수 있었다. 내가 한 가지 독자들에게 이 책으로부터 얻기를 바라는 것은 기적적인 것을 인식할 능력을 소유하는 사람이 되라는 것이다. 이런 능력에 대해서 다음과 같은 글이 있다.

> 자아 실현이란 하나의 분명한 의식 속에서 태어나고 성숙되고 있으며, 이 인식은 많은 다른 종류의 사람들에 의해서 아주 다양한 방법으로 묘사되어 왔다.
>
> 예를 들어서 신비주의자들은 이것을 신성과 세계의 완전함을 지각하는 것이라고 말하고 있다. 리차드 버크는 우주적인 의식으로 설명하고 있고, 부버는 '나와 너(I-Thou)의 관계' 라는 말로 설명하며, 마슬로우는 '존재-의식' 이라는 말을 붙이고 있다. 우리는 이것을 우스펜스키의 말을 인용하여 기적적인 것을 지각하는 것이라고 부르고자 한다. 여기서 '기적적' 이라고 하는 것은 이상한 현상뿐만 아니라 또한 일상적인 것을 말한다. 그 이유는 우리가 충분하고도 면밀한 주의를 기울이면 우리에게 특별한 자각을 일깨워 주지 않는 것이 없기 때문이다. 일단 타성과 선입견과 개인적 이해에서 벗어나 세계를 보면, 세계를 그 자체 안에 있는 그대로 자유로이 경험하게 되고 또 그것에 내재하는 위대성을 자유로이 볼 수 있게 된다. [……] 기적적인 것을 인식하는 데는 아무런 신앙이나 가정도 요구하지 않는다. 그것은 단순히 생에 주어진 것을 세심하게 주의를 기울여 보는 것뿐이다. 즉 무

엇이든지 그렇게 존재하는 것을 당연하게만 여기지 않고 주의 깊게 보는 것이다. 순수한 기적은 세상 곳곳에서 일어난다. 우리 육체의 섬세한 부분들에서, 광대무변한 우주에서, 또 이 모든 존재들 사이의 긴밀한 관계 속에서. [……] 우리는 아주 섬세하게 균형잡힌 반향체계의 일부분으로, 그 체계 안에서 서로 손에 손을 잡고 개성을 지님과 동시에 상호의존하고 있는 것이다. 우리 모두는 개별적 존재지만, 더 큰 전체의 부분들이고 어떤 광대하고 설명할 수 없이 아름다운 것으로 합일되고 있다. 기적적인 것을 인식하는 것은 자아 실현의 정수이며 그것을 뿌리로 삼아 인간의 지고한 인격과 경험이 자라는 것이다. (Michael Stark and Michael Washbum, "Beyond the Norm : A Specilative Model of Self-Realization")

우리는 기적이라고 하면 너무 극적인 것만 연상하고 있다는 생각이 든다. 우리는 불타는 숲을 찾았으며, 바다가 갈라지고 하늘로부터 내려치는 소리를 찾고 있었다. 이러한 것들 대신 우리는 일상에서 일어나는 그날 그날의 사건들을 기적의 증거로, 동시에 과학적인 조화를 유지하면서 들여다보아야만 할 것이다. 이것을 나는 바로 다음 장에서 정신치료를 하는 과정에서 일어난 것들을 검토함으로써 알아보려 한다. 이들은 나로 하여금 은총이라는 특수한 현상을 이해하는 데로 인도해 주었다.

그러나 나는 다른 것에 주의를 기울이며 여기서 어떤 결론을 짓고 싶다. 과학과 종교 사이에 있는 중간지대란 위험하게 흔들리는 장소일지도 모른다. 나는 근래에 '신념에 의한 치료' 라는 주제의 학술회의에 참석했었다. 거기에서 수많은 연사들이 일화를 통한 증거를 제시하면서 그들이나 혹은 다른 사람들이 치료의 능력을 지녔다는 사실은 분명하다고 주장했다.—그것이 과학적이지도 않은데—병 고치는 자가 환자의 부풀어 오른 관절 부위에 안수를 해서 다음날 그 관절의 부푼 것이 사라졌다고 해서 이것이 병 고치는 자에 의해서 치료되었다고 볼 수는 없다. 부어오른 관절은 조만간 부은 것이 내리게 마련이고, 그 관절에 어떤 조치를 취하든지 간에 결국은 부은 것이 가라앉는 게 보통이다. 두 사건이 시간을 경과해서 함께 일어났다고 해서 인과적으로 관련되었다는 것을 의미하는 것은 아니다. 이 초자연적인 현상의 전체의 영역은 희미하고 모호하므로, 무엇보다도 중요한 것은 우리가 그것을 건전한 회의주의를 가지고 접근해야 된다는 것이다. 그렇지 않으면 우리는 우리 자신과 다른 사람들을 잘못 인도하게 될 것이다. 다른 사람들을 잘못 인도할지도 모르는 방법 중에 회의주의적 자세 및 엄격한 현실 검증 태도의 결핍이 있다. 이것은 심령현상의 실재를 공공연히 찬성하는 사람들에게 빈번히 나타나고 있다. 그런 사람들은 이 분야에 나쁜 영향을 가져다 준다. 왜냐하면 심령현상이라는 분야가 현실을 왜곡시켜서 많은 사람들로 하여금 그렇지 않은 경우인데도 불구하고 심령적인 현상 그 자체들이 잘못되었다고 결론짓도록 할 수 있기 때문이다. 많은 사람들이 어려운 문제에 간단한 답을 찾으려고 시도하고 있고 생각을 깊이 하지 않으면서 기대만으로 인기있는 과학적인 개념들을 종교적인 개념들과 합병시키려고 하고 있다. 물론 그러한 결합에 실패한다고 해서 그 결합이 불가능하다거나 어리석은 일임을 의미하는 것은 아니다. 그러나 동굴 속에서 보는 것 같은 과학적 태도가 현실을 왜곡시켜서는 안 되는 것과 마찬가지로, 회의를 위한 우리의 비판적 능력과 역량도 정신적인 영역의 눈부신 아름다움 때문에 눈이 멀어서는 안 된다.

아직도 가야 할 길

The Road Less Travelled

넷_은총

건강의 기적

놀라운 은총이여! 나같이 타락한 자에게도
구원의 손길 내리시는 다정한 음성!
나는 버린 자식, 그러나 지금은 집을 찾았네.
눈 뜬 장님이었으나 지금은 보이네.

나를 두려움에 떨게 하신 그 은총이
내 두려움을 도로 거두어 주셨네
그토록 소중한 은총을 깨달은 순간
나는 처음으로 믿었네, 내 주님을!

가시밭길 쑥넝쿨 다 지나서
나 이제 여기 왔네
이토록 멀리까지 나를 고이 인도하신 은총이여
이 몸을 천국으로 이끌어 주시리.

천 년 만 년 그곳에서 복락을 누릴 때
태양같이 빛나는 우리의 마음
주님 찬미하는 노래 소리는
처음과 같이 세세에 영원하리.

Amazing grace! How sweet the sound
That saued a wretch like me!
I once was lost, but now am found,
Was blind, but now I see.

'Twas grace that taught my heart to fear,
And grace my fears relieved;
How precious did that grace appear
The hour I first believed!

Through many dangers, toils and snares,
I have already come;
'Tis grace has brought me safe thus far,
And grace will lead me home.

And when we've been there ten thousand years,
Bright shining as the sun,
We'll have no less days to sing God's praise

Then when we first begun.

이 노래는 초기 미국의 유명한 찬송가다. 이 찬송가에서 은총에 관련된 첫 번째 표현은 '놀라움'이다. 놀랍다는 것은 사물이나 사건이 평상시와는 다르거나 혹은 일반적인 '자연법칙'으로는 잘 설명되지 않는 경우에 쓰는 말이다. 이어지는 노랫말 속에서는 은총을 일상적인 현상이며 또 얼마간은 예측가능한 현상으로 설명하고 있다. 그러나 은총은 우리가 알고 있는 일반적인 과학이나 자연법칙의 개념으로는 이해하기 불가능한 측면이 있다. 은총은 여전히 기적적이고 놀라운 그 어떤 것으로 남아 있다.

정신과 의사의 임상에 나타난 여러 양상들 가운데 나를 위시한 다른 정신과 의사들을 놀라게 하는 점들이 있다. 그 가운데 하나는 어떤 환자들은 정신적으로 건강하다고 하는 놀라운 사실이다. 일반적으로 다른 분야의 의사들은 정신과 의사들이 부정확하고 비과학적인 방법을 사용한다고 비난한다. 그러나 사실 다른 어떤 질병보다도 노이로제의 발병 원인이 더욱 세세하게 밝혀져 있다. 게다가 정신분석을 통해서 환자 개개인의 노이로제의 원인과 발전 과정을 아주 정밀하게 추적해 볼 수 있는데, 이 또한 다른 의료 분야에서는 쉽지 않은 일이다. 어떤 사람이 언제, 어떻게, 어디서, 왜 그런 특별한 행동 방식이나 신경증 증세를 나타내고 또 진행하게 되었는지를 정확하게 진단해 내는 것은 불가능한 일이 아니다. 또한 특정 노이로제 환자를 어떻게 하면 치료할 수 있을지, 혹은 어떻게 치유가 되었는지를 정확하게 알아내는 것도 가능한 일이다. 그러나 알 수 없는 것은 노이로제 환자의 증세가 악화되지 않는 이유—가벼운 노이로제 환자가 중증의 노이로제가 되는 일이 없고 중증 노이로제 환자가 완전한 정신이상자가 되지 않는 것—이다. 의학적 통계로는 어떤 특별한 정신적 외상을 받으면 어떤 특정한 노이로제 증상이 나타나야 하는데, 그렇지 않은 경우를 우리는 발견한다. 통상적으로는 그가 겪은 상처들은 현재 그가 앓고 있는 것보다도 훨씬 더 심한 노이로제를 일으켰어야 하는데도 그렇지 않은 경우도 비일비재하다.

35세 된 전도 유망한 사업가 한 사람이 아주 가벼운 노이로제 증상으로 나에게 찾아온 적이 있었다. 그는 시카고의 슬럼가에서 사생아로 태어났다. 그의 어머니는 시각장애와 청각장애의 중복장애자였으나, 어린 젖먹이를 혼자 힘으로 키웠었다. 그러나 그가 다섯 살이 되었을 때 주 정부는 그의 어머니 같은 여성들에게는 어린이를 제대로 양육할 능력이 없다고 판단하고서 그를 사전 설명이나 예고도 없이 어머니에게서 빼앗아 위탁 양육을 시켰다. 그는 위탁 가정을 세 군데나 전전하면서 보살핌이나 사랑을 받기는커녕 무관심 속에서 자라났다. 15세 되던 해, 뇌혈관의 선천성 동맥류가 파열되어 몸의 한 부분이 마비되는 일이 있었다. 그리고 16세가 되었을 때 그는 마지막 위탁 가정을 나와서 혼자 살게 되었다. 이런 상황이라면 흔히 예상할 수 있듯이 17세 때는 사소한 폭행 사건으로 감옥살이를 했다. 감옥에서 정신 진료를 받지 못한 것은 물론이다.

6개월 간의 감옥살이를 마치고 출감했을 때 당국에서는 그를 어느 조그만 회사의 말단직원으로 취직시켜 주었다. 그 어떤 정신치료자나 사회사업가라도 그의 장래는 어두울 것이라 예측할 수밖에 없었을 것이다. 그러나 예상을 뒤집고 3년이 지나지 않아 그는 그 회사가 생긴 이래 가장 나이 어린 과장이 되었다. 5년 뒤에는 동료 여직원과 결혼도 했고, 그리고 나서 독립하여 자기 사업을 벌여 성공을 거두었으며 부자가 되었다. 나에게 진료를 받으러 왔을 무렵, 그는 그밖에도 사려 깊고 자애로운 아버지였고 독학으로 학위를 땄으며 지역 유지이자 훌륭한 예술가였다. 이 모든 것들이 어떻게 해서, 그리고 언제, 왜, 어디에서 일어났는가? 상식적인 인식에 비춰 본다면 결코 있을 수 없는 일이다. 우리는 상식적인 틀 안에서 그의 가벼운 노이로제의 원인을 정확히 찾아내어 치료할 수 있었다. 그러나 그가 일반의 예상을 뒤엎는 성공을 거둔 까닭에 대해서는 조금도 알아낼 수 없었던 것이다.

이러한 사례를 인용한 것은, 그가 입은 외상이 관찰 가능했을 뿐 아니라 아주 극적이었고, 그가 성공적으로 삶을 영위했다는 것 또한 명백했기 때문이다. 대부분의 경우 유년기의 정신적 외상은 훨씬 더 치명적이므로(반쯤은 파괴적인 결과를 낳지만) 겉으로는 건강해 보여도 그가 그 상처를 이겨 내었다는 증거를 찾기 쉽지 않다. 그러나 그 양식은 근본적으로 동일하다. 자기 부모보다 정신적으로 건강한 환자는 드물다. 우리는 사람들이 왜 정신질환에 빠지는가에 대해서는 잘 알지만, 어떻게 사람들이 정신적 외상을 이겨 내고 건전한 생활을 하는가에 대해서는 알지 못한다. 우리는 어떤 사람이 자살을 결심한 이유를 정확히 알 수 있으나 동일한 상황, 동일한 원인을 가진 각각의 사람들이 자살을 결심하지 않는 이유는 모른다.

여기서 내가 말할 수 있는 것은, 어떤 보이지 않는 힘이 있어, 그 힘이 최악의 환경에 처한 대다수의 사람들의 정신 건강을 지켜 주고 유지시켜 준다는 것이다. 그러나 그 힘이 어떤 식으로 작용하는지는 알 수 없다.

정신질환이 진행되는 양상은 일반 육체적 질병의 그것과 다르지만, 이런 측면에서는 대단히 유사하다. 즉 우리는 육체적 질병의 원인에 대해 대단히 많은 것을 알고 있으나 육체가 건강을 유지하는 원인에 대해서는 거의 아무 것도 모르고 있다는 점이다. 예컨대, 어떤 의사에게 뇌막염의 원인이 무엇인지 물어보라. 그러면 통상적으로 '뇌막염균'이 원인이라고 대답할 것이다. 그러나 여기에는 문제가 있다. 올 겨울에 우리 동네 사람들의 목에서 박테리아를 검출해 보면, 대략 열의 아홉 사람에게서 그 균을 발견할 수 있을 것이다. 그러나 지난 몇 해 동안 우리 동네 주민 가운데 뇌막염을 앓은 사람은 없었으며 올 겨울에도 있을 것 같지는 않다. 이것은 무슨 뜻일까? 뇌막염은 흔치 않은 질병이지만, 그 원인이 되는 균은 매우 흔한 세균이다. 의사들은 이런 현상을 설명하기 위해 저항이라는 개념을 사용한다. 즉 우리 인체는 뇌막염균을 위시하여 여러 병균이 침입하는 것에 저항하는 면역체계를 가지고 있다는 것이다. 이것은 틀림없는 사실이며, 우리는 그러한 면역체계가 작용하는 방법은 물론 그 종류까지 상세히 알고 있다. 그러나 여전히 커다란 문제가 남아 있다. 이번 겨울 뇌막염으로 죽은 사람들은 몸이 쇠약하거나 면역체계에 이상이 있어서라고 판명되겠지만, 그들도 이전에는 면역체계의 어떤 결함도 발견되지 않는 건강한 사람이었을 것이다. 어떤 의미로는 그들의 죽음이 뇌막염 탓이라고 말해도 무방하겠지만, 그것은 너무 피상적인 관찰이다. 좀더 깊이 들어가보면 그들이 왜 죽었는지 이유를 알 수가 없다. 정상적으로 우리의 생명을 보호하고 있던 기능들이 그들의 경우엔 제대로 작동하지 못했다는 게 우리가 말할 수 있는 전부이다.

저항이라는 개념은 대체로 뇌막염 따위의 세균성 질병에 적용되기도 하지만 다른 측면에서 보면 모든 육체적 질병에 적용할 수 있다. 다만 세균성 질병과는 달리 비세균성 질병의 경우에는 신체의 방어기제가 어떤 식으로 작용하는가에 대해 거의 알려진 바가 없다. 예컨대 위궤양이라는 병 하나를 놓고도, 어떤 사람은 좀 가벼운 증상으로 고통을 받다가—대체로 신경성 궤양의 경우—완전히 회복되면 두 번 다시 재발하지 않는 반면, 또 어떤 사람은 몇 번이고 경련을 일으키다가는 만성 위궤양이 되어 평생 고생하기도 한다. 그런가 하면 또 어떤 사람은 맨 처음 경련이 왔을 때 그것을 이겨 내지 못하고 죽음에 이르기도 한다. 이렇게 같은 병인데도 결과는 다르다. 왜 그럴까?

대다수의 사람들이 별 어려움 없이 견뎌 내는 질환을 이 사람은 자신이 지닌 개인적 특성 때문에 이겨 내지 못한다고 설명할 수밖에 없다. 어떻게 해서 이런 일이 일어날까? 우리는 모른다. 심장병이나 뇌졸중, 암, 위궤양 같은 흔한 병들을 포함한 거의 모든 질병들에 대해서 우리는 똑같은 질문을 제기할 수 있다. 대개의 병의 상태가 정신의 영향을 받는다고 생각하는 연구자들이 점차 늘어나고 있다. 즉 정신이 신체의 저항체계에서 일어나는 여러 가지 실패와 관련이 있다고 믿는 것이다. 그러나 실제로는 방어체계가 종종 실패한다는 게 놀라운 것이 아니라 제대로 가동되는 경우가 보편적이라는 게 훨씬 더 놀랍다. 평상시의 우리는 박테리아를 산 채로 먹고 발암 물질들에 침해당하며 지방질과 혈당 때문에 애를 먹고 산성 물질에 침식당한다. 우리가 병들어 죽어가는 것은 그다지 놀라운 일이 아니다. 그럼에도 불구하고 우리가 자주 병에 걸리거나 죽지도 않는게 더 놀라운 일이다. 여러 가지 정신질환과 마찬가지로 육체적 질병에 대해서도 우리는 똑같은 말을 할 수 있다. 즉 이 세상에는 어떤 미지의 힘이 있어 최악의 상황에서까지도 사람들의 육체적 건강을 지켜주고 더욱더 건강해지도록 북돋아 준다는 것이다.

사고를 당한 환자들을 살펴보면, 더욱 흥미로운 문제를 발견할 수 있다. 의사들과 정신치료자들 가운데는 사고를 특별히 잘 일으키는 환자들을 다룬 경험이 있는 사람들이 많다. 내가 경험한 환자들 가운데서 가장 극적이었던 예를 들어 설명해 보겠다. 열네 살 먹은 소년이 있었는데 그는 재활센터에 입원하기 위한 사전 절차로서 나의 진료가 필요했었다. 그의 어머니는 그가 여덟 살 나던 해 11월에 돌아가셨다. 아홉 살이던 해의 11월에 그는 사다리에서 떨어져 팔이 부러졌다. 열 살이던 해 11월에는 자전거 사고를 당해 두개골 파열과 심한 뇌진탕을 일으켰다. 그리고 열한 살 되던 해 11월에는 지붕에서 떨어져 엉덩이뼈가 부러졌다. 열두 살이던 11월에는 스케이트 보드를 타다가 넘어져서 손목이 부러졌다. 열세 살 때의 11월에는 차에 치여 골반에 금이 갔다. 이 소년에게 사고를 일으키기 쉬운 성향이 있음은 의심할 수 없는 분명한 사실이다. 그러나 이러한 사고들은 어떻게 해서 일어나는가? 그 소년은 의식적으로 자기를 다치게 하는 것이 아니다. 그리고 그의 어머니의 죽음 때문에 자기가 깊은 슬픔에 잠겨 있음을 의식하고 있지도 않았다. 그는 내게 담담한 어조로 '어머니의 모든 것'을 잊었노라고 말할 정도였던 것이다. 이런 사고가 왜 일어나게 되었는가를 이해하기 위해서, 질병의 경우와 마찬가지로 사고에 대해서도 방어체계라고 하는 개념을 적용시키는 것이 필요하다고 본다. 즉 사고 유발 성향과 사고 방어체계라고 하는 개념 말이다.

어떤 사람이 자기 인생의 어떤 특정한 시기에 사고를 일으키기 쉽다는 사실은 간단한 문제가 아니다. 마찬가지로 우리들 대다수가 사고에 대해 자기 자신을 잘 방어하면서 매일매일을 살아간다는 것도 단순한 일이 아니다.

내가 아홉 살 나던 해 겨울이었다. 책가방을 들고 학교에서 돌아오던 나는 신호등이 바뀌는 순간 눈길에서 미끄러져 넘어지고 말았다. 그 순간 달려오던 차가 급정거했고, 나의 머리는 앞 범퍼 아래, 몸뚱이는 양 바퀴 사이의 차체 밑에 들어가 버렸다. 나는 너무도 놀라고 당황한 나머지 벌떡 일어나 차 밑에서 빠져나와 집으로 달려갔다. 그러나 놀랍게도 다친 곳은 아무 데도 없었다. 이것만으로 본다면 이 사고는 대단할 것이 없다. 혹자는 내가 운이 좋았던 것이라 생각할 것이다. 그러나 이 사건을 다른 경우와 비교해 보자. 걷거나 자전거를 타고 가다가 차에 살짝 부딪쳤을 때, 차를 몰고 가다가 어둠 속에서 보행자나 자전거를 탄 사람을 칠 뻔했을 때, 브레이크를 밟았는데 앞차의 불과 1~2인치 뒤에서 멎었을 때, 넘어져서 나무에 부딪칠 뻔했을 때, 창문 밖으로 떨어질 뻔했을 때, 누가 골프채를 휘둘렀는데 그것이 머리카락을 살짝 스치고 지나갔을 때 등등. 이것은 무슨 뜻인가? 나는 무슨 행운의 별 아래 태어난 것일까? 여러분들도 자기 자신의 삶을 한번 되돌아보기 바란다. 대부분의 사람들도 자신의 삶에서 재난이 반복적으로 스쳐 지나가고 있으며 실제로 일어난 사고들보다 일어날 뻔한 사고들의 수가 훨씬 많다는 것을 발견하게 될 것이다. 더 나아가 여러분들은 이러한 생존 방식 혹은 사고에 대한 방어 능력이 개인의 의식적인 판단의 결과가 아님을 깨닫게 되리라고 나는 확신한다. 이것은 우리들 모두가 '행운의 별 아래' 살고 있다는 뜻일까? 앞서 인용한 노래의 한 구절처럼 '이토록 멀리까지 나를 고이 인도하신 은총' 이 정말로 존재하기 때문일까?

이 모든 것에 대해 놀랄 만한 점이라곤 없으며 지금까지 얘기했던 모든 것들은 단지 인간의 생존 본능의 표현에 지나지 않는다고 말할 사람도 있을 것이다. 그러나 어떤 사실에 특정한 이름을 붙인다고 그 사실이 다 설명될 수 있는 것일까? 우리가 생존본능을 가졌다는 사실 자체가 그것에 '본능' 이라는 이름을 붙임으로서 평범한 일이 될 수 있는가? 본능이라는 것의 근원이나 메커니즘에 대해 우리가 알고 있는 지식은 거의 없다. 실제적으로 사고의 구조를 보면 인간의 살아 남으려는 경향은 본능 이상으로 더욱더 기적적인 것임을 알 수 있다. 물론 본능은 그 자체만으로도 충분히 기적적이라 할 수 있다. 그러나 우리는 본능에 대해 거의 아는 바도 없으면서, 본능이란 그것을 소유하고 있는 개인의 영역 내에서 작용하는 것이라 믿고 있다. 정신적 · 신체적 질환에 대한 방어능력을 단지 개인의 무의식이나 육체적 신진대사 과정에 포함된 것으로 생각해 버릴 수 있다. 그러나 사고라는 것은 어떤 개인 사이 혹은 어떤 개인과 그 주변의 사물들과 관련되어 일어나는 것이다. 내가 아홉 살 때 일어났던 그 사고에서 나는 그 차의 바퀴에 깔리지 않았는데, 그것은 내 생존본능 때문일까, 아니면 그 차의 운전자가 나를 죽이지 않으려는 저항본능을 가졌기 때문일까? 우리는 아마도 자기 생명뿐 아니라 남의 생명까지도 보호하려는 본능을 가졌을지도 모른다.

내가 직접 본 것은 아니지만, 내 친구들 가운데는 엉망으로 부서진 차 안에서조차도 조금도 다치지 않은 피해자들이 기어나오는 교통사고를 목격한 사람들이 여럿 있다. 그들은 하나같이 무척 놀랍다는 반응을 보였다. "그 지경이 되었는데도 살아나다니, 상상도 못할 일이야! 다친 데도 없더라구."라는 식이다. 이런 일을 뭐라고 설명할 것인가? 오로지 행운에 불과하다고 말할 것인가? 목격자들 가운데 종교가 없는 친구들은 이 사고들이 어떤 행운도 작용할 수 없는 상황이라는 것에 많이들 놀란다. "아무도 살아 남지 못하겠더라구!"라고 그들은 말한다. 종교도 없으며 종교적이지도 않은 내 친구들은 자신이 말하는 것의 의미를 깊이 생각하지도 않았겠지만, 그들은 자신의 놀라운 경험을 이런 말로 요약하곤 했다. "아마 하느님은 주정뱅이도 사랑하시나보지.", 혹은 "아직 염라대왕 명부에 올라 있지 않은 모양이야." 여러분들 또한 이러한 사건들이 지닌 신비를 '순전히 우연'이라는 설명할 길 없는 '이변'이나 '운명의 장난' 쯤으로 여기고 더 깊이 생각해보려고 하지 않을지도 모른다. 그러나 이런 사건들을 좀더 파고 들어가 본다면, 본능이라는 개념이 이런 현상을 설명하는 데는 대단히 불만족스럽다는 것을 깨달을 것이다. 생명도 없는 자동차라는 기계가 자신이 태운 사람이 다치지 않도록 부서지는 본능을 갖고 있단 말인가? 혹은 사람들에게 자동차가 부서질 때 거기에 자기 몸을 맞추어 다치지 않도록 하는 본능이 있는가? 이런 물음은 말도 안 되는 소리다. 이 사건들을 좀더 정확하게 설명하려고 하면 할수록 본능이라는 전통적 개념은 별로 도움이 되지 않는다. 굳이 찾자면 동시발생이라는 개념이 조금 더 도움이 될 것이다. 그러나 동시발생의 개념을 고찰해 보기 전에 먼저 우리가 무의식이라고 부르는 인간 정신의 한 부분이 지닌 여러 가지 기능을 살펴보는 것이 좋겠다.

무의식의 기적

어떤 환자를 새로 진료하게 되면 나는 커다란 원을 그려 보이는 일이 자주 있다. 그러고 나서 그 원 안에다 작은 원 하나를 더 그려 놓는다. 그 작은 원을 가리키면서 말하기를, "이것이 당신의 의식 세계입니다. 원의 나머지 부분, 거의 95퍼센트나 되는 이 바깥부분은 바로 무의식을 나타냅니다. 만약에 당신이 스스로를 이해하고자 꾸준히, 그리고 열심히 노력한다면 당신 마음 속에 숨겨진 이 드넓은 세계를 발견하게 될 거예요. 물론 지금은 이 세계가 어떠한 세계이며 얼마나 상상할 수 없이 많은 것들을 품고 있는지 거의 알지 못하겠지만 말입니다."

이 숨겨진 마음의 존재와 그 풍요로움에 대해 우리가 알 수 있는 방법 가운데 하나는 물론 꿈을 통해서이다. 어떤 저명인사 한 사람이 여러 해 동안 시달려 오던 강박관념 때문에 나를 찾아왔다. 그는 자기 직업에 조금도 흥미가 없었지만 그 까닭은 알 수 없었다. 그의 부모들은 상대적으로 부자도 아니었고 유명하지도 않았지만 그 윗대 조상들 가운데는 유명한 사람이 많았다. 그러나 그는 조상들에 관해 거의 아무런 언급도 하지 않았다. 그의 강박관념은 여러 가지 요인에 의해 야기된 것이었다. 몇 달이 지나서야 우리는 겨우 '그의 야망'이라는 문제에 대해 비중을 두고 생각하게 되었다. 야망이라는 주제가 처음 대두하게 된 것은, 그가 어느 진료 시간에 그 전날 밤 꾼 꿈을 이야기했기 때문이다. 그 꿈은 대강 다음과 같다.

"나는 거대하고 위압적인 가구들로 가득 찬 아파트에 있었어요. 나는 지금보다 훨씬 젊었지요. 아버지는 이유는 모르겠지만 날더러 만을 가로질러 가서는 당신이 건너편 섬에 놓아두고 온 배를 가져오라고 시켰어요. 나는 너무나 기뻐했으며, 아버지에게 그 배가 어디쯤 있는지 가르쳐 달라고 졸랐답니다. 아버지는 나를 바로 그 거대하고 위압적인 가구가 있는 한쪽 모서리로 데리고 가서는, 적어도 서랍이 스무 개 혹은 서른 개가 달려 있고 키가 천장까지 닿은 열두 자짜리 장롱을 보여 주면서 이렇게 말씀하셨어요. '네가 이 농의 구석구석을 잘 살펴본다면 그 배를 찾아낼 수 있을 것이다.' 라고."

처음에는, 의미가 불분명했으므로 나는 그에게 그 거대한 장롱을 연상해 보도록 시켰다. 즉시 그가 대답했다.

"무엇 때문인지 모르겠지만, 아마 그것들이 위압적으로 보였나보죠. 돌로 된 관이 생각나는군요."

"서랍은요?" 하고 내가 물었다. 갑자기 그가 웃었다.

"아마 나는 내 조상들을 몽땅 죽여 없애고 싶은 모양입니다. 그 서랍들은 가족 무덤이나 창고를 연상시켰어요. 그 서랍들 하나하나가 사람 하나는 충분히 들어갈 만큼 컸거든요!"

그리하여 꿈의 의미는 분명해졌다. 그는 젊은 시절에 이미 평생의 목표가 정해졌다. 그것은 죽은 조상들을 뒤이어 입신양명하는 것이었다. 그러나 그는 여기에 억압감을 느꼈으며, 이러한 중압감에서 벗어나고자 조상들을 죽이고 싶어하는 심리적 욕구가 생겨난 것이다.

꿈을 많이 분석해 본 사람이면 누구나 이 꿈이 전형적인 것임을 알 것이다. 이 꿈을 전형적인 것으로 만드는 요인 가운데 하나로서 그 유용성에 초점을 맞추어 설명해 보자. 그는 자신의 문제에 직면하기 시작했으며, 그 즉시 그의 무의식은 자기 문제의 원인을 설명해 주는 드라마를 한편 만들어 내었다. 그 원인은 전에는 몰랐던 것들이었다. 그의 무의식은 잘 짜여진 한 편의 희곡처럼 훌륭하게 여러 가지 상징들을 이용하여 이 일을 해내었다. 그를 치료하는 데 있어 이 특별한 꿈보다 더 명쾌한 도움을 주었던 사건은 없었다. 그의 무의식이 치료를 돕기 원한다는 것은 너무나 명백했으며, 실제로도 또한 최고의 기술로 이 일을 해내었다.

정신치료자들이 꿈의 분석을 자기 직업의 중요한 부분으로 생각하는 것은 그것이 대단한 도움을 주기 때문이다. 물론 내가 그 의미를 전혀 이해할 수 없는 꿈도 있다. 무의식이 보다 분명한 언어로 우리에게 무엇인가를 제시해 주기를 바란다는 것은 성급한 기대일 것이다. 그러나 앞의 경우처럼 우리가 성공적으로 꿈의 의미를 분석했을 때, 그 꿈들이 전하고 있는 메시지는 흡사 우리의 영적 성장을 위해 일부러 꾸며낸 것처럼 보인다.

내 경험에 의하면 여러 가지로 해석될 수 있는 꿈들은 꿈을 꾼 사람에게 유익한 정보를 제공한다. 이러한 도움은 여러 가지 형태로 나타난다. 예컨대 사적인 유혹에 대한 경고라든가 스스로 옳다고 믿는 일이 사실은 틀렸음을 알려 주는 적절한 징후라든가 혹은 반대로 틀릴지도 모른다고 생각된 일이 사실은 좋다는 격려의 의미, 자기 자신이 잘 모르고 있는 측면에 대한 정보의 제공, 방황하고 있을 때의 길잡이, 가야 할 길을 가르쳐 주는 이정표로써 등장한다.

무의식은 우리가 잠들어 있을 때뿐 아니라 깨어 있을 때에도 대단히 유효 적절한 정보를 제공해 줄 수 있다. 물론 방식은 약간 다르겠지만, '자유연상' 혹은 얼핏 스쳐가는 생각의 형태로 그것은 나타난다. 꿈에 대해서와 마찬가지로 우리는 대개의 경우 이러한 엉뚱한 생각이 지니는 중요성을 놓쳐버리고 만다. 정신분석을 받는 환자들에게 언뜻 보기엔 무의미하고 우스꽝스럽게 보이는 것일지라도 마음 속에 떠오르는 것을 '무엇이든' 말해보라고 하는 것은 이 때문이다.

"우습군요, 이런 엉터리 같은 생각들이 자주 떠오르다니, 아무런 의미도 없어요. 그런데 이런 것까지 말하란 말입니까?"

환자들이 이렇게 말할 때마다 나는 우리가 뜻밖의 횡재를 했다고 생각한다. 즉 환자가 자신의 무의식으로부터 자신이 처해 있는 상황을 잘 설명해 주는 귀중한 메시지를 받았다고 생각하는 것이다. 이러한 '자유연상'은 우리들 자신에 대한 통찰력을 제공할 뿐만 아니라 다른 사람들과 이 세계에 대한 극적인 통찰력을 제공하기도 한다. 무의식에서 제공받은 '자유연상'에 의한 메시지의 한 예로서, 그리고 후자에 해당되는 예로서 나 자신의 경험 한 가지를 이야기해 볼까 한다. 신체적으로는 아무 이상이 없음에도 불구하고 어지러워서 금방이라도 쓰러질 것 같다고 하소연하는 젊은 여성을 치료하고 있을 때의 일이다. 그녀는 거의 십대 초반부터 그러한 어지럼증에 시달리고 있었고, 그 때문에 제대로 걸을 수도 없어 뻗정다리를 하고 어기적대며 걸었다. 그녀는 대단히 영리하고 깔끔한 성품이었다. 처음에 나는 그녀의 어지럼증의 원인이라 할만한 단서를 조금도 찾아낼 수 없었다. 그녀는 몇 년씩이나 정신요법을 받았으면서도 별다른 진전을 보지 못했었다. 그럼에도 불구하고 그녀는 계속해서 치료를 받고자 했으며, 최근에 나를 찾아왔다. 그녀와 세 번째 상담을 하고 있을 때였다. 그녀가 자리에 편안히 앉아서 이것저것에 대해 말하고 있을 때, 갑자기 '피노키오'라는 단어가 내 마음 속에 떠올랐다. 나는 그녀의 말에 정신을 집중시키려고 애쓰면서 그 단어를 나의 의식 밖으로 밀어내었다. 그러나 잠시 후 나도 모르게 이 글자가 마음 속에 다시 나타났다. 흡사 망막 위에 피노키오라는 글자가 새겨진 것 같았다. 나는 깜짝 놀라서 눈을 질끈 감았다 뜨고는 주의력을 다시 그녀에게로 되돌리려고 애썼다. 그러나 그 글자들은 마치 스스로 어떤 의지를 가진 것처럼 몇 분 지나지 않아 다시 내 의식 속으로 되돌아와서는 어떻게든 내 주의를 붙들어 보려고 했다. "잠깐만" 하고 나는 마침내 자신에게 말했다.

'이 단어가 내 마음에 계속 떠오를 만큼 흥미진진한 것이라면 여기에 주목하는 편이 더 낫겠다. 그리고 또 내 무의식이 내게 무엇인가 알려 주려고 한다면 그것을 경청해야만 한다는 걸 나는 잘 알지 않나.'

그래서 나는 주목했다.

'피노키오! 도대체 피노키오란 무슨 뜻이지? 혹시 내 환자와 무슨 관계가 있나? 그녀가 피노키오라고 가정한다면? 잠깐만, 그녀는 무척 귀여워. 꼭 작은 인형처럼 빨강과 흰색과 파랑이 섞인 옷을 입었다. 이곳에 올 때마다 그런 옷을 입고 있지. 나무 다리 병정처럼 우스꽝스럽게 걷고. 옳지, 바로 그것이로구만! 그녀는 꼭두각시야. 맙소사. 그녀가 피노키오로구만! 그녀는 나무 인형이야!'

내 환자가 지닌 문제의 핵심이 순간적으로 떠올랐다. 그녀는 진정한 인간이라 할 수 없었다. 산 사람처럼 행동하려고 하지만 넘어지기라도 하면 막대기와 끈으로 얼기설기 엮어져 있는 자신의 몸이 부서져 버릴지도 모른다고 겁을 내고 있는 나무 인형에 불과했던 것이다. 이를 입증해 줄 만한 사실들이 하나씩 둘씩 드러났다. 잔인하고 제멋대로였던 그녀의 어머니가 인형의 끈을 제 마음대로 조종하는 조종사였다. 그녀의 어머니는 자기의 어린 딸에게 '한밤중에도' 대소변 가리는 훈련을 시키고 있는 자신에게 긍지를 느꼈었다. 따라서 내 환자의 의지는 전적으로 다른 사람들의 기대를 만족시키기 위한 쪽으로 고착되어 있었다. 즉 다른 사람에게 깔끔하고 단정하고 훌륭하다는 칭찬을 듣기 위해 그녀 자신의 욕구를 필사적으로 억압하는 사람이었다. 그리하여 그녀는 자발적인 동기부여라든가 자율적 결정을 내릴 능력이 완전히 결여되어 있었다.

내 환자에 대한 이토록 심오한 직관이 흡사 초대받지 않은 손님처럼 내 의식 속에 불쑥 나타났다. 나는 이것을 초청한 적도 없고 원했던 적도 없다. 그것의 출현은 내게는 뜻밖이었고 내가 하고자 하는 일을 방해하는 불필요한 간섭처럼 보였다. 처음에는 나는 그것에 저항하여 몇 번이나 그것이 등장했던 의식의 문 저 밖으로 차내려고 했었다. 이처럼 너무나 낯설어서 환영받지 못하는 것이 바로 무의식의 세계와 그 무의식이 의식 세계 속으로 침투해 들어오는 방식이 지닌 특징이다. 프로이트를 위시한 그의 초기 추종자들이 무의식을 원시적이고 반사회적이며 악마적인 것으로 취급했던 이유가 바로 여기에 있다. 무의식이 '나쁜' 것으로 여겨지는 까닭은 의식이 그것에 저항하기 때문인 것 같다. 바로 이러한 관점에서, 사람들은 정신질환을 우리들 마음 속 깊은 곳에 숨어 있는 무의식이라는 악마의 탓이라고 생각하게 된 것이다. 이러한 그릇된 관점을 바로잡기 위해 노력한 사람이 바로 칼 융인데, 그는 여러 가지 방법으로 이 일을 수행하고자 했다. 그는 이것을 '무의식의 지혜'라는 말로 표현했다. 내 경험을 보아도 정신질환이 무의식의 소산이 아니라고 하는 융의 견해가 옳다고 확신한다. 정신질환은 오히려 의식에서 일어나는 현상이거나 의식과 무의식의 부조화에서 빚어지는 현상이다. 예를 들어 '억압'이라는 문제를 생각해 보자. 프로이트는 많은 환자들에게서 그들이 아직 분명히 깨닫고 있지 못하지만 그들을 병들게 하는 성적 욕구와 적개심이 무의식 속에 잠재되어 있음을 발견했다. 이러한 욕구와 감정들이 무의식에 있기 때문에, 정신질환을 야기하는 것은 무의식이라고 하는 관념이 생겨났다. 그러나 이런 감정들이 무의식 속에 처음 생겨나게 된 것은 왜일까? 이것들은 왜 억압되었을까? 대답은 의식이 그것들을 원치 않았기 때문이라는 것이다. 그리고 이렇게 의식이 무의식을 원치 않을 뿐 아니라 자기 것이 아니라고 부인하는 데에 문제가 있다. 즉 문제는 인간이 성적인 욕구라든가 적개심 따위를 지니고 있다는 그것이 아니라 이러한 감정들을 의식이 직면하기를 거부하고 또 그에 따르는 고통을 감수하기를 거절하여 그러한 감정들을 저 너머의 어두운 곳으로 밀어 넣어 버리려고 하는 바로 그것이다.

무의식이 자신의 존재를 우리에게 말해 주는 세 번째 방법은 우리의 행동을 통한 것이다. 우리가 조금만 주의를 기울인다면—그러나 우리는 대체로 자신의 행동을 주의 깊게 관찰하는 것을 싫어한다—쉽게 확인할 수 있다. 다시 말해 말과 행동에서의 실수, 또는 프로이트가 『일상생활의 정신병리학 Psychopathology of Everyday Life』에서 무의식의 소산이라고 언급한 바 있는 '프로이트적 실수' 등등이 그것들이다. 이런 현상을 설명하기 위해 프로이트가 쓴 '정신병리'라는 말에는 무의식에 대한 그의 부정적 경향이 다시금 드러난다. 그는 무의식을 우리를 솔직하게 만들려고 애쓰는 착한 요정으로 보기보다는 덫에 걸리게 하거나 나쁜 짓을 하도록 만드는 악령쯤으로 여겼다. 환자가 정신요법을 받는 동안에 실수를 저지르는 것은 치료에 도움이 된다. 환자의 의식은 정신치료 과정 동안에 치료에 저항하여 자기 자신의 진정한 본성을 치료자뿐만 아니라 자기 자신의 명료한 의식에게까지도 숨기려고 한다. 정신치료자에게 협조하여 개방성과 정직함과 진실함과 사실에 입각하여 '있는 그대로를 말하려는' 투쟁을 벌이는 것은 무의식이다.

몇 가지 예를 들어보자. 어떤 소심한 성격의 여자 환자가 있었다. 그녀는 자신이 분노의 감정을 느끼고 있음을 인지하지 못했고 그리하여 그 분노의 감정을 겉으로 드러낼 수도 없었다. 그런 그녀가 정신치료 상담 시간에 조금씩 늦게 오는 습관이 생겼다. 나는 그녀에게 이런 일이 생겨난 까닭은 그녀가 나와 정신치료에 대해 적대감을 느끼기 때문이라고 했다. 그녀는 이 가능성을 완강히 부정했으며, 자기는 단지 우연한 일이 자꾸 생겨서 늦을 뿐이고 우리의 이 일이 무척 재미있으며 해볼 만하다고 생각하고 있다고 주장했다. 그날 저녁 그녀는 한 달치 진료비를 지불했다. 그런데 그녀가 보낸 수표에 사인이 되어 있지 않았다. 그 다음 상담 때 나는 그녀에게 그 사실을 알려 주면서 그녀가 화가 났기 때문에 내게 그런 수표를 보낸 것이 아닐까 하고 떠보았다. 그녀는 펄쩍 뛰었다.

"말도 안 돼요! 사인하지 않은 수표를 사용한 적은 지금까지 한 번도 없었다구요. 제가 이런 일에 얼마나 치밀한지 아시잖아요? 선생님께 사인 안 된 수표를 보내다니, 있을 수 없는 일이에요."

나는 그녀에게 그 수표를 보여 주었다. 그러자 지금까지의 면담에서 극도로 절제된 모습을 보여 주었던 그녀가 갑자기 울음을 터뜨리고 말았다.

"이게 웬일이지?" 하고 그녀는 울부짖었다. "내가 꼭 두 사람으로 갈라진 것 같다구!"

내가 보기에도 그녀는 두 쪽으로 쪼개어진 집처럼 보였다. 깊은 슬픔에 잠겨서 그녀는 처음으로 적어도 자신의 어느 한 부분은 분노의 포로가 되어 있을 가능성이 있음을 받아들였다. 진보의 첫걸음을 이렇게 어렵게 내디뎠던 것이다.

분노 때문에 문제를 느끼고 있는 또 다른 환자의 예를 들어보자. 이 남자는 자기 가족들에 대해 분노의 마음을 품는 것은 옳지 못한 일이라고 느끼고 있었다. 더구나 그것을 표현하는 것은 더욱 나쁘다고 생각했다. 그때 마침 여동생이 그의 집에 오기로 되어 있었기 때문에 그는 여동생 얘기를 내게 해주면서 '완벽한 인간' 이라고 했다. 잠시 뒤에 그는 그날 저녁 자기 집에서 열릴 조그만 디너 파티에 대해 얘기하기 시작했다. 그 파티에는 이웃집의 부부와 그의 '처제' 도 참석하게 되어 있다는 것이다. 나는 그에게 방금 자기 친여동생을 처제라고 말했음을 지적해 주었다.

"이것이 바로 선생님이 말씀하셨던 프로이트적 실수라는 것이겠군요."라고 그는 명랑하게 말했다.

"물론이죠."라고 나는 대답했다. "당신의 무의식이 말하고 있는 것은, 당신 여동생이 친동생이 아니고 처제였으면 좋겠다는 거죠. 그녀와 아무 관계도 없었으면 하고 바랄 정도로 몹시 싫고 밉다는 의미랍니다."

"그 애를 미워하진 않아요." 하고 그는 대답했다. "그렇지만 그 애는 말이 너무 많아요. 오늘 밤에도 쉴새없이 혼자 지껄여대겠죠. 그애 때문에 몹시 창피할 거예요."

이 역시 조그만 시작이었다. 실수라고 해서 무조건 적개심이나 억압된 거부감 따위만 표출해 주는 것은 아니다. 실수는 모든 억압된 감정을 드러내 준다. 그것이 긍정적이든 부정적이든 간에 실수는 우리가 그러리라고 생각하는 것과는 정반대의 방식으로, 존재하고 있는 진실을 그대로 드러내 준다. 내가 겪은 것들 가운데 가장 결정적인 실수의 예로서, 한 젊은 여성이 내게 처음 와서 한 말을 소개해 보겠다. 내가 보기에 그녀의 부모는 둔감하고 차가운 사람들로서, 경제적으로는 그녀를 부족함 없이 잘 보살펴 주었는지 몰라도 진정한 애정이나 보살핌 같은 것은 무시하고 살았던 것 같았다. 그녀는 지나칠 정도로 자기는 어른이고 자신만만하며 자유롭고 독립심이 강한 여성임을 과시하려 했다. 내가 그녀를 믿음직하다고 여기도록 하고 싶었던 모양이다. 그녀의 설명에 의하면 그녀가 나를 찾아온 것은 이런 이유 때문이었다.

"저는 지금 벼랑 끝에까지 몰려와 있는 느낌이에요. 따지고 보면 제 탓이지만요. 정신요법이 제 지적 발전에 약간 도움이 될까 싶어 왔어요."

나는 그녀가 지금 왜 중심을 잡지 못하고 우왕좌왕 하는가를 물어보고서 그녀가 임신 오 개월이 되어 얼마 전에 대학을 그만 두었다는 것을 알았다. 그녀는 결혼을 원치 않았다. 그녀는 막연한 생각이지만 아이를 낳은 다음에 입양을 시키고 유럽에 가서 공부를 계속하고 싶어했다. 지난 넉달 동안 애기 아빠를 만나지 못했다고 하기에, 나는 그녀에게 임신한 사실을 그 사람한테 알렸느냐고 물었다.

그녀는 "예, 그 사람한테 간단한 편지를 썼지요. 우리 아기로 인해 관계가 태어났다고요."라고 대답했다. 우리 관계로 인해 아기가 태어날 거라고 말하려던 것을 실수했던 것이다. 그녀는 내게 이러한 실수를 통해 그녀의 평범한 보통 여인의 얼굴 뒤에 숨어 있는 애정에 굶주린 어린 소녀의 모습을 드러내었던 것이다. 그녀는 필사적으로 갈구하던 모성애를 스스로 어머니가 됨으로써 얻고자 임신을 했던 것이다. 나는 그녀에게 실수를 일깨워 주지 않았다. 그녀는 자신이 의존적 욕구를 지녔음을 인정할 마음의 자세가 되어 있지 않았고 그래서 그러한 실수를 깨달았을 때 불안해 할 것이기 때문이었다. 그러나 그 실수 자체는 결과적으로 그녀에게 도움이 되었다. 그 실수 덕분에 그녀가 겉보기와는 달리 속으로는 겁먹은 어린아이와도 같으므로 앞으로 한동안 심신양면의 보살핌이 필요한 상태라는 것을 내가 알게 되었으니 말이다.

지금까지 예로 든 세 명의 환자들이 의식적으로 자신이나 나를 기만하려고 했던 것은 아니다. 첫 번째 환자는 자신은 털끝만치도 분노의 감정 따위를 지니고 있지 않다고 생각했다. 두 번째 환자는 자기 가족 가운데 누구에게 적개심을 갖는 것은 자기로서는 있을 수 없는 일이라고 믿었다. 마지막 환자는 자기 자신이 일반적인 여성들과 비슷한 사람이라고 생각했었다. 이런 여러 가지 사실들을 종합해 볼 때 사람들이 의식하고 있는 자기의 모습은 다소간의 차이는 있지만 실제의 그것과는 다르다는 것을 알 수 있다. 사람들은 언제나 스스로 믿고 있는 것보다는 좀 낫거나 못하다. 그러나 우리의 무의식은 자기 자신이 어떤 사람인지를 잘 알고 있다. 정신적인 발전 과정에서 핵심적이고 주된 과제는 자기가 의식하고 있는 자기의 개념을 실제의 그것과 일치시켜 가는 일이다. 이 평생의 과업이 심리치료를 통해 효과적으로 비교적 빨리 성취되어 갈 때 사람들은 종종 '새로 태어난' 느낌을 받는다.

"나는 어제의 내가 아니다. 나는 완전히 새롭고 다른 사람이다."

환자들은 자기 의식의 이 엄청난 변화에 진심으로 기뻐하면서 이렇게 말하곤 한다. 그런 사람들은 앞에 소개한 찬송가에 있던 다음과 같은 구절을 쉽게 이해할 것이다.

"나는 버린 자식, 그러나 지금은 집을 찾았네. 눈 뜬 장님이었으나 지금은 보이네."

만약 우리가 자기 자신을 스스로 그러리라고 믿고 있는 모습이나 인식하고 있는 모습을 일반적인 의식과 일치시키고자 한다면, 우리 자신의 현명한 일부인 무의식에 대해서도 언급해야 한다. 나는 우선 자기 인식과 자기 표출이라는 측면에서 '무의식은 지혜롭다'고 말했다. 내 무의식이 그녀가 피노키오임을 깨닫게 해주었던 그 환자의 예에서 볼 수 있듯이, 나는 무의식이 자기 자신에게뿐 아니라 남을 위해서도 의식보다 훨씬 훌륭한 판단을 내릴 수 있음을 말하고 싶다. 사실 무의식은 모든 면에서 의식이 할 수 있는 것보다 현명하다.

내가 휴가차 싱가포르에 처음으로 갔을 때였다. 우리는 날이 어두워진 뒤에야 호텔에 도착했지만, 여장을 풀자마자 곧 산책을 하러 나왔다. 우리는 곧 넓은 광장에 도착했는데, 저 건너편의 두세 블록 떨어진 모퉁이에 커다란 건물이 서 있는 게 어둠 속에 어렴풋이 보였다. "저게 뭐죠?"하고 아내가 묻자 나는 무심코, 그러나 확신을 갖고 "싱가포르 크리켓 클럽이에요."라고 했다. 이 말은 내 입에서 그냥 툭 튀어나온 것이었다. 나는 금방 후회했다. 그렇게 말할 만한 어떤 근거도 갖고 있지 못했던 것이다. 싱가포르에 온 것도 처음이거니와 크리켓 클럽이라는 걸 전에 본적도 없었기 때문이다. 그러나 놀랍게도 그 빌딩 뒤로 돌아가 보았을 때, 현관 앞에는 〈싱가포르 크리켓 클럽〉이라고 쓰여진 놋쇠 명판이 붙어 있는 것이었다.

이런 일이 어떻게 있을 수 있을까? 가능한 설명 가운데 하나가 융의 〈집단무의식〉 이론이다. 집단무의식이란 우리가 개별적으로 경험하지 않고서도 선조들이 경험한 지혜를 물려받고 있음을 지칭하는 개념이다. 이런 종류의 지식은 과학적 사고방식을 지닌 사람들이 보기엔 기괴하게 여겨질지 모르나, 사실은 우리 일상 언어들 속에서 집단무의식의 존재를 깨닫게 하는 경우는 많다. '깨닫는다' 는 말 자체를 생각해보자. 책을 읽다가 호소력 있는 생각이나 이론을 발견할 때, 말하자면 '심금을 울리는' 글을 만날 때 우리는 그것이 진실임을 '깨닫는다.' 그런데 그 생각이나 이론은 전에는 의식적으로도 생각해 본 일이 한번도 없었던 것일 게다. 바로 이 '깨닫는다' 는 말은 '다시 안다' 는 뜻이다. 마치 오래된 친구처럼 그 존재를 까맣게 잊고 있다가 새삼스러이 알게 된다는 의미이다. 때로는 '어떤 새로운 것' 을 배운다는 것이 우리 내부에 이미 모든 지식과 지혜가 갖추어져 있어 그것을 새삼스러이 발견해 내는 것일지도 모른다는 생각이 들기도 한다. 이런 개념은 교육이라는 단어에도 반영되어 있다. 교육 education은 라틴어 educare에서 파생된 단어인데, 글자 그대로라면 '밖으로 드러내다' 혹은 '앞으로 이끌다' 의 뜻이다. 즉 우리가 누구를 교육한다고 할 때, 말 그대로라면 그 사람의 마음 속에 뭔가 새로운 것을 넣어 주는 것이 아니라 마음 속에서 무언가를 끄집어내는 셈이 되는 것이다. 무의식 속에 있는 것을 의식의 세계로 옮겨 나오게 하는 것이다. 이처럼 무의식은 모든 지식의 창고였던 것이다.

그러나 겉보기보다 훨씬 현명한 우리 내부의 무의식은 어디에 그 근거를 두고 있는가? 알 수 없는 일이다. 융의 집단무의식 이론은 우리의 지혜가 유전된 것임을 시사한다. 기억 현상에 관련된 유전자를 대상으로 한 최근의 과학 실험에서 밝혀진 바로는 유전자가 지식을 유전시킬 수 있는 가능성이 있다고 한다. 지식이 핵산 코드 형태로 세포 속에 저장된다는 것이다. 지식을 과학적으로 저장할 수 있다는 개념은 인간에게 유용한 여러 지식들이 어떻게 해서 조그만 두뇌 속에 저장될 수 있는지에 대한 실마리를 제공해 준다. 그러나 이런 종류의 과학적인 설명은 유전된 지식이나 좁은 범위의 경험적 지식 따위를 저장하는 메커니즘을 이해하게끔 하지만 정작 마음을 괴롭히는 문제들에는 답하지 못한다. 이를테면 우리가 그러한 전문적인 가설을 좀더 파고들어 본다면—그 가설이 어떻게 구성되었고, 또 어떻게 작용하는가 등등—아마도 우리는 여전히 인간의 정신이라는 현상 앞에 경외의 심정으로 서 있을 수밖에 없는 자신을 발견하게 될 것이다. 이런 문제들을 파고드는 일은 본질적으로 이 우주의 질서에 대해 사색하는 일과 다르지 않다. 하느님이 그의 군단과 수호천사들, 세라핌과 세루빔 같은 천사들을 거느리고서 다스리는 이 우주의 질서 말이다. 기적이라는 것은 없다고 믿는 그 마음 자체가 바로 기적이다.

초능력의 기적

무의식의 놀라운 지혜에 대하여 우리는 아마 지금껏 논의했던 대로 두뇌의 어떤 부분이 기적에 가까운 방식으로 작용하는 것이라 정의할 수 있을 것이다. 그러나 무의식의 작용과 명백히 관련된 '심령현상' 이라 불리는 것에 대해서는 여전히 아무런 해명도 못하고 있다. 몬태규 울만과 스탠리 크리프너는 그들의 연구에서 깨어 있는 사람이 반복적이고 지속적으로 먼 곳에서 잠자는 사람에게 어떤 영상을 '전송' 해 줄 수 있고 그 영상은 잠든 사람에게 꿈의 형태로 나타난다는 결론을 내린 바 있다. 이런 류의 전송은 실험실에서만 일어나는 것은 아니다. 예컨대 서로 밀접한 관계에 있는 두 사람이 아주 똑같거나 혹은 비슷한 꿈을 꾸는 경우는 흔히 볼 수 있다. 어떻게 이럴 수가 있을까? 우리는 그 내막을 알 수가 없다.

그러나 이것은 엄연히 현실에서 벌어지고 있다. 과학적으로 볼 때도 그 가능성은 충분히 인정된다. 나 자신도 어느 날 밤에 일곱 개의 연속적인 영상으로 구성된 꿈을 꾼 적이 있었다. 그 뒤에 나는 내 친구 하나가 나보다 이틀 전에 우리 집에서 잠을 자면서 내가 꾼 것과 똑같은 꿈을 똑같은 순서대로 꾸다가 깨어난 적이 있음을 알았다. 그와 나는 어째서 이런 일이 일어났는지 그 까닭을 알 수 없었다. 우리는 그런 꿈을 함께 꿀 만한 그 무엇도 없었다. 그러나 우리는 대단히 의미심장한 일이 발생했음을 깨달았다. 나의 정신은 꿈을 구성할 만한 수백만 개의 이미지들을 가지고 있다. 내 친구와 똑같은 이미지를 똑같은 순서로 추출할 수 있을 가능성은 거의 없다고 봐야 한다. 이 사건은 너무나 희귀한 일이어서 우리는 이것이 우연한 사건이 아니라고 생각하게 되었다.

잘 알려진 자연법칙에 비추어 보면 거의 있을 수 없는 일들이 오히려 뜻밖에도 자주 일어날 때 이것을, 동시발생의 원리로 설명하고 있다. 내 친구와 나는 우리가 그처럼 비슷한 꿈을 꾼 까닭을 알지 못했다. 그러나 한 가지 중요한 사실은 우리가 비슷한 시간에 그 꿈을 꾸었다는 점이다. 시간이라고 하는 것이 이 신기한 사건의 핵심적인 요소일지도 모르겠다. 우리가 앞서서 사고를 잘 초래하는 기질과 또 사고에 대한 면역체계를 이야기했을 때, 사람들이 박살이 난 차에서 다치지 않고 나온다든가 혹은 그 차가 부서지기는 하되 사람들을 상처입히지 않는 방법으로 부서진다든가, 또는 차 사고가 나더라도 사람들이 그 차가 부서지는 모양에 따라 본능적으로 몸을 도사린다는 생각이 얼마나 우스운 생각인지를 이야기했었다. 자동차가 승객이 다치지 않는 방식으로 파괴된다거나(A의 경우), 승객이 자동차의 찌그러지는 형태에 알아서 맞춘다거나(B의 경우) 하는 식의 자연법칙이 있다는 말은 들어본 적이 없다. A와 B는 어느 하나가 다른 것과 인과관계에 있는 것은 아니지만 언제나 동시에 발생

한다. 그리하여 차에 탄 사람의 안전을 지켜 준다. 동시발생의 원리는 이런 사건이 왜, 어떻게 일어나는지를 설명해 주지는 못하고 다만 우연으로 돌리기에는 너무 빈번히 이런 식의 희귀한 결합이 발생한다는 것을 알려 준다는 정도를 표현하는 데에 지나지 않는다. 이 원리는 기적 그 자체를 설명해 주지는 못한다. 다만 기적이란 시간의 문제이고 놀랍게도 일상적인 현상이라는 것을 설명해 줄 뿐이다.

비슷한 꿈을 거의 동시에 꾸었다고 하는 사건 자체는, 그 사건 자체의 의미가 불명료한 것은 젖혀두고라도, 순전히 심리적이거나 '과학적으로 규명이 불가능한' 현상이기 때문에 통계적인 자료가 나와 있는 게 거의 없다. 아마도 심리적이고 비과학적인 현상들의 대부분이 그 의미가 불명료할 것이다. 그리고 통계가 나와 있든 없든 관계없이, 이런 류의 정신현상이 지닌 또 다른 주요한 특성은 그것이 소위 재수가 좋았다라는 종류의 사건이라는 점에 있다. 대단히 지적이고 세련된, 촉망받는 과학자 한 사람이 최근에 정신치료 중에 내게 다음과 같은 사건을 자세히 얘기해 준 것이 있다.

"지난번 정신치료를 마치고 난 뒤였어요. 날씨가 하도 좋아서 나는 호수를 한바퀴 돌아서 집에 가기로 했지요. 아시다시피 호수 주변 도로에는 커브가 많잖아요. 아마 열 번째 커브길에 거의 다 왔을 때입니다. 갑자기 모퉁이 저쪽에서 차 한 대가 달려오고 있을 거라는 예감이 스치더군요. 제대로 생각할 틈도 없이 나는 급정거를 했죠. 그러자마자 커브길 저편에서 갑자기 차 한 대가 튀어나오더니 중앙선을 육 피트나 넘어 내 차를 아슬아슬하게 스치고 지나가는 거였어요. 만약에 거기서 내가 브레이크를 밟지 않았다면 그야말로 황천길로 직행했을 겁니다. 그런데 거기서 서야겠다는 생각을 어떻게 하게 되었는지 모르겠어요. 그 길에는 커브가 무척 많았지만 다른 길에서는 멈출 생각을 안했거든요. 게다가 전에도 그 길로 다닌 적이 많았고, 위험하다는 느낌이 든 적도 있었지만 차를 세우지는 않았거든요. 정말로 육감(ESP)이란 게 있구나 싶은 사건이었어요. 이외에는 달리 설명할 길이 없군요."

동시에 발생하는, 과학적으로 설명 불가능한 이런 사건들을 통계 수치화하는 것은 쉽지 않다. 그러나 그런 현상들이 반드시 이로움만 주는 것이 아니라 정반대로 해로울 가능성도 충분히 있다. 우리는 아슬아슬하게 어떤 사고를 모면한 경우뿐 아니라 기이하게 사고를 당한 경우에 대해서도 많이 듣고 있다. 방법론상의 애로는 있겠지만 이 문제를 연구할 필요가 있다고 본다. 지금 나는 통계수치를 들어 분명하게 설명할 수는 없지만 이로운 결과를 낳은 사건의 발생 빈도가 해로운 결과를 낳는 사건의 발생 빈도보다 훨씬 높다는 것을 육감적으로 느끼고 있다. 꼭 사고에서 목숨을 건진다든가 하는 행운뿐 아니라, 자신이 성장하는 경험, 삶이 의미로 충만하는 경험까지를 포함한다면 그 우연찮은 사건들이 초래하는 이로운 결과란 이루 헤아릴 수 없다. 이런 경우의 아주 절묘한 본보기로서 칼 융이 꾼 '풍뎅이꿈'을 들어보자. 그는 「동시발생에 대하여」라는 논문에서 이 이야기를 했었다.

The Portable Jung', Joseph Campbell, ed. (N.Y.:Viking Press, 1971), pp. 511-12

이 예는 한 젊은 여자 환자와 관련된다. 그녀는 우리 서로가 노력했음에도 불구하고 마음이 꽉 닫혀서 열리지 않았다. 문제는 그녀가 지나치게 이지적이라는 데 있었다. 그녀는 교육을 잘 받은 여성으로서 현실세계에 대한 고도로 정리된 '기학학적' 개념을 갖춘 데카르트적 합리주의로 중무장되어 있었다. 나는 그녀의 지나친 합리주의를 완화해 보려고 몇 번 시도했으나 실패했다. 그리하여 이제는 어떤 예기치 않은 사건이 일어나 그녀 스스로가 들어앉아 있는 완고한 지적 껍질을 깨어 주기를 바랄 뿐이었다. 어느 날 나는 창을 등진 채 그녀와 마주 앉아서 그녀가 쏟아내는 말의 잔치를 귀담아 듣고 있었다. 그녀는 어젯밤 아주 인상적인 꿈을 꾸었다고 했다. 누군가가 그녀에게 황금풍뎅이를 주었는데 아주 값비싼 보석으로 된 것이었다. 그녀가 계속해서 꿈 얘기를 하고 있는데, 내 등 뒤에서 무언가가 유리창을 두드리는 기척이 났다. 돌아보았더니 어떤 커다란 벌레 한 마리가 어두운 방으로 들어오려고 바깥에서 유리를 두드리고 있는 것이었다. 너무나 신기한 일이었다. 나는 즉시 유리창을 열고는 날아들어 오는 벌레를 붙잡았다. 그것은 풍뎅이였다. 초록과 황금색이 뒤섞인 그 빛깔은 흡사 황금풍뎅이 같았다. 나는 그 벌레를 내 환자에게 건네주며 이렇게 말했다. "여기 그 황금풍뎅이가 있어요." 이 사건이 그녀의 합리주의에 내가 바라마지 않던 구멍을 내었다. 그녀의 얼음장 같은 지적 저항을 무너뜨린 것이다. 이후 치료는 만족스러운 결과를 보였다.

행운을 가져다주는 불가해한 사건과 관련하여 우리가 말하고자 하는 것은 초능력이라는 현상이다. 웹스터 사전에서는 초능력을 '기대하지 않았지만 귀중한 것을 뜻밖에 찾아내는 재능' 이라고 정의하고 있다. 이 정의에는 몇 가지 숨겨진 요소가 있다. 그 가운데 하나는, 초능력을 재능이라 정의함으로써 어떤 사람은 이것을 가지고 있는데 또 다른 사람은 그렇지 않다고 생각할 여지를 준다. 우리는 지금 '기대치는 않았지만 가치 있고 바람직한 것' 을 의미하는 은총에 관하여 논하고 있는바, 은총은 누구에게나 주어지는 것이다. 그러나 어떤 사람은 은총을 붙잡을 수 있으나 그렇지 못한 사람도 있다. 융은 풍뎅이를 방 안으로 끌어들여 붙잡아 환자에게 줌으로서 이 은총을 확실히 이용했다. 사람들이 은총을 놓치게 되는 까닭과 은총을 붙잡는 데 실패하게 되는 이유 등에 관한 것은 '은총에 저항하는 사람들' 이라는 제목으로 다루기로 한다. 그러나 지금은 우리가 은총이 주는 혜택을 누리는 데 실패하는 것이 그 실재를 제대로 인식하지 못하기 때문임을 지적하는 선에서 그치도록 하자. 다시 말하면, 우리는 스스로 애써 구하지 않아도 주어지는 것의 소중함을 모른다는 것이다. 어떤 선물이 원하지도 않았는데 주어졌을 때 그 선물의 가치를 제대로 알기가 어렵듯이 말이다. 바꿔 말하면 초능력적인 사건은 우리 모두에게 일어나지만 우리는 그것이 초능력과 관계 있는 것임을 간과하기 쉽다. 그런 사건에 관심을 기울이지 않기 때문에 그것을 제대로 이용하지 못하는 것이다.

다섯 달 전의 일이었다. 어느 소도시에 갔을 때, 마침 약속시간에서 두 시간이나 남아 있었으므로 나는 그곳에 살고 있는 어떤 친구에게 그 집 서재를 좀 이용해도 되겠느냐고 물었다. 바로 이 책의 서

두를 다시 쓰고 싶었던 것이다. 내가 그 집에 도착했을 때 그의 아내가 나를 맞아주었다. 그녀는 수줍음이 많고 어딘가 거리감이 느껴지는 여자였다. 전부터 나를 썩 반기지 않는 눈치였는데다가 이번에는 노골적으로 싫은 기색을 드러내 보이기까지 했다. 우리는 약 5분간 어색하게 이야기를 나누었다. 의례적인 대화 도중에 그녀는 내가 책을 쓰고 있다고 들었다면서 주제가 무엇이냐고 물었다. 나는 정신적 성장에 관한 것인데 아직 제대로 다듬어지지 않았다고 대답했다. 그리고나서 나는 서재에서 글을 쓰기 시작했다. 반시간쯤 지났을 때 나는 예상치 못했던 암초에 부딪쳤다. 책임감에 대해 썼던 부분이 너무나 마음에 들지 않았다. 내가 이미 논의한 개념들을 의미 있게 하려면 좀더 정밀한 보완작업이 필요했다. 그렇지만 더 깊이 들어간다면 책의 전반적 흐름에 방해가 될 것 같았다. 그러나 이 개념을 언급하는 것은 반드시 필요하다고 믿었으므로, 이 장을 절대로 빼버리고 싶지 않았다. 나는 한 시간 동안이나 씨름했지만 뾰족한 수가 생기지 않았고, 기분만 점점 나빠지고 힘이 쭉 빠져버렸다.

바로 그때, 내 친구의 아내가 조용히 서재로 들어왔다. 그녀는 머뭇거리기는 했으나 따뜻하고 정중한 태도였다. 조금 전에 만났던 때와는 달랐다.

"스캇 씨, 방해가 되고 싶지 않아요. 혹시 조금이라도 방해가 된다면 말씀하세요."

나는 전혀 그렇지 않다고 하고 나서, 내가 지금 암초에 걸려 도무지 진전이 없다고 말했다. 그녀는 손에 책을 한 권 들고 있었다.

"우연히 이 책을 찾았어요. 당신이 이 책에 관심이 있을 것 같다는 생각이 드는군요. 아닐지도 모르지만요. 하지만 어쩐지 꼭 도움이 될 것 같은 느낌이 들어요. 이유는 저도 모르겠어요."

다른 때 같았으면 책을 쓰는 일에 몰두하느라 약간 귀찮고 성가시게 느끼며 그 책을 볼 틈이 없다고 거절했을 것이다. 그러나 이상하리만치 겸손한 그녀의 태도가 내 마음을 움직였다. 나는 그녀에게 감사의 말을 전하고 되도록 빨리 읽어보겠노라 하였다. 그 책을 가지고 집에 오기는 했으나 '되도록 빨리'가 언제가 될지는 몰랐다. 그런데 왠지 마음에 걸리는 게 있어 나는 다른 책을 젖혀두고 그 책을 읽기 시작했다. 앨런 휠리스가 쓴『사람은 어떻게 변화하나 How people Change』라는 얇은 책이었다. 책임감에 대한 내용이 그 책의 대부분을 차지하고 있었다. 그 가운데 한 장은 내가 골머리를 앓고 있던 바로 그 주제를 좀더 심화시킨다면 내가 꼭 하고 싶었던 말들을 아주 깊이 있고 우아하게 표현하고 있었다. 다음 날 나는 내 책의 그 부분을 간략히 서술하고서 이 주제에 대해 더 알고 싶은 독자들을 위해 각주를 달아 휠리스의 책을 참고하도록 했다. 이렇게 하여 나는 곤경에서 빠져나왔다.

이것은 대단한 사건이 아니다. 동네방네 나발을 불 일도 아닌 것 같다. 무시해 버리는 것이 더 좋을지도 모른다. 지금까지도 그런 것 없이 잘 지내왔으니까. 그러나 나는 은총을 입은 것이다. 그 사건은 특별하면서도 동시에 평범하다. 일어날 가능성이 희박하다고 느껴지는 점에서는 특별하지만, 그런 일들이 실제로는 우리 주변에서 흔히 일어나고 있다는 점에서는 평범하다. 마치 풍뎅이가 조용히 창문을 두드린 사건처럼, 은총은 우리 의식의 문을 두드린다. 내 친구의 아내가 내게 책을 건네준 일 이후로 이와 비슷한 사건은 수도 없이 생겼다. 이런 일은 언제나 일어나는 일이다. 어떤 것은 내가 의식하고 있고 또 어떤 것은 그 놀라운 기적적인 본질을 의식하지 못한 채로 혜택을 입고 있다. 이 가운데 얼마나 많은 것들이 나도 모르게 스쳐가 버렸는지 알 길이 없다.

은총이란 무엇인가?

이 장에서 나는 여러 가지 현상들을 다루어 왔는데 이것은 다음과 같은 공통적인 특징들을 갖고 있다.

- 그것은 인간의 삶과 영적 성장을 이끌어 내고, 보호 육성, 공양시킨다.
- 그것들이 작용하는 메커니즘은 이해하기가 쉽지 않거나—이를테면 신체의 면역체계나 꿈의 경우—지금까지 밝혀진 자연법칙이나 과학적 사고에 비추어 보면 아주 불합리하다.
- 그것은 인간 사회에서 빈번히 일어나고 있으며, 일상적이며 보편적일 뿐 아니라 대단히 본질적이다.
- 그것은 잠재적으로는 인간의 의식에 영향을 받지만, 그 근원은 의식적인 의지와는 무관하며 의식적 의사 결정을 초월한다.

몇 가지로 나누어 설명하기는 했지만, 위와 같은 특성들은 같은 현상의 한 부분이 각기 달리 드러난 모습이라고 나는 생각한다. 그것은 인간의 의식세계 바깥에서 생겨나 인간의 영적 성숙을 돕는 강력한 힘이다. 인간이 과학적 연구 방법에 의거하여 전염병 항체라든가 꿈의 상태, 무의식 같은 것을 개념화하기 훨씬 전부터 수백 수천 년 동안 이 힘은 종교에 의해서 인지되어 왔다. 그들은 그것을 '은총'이라 불렀다. 그리고는 이렇게 찬미했다. "놀라운 은총이여,…… 다정한 음성!"

우리는—지나치게 회의적이고 과학적인 사고방식을 가진 우리—'의식세계 밖에 존재하지만 인간의 영적 성숙을 돕는' 이 강력한 힘을 가지고서 무엇을 해야 할까? 이 힘은 만져볼 수도, 저울에 달아볼 수도 없다. 그러나 분명히 존재하고 있다. 은총이 전통적인 자연과학의 개념과 맞지 않는다고 해서 동굴 속에 갇힌 듯한 편협한 시야로 바라보며 그것을 무시해야 할까? 그렇게 하는 것은 대단히 위험하다. 은총이라는 현상을 우리의 개념 체계 속으로 받아들이지 않는다면, 이 우주와 우주 내에서의 인간의 자리와 이에 따른 인간의 본성에 대한 완전한 이해로 접근하기가 쉽지 않으리라고 나는 생각한다.

그러나 우리는 이 힘이 어디에 있는지도 모른다. 인간의 의식에는 존재하지 않는다는 것만을 알 뿐, 즉 그것이 없는 곳이 어디인지만을 알고 있을 뿐이다. 그러면 그것은 어디에 있는가? 지금껏 우리가 논의해 왔던 바 꿈과 같은 현상을 두고 말할 때 은총은 개인의 무의식 속에 숨어 있을 지도 모른다는 생각이 들기도 한다. 그러나 또 다른 현상, 동시발생이나 초능력 같은 현상은 이 힘이 개인의 영역을 넘어서 존재함을 가르치고 있다. 우리가 은총이 존재하는 곳을 찾는 데 어려움을 느끼는 것은 우리 자신이 과학적인 사고방식을 가졌기 때문만은 아니다. 은총은 하느님으로부터 오는 것이라고 믿는 종교인들도 그것이 하느님의 사랑이라고 굳게 믿기는 하지만, 바로 그 하느님이 어디에 있는가를 찾기가 어렵기는 마찬가지다. 신학에서는 전통적으로 이 점에 관한 두 가지 대립된 학설이 있다. 하나는 유출설로 인간 외부에 있는 하느님에게서 은총이 인간에게 흘러든다고 하는 학설이고, 다른 하나는 내재설로서 인간 존재의 중심에 있는 하느님이 은총의 근원이라는 학설이다.

이러한 문제—대단히 역설적인 이러한 문제—는 무엇보다 먼저 모든 사물을 제자리에 두려는 인간의 욕구와 관련된 것이다. 인간은 모든 사물을 독립된 개체로 인식하고자 하는 뿌리 깊은 속성을 지니고 있다. 우리는 이 세상이 구체적 사물들로 되어 있다고 보려 한다; 배, 신발, 자동차 기타 등등. 또한 어떤 현상을 어떤 특정 범주에 소속시켜서 이해하려 한다. 이것은 이렇고 저것은 저렇고라는 식으로 규정지으려 한다. 그것은 이것 아니면 저것이고 동시에 둘이 될 수는 없다. 배는 배일 뿐 신발이 아니다. 나는 나고 너는 너다. 나라는 실체는 나와 동일체이고 너라는 실체는 너와 동일체다. 이 동일체가 침해받거나 혼란되면 대단히 불안해한다. 그러나 우리가 앞에서 살펴보았듯이 힌두교와 불교 사상가들은 분리된 개체라고 하는 우리의 관념을 환상이라고 본다. 그들의 용어로는 마야라고 부른다. 현대 물리학자들도 상대성 이론이나 광학, 전자역학 등의 분야를 연구하면서 점차로 개체라고 하는 측면에서의 개념적 접근은 한계가 있음을 분명히 인식하게 되었다. 개체라고 하는 관념은 어떤 사물을 어떤 장소에 소속시키고 싶어하는 경향을 낳는다. 심지어 신이라든가 은총 같은 문제에서도 마찬가지이며, 우리의 이런 속성이 이런 문제를 제대로 이해하는 것에 방해가 됨을 알면서도 그 버릇을 버리기가 어렵다.

나는 개인을 완전히 다른 개체와 분리된 실체로는 생각하고 싶지 않다. 그러나 나의 지적 한계 때문에 개체의 개념을 빌려서 개인의 경계를 표현하고자 한다. 즉 개인의 경계란 벽처럼 두터운 것이 아니라 튼튼한 세포막이나 울타리같이 적당히 개방되어 있어 다른 개체들이 침투하여 넘나들 수 있는 것이라고 가정하고 싶은 것이다. 우리의 의식이 끊임없이 부분적으로나마 무의식과 상호 침투하듯 우리의 무의식도 우리 바깥에 있는 '정신'에 침투할 수 있다. 그리고 우리에게 스며드는 그 '정신'은 어떤 개체로서 그렇게 하는 것이 아니다. 데임 줄리앙이라고 하는 14세기의 노르웨이 학자 하나가 삼투가 가능한 세포막이라는 20세기의 과학적 표현보다 훨씬 우아한 종교적 용어로써 은총과 개별자 사이의 관계를 묘사해 놓은 것이 있다. "우리 몸을 감싸 주는 것은 옷, 살을 감싸는 것은 피부, 뼈를 감싸는 것은 살이며 심장을 감싸는 것은 온몸이듯, 우리의 육신과 영혼은 하느님의 자비에 감싸여 있다. 더구나 훨씬 더 포근하게 말이다. 모든 물직적인 것은 낡아서 언젠가는 사라지지만, 하느님의 자비는 언제나 온전하다."

어찌됐거나 기적이 어디로부터 오는가에 관계없이 우리의 의식

Revelations of Divine Love, Grace Warrack, ed.
(N.Y.; British Book Centre., 1923), Chap VI.

적 의지와는 상관없는 어떤 힘(기적)이 우리의 영적 성숙을 도와준다는 사실은 입증할 수 있다. 이 힘의 본질을 더 잘 이해하려면 생명 자체의 성장 과정이라는 또 다른 기적을 탐구해 볼 필요가 있다고 본다. 우리는 이 기적을 지금껏 진화라는 이름으로 불러왔다.

진화의 기적

지금까지 이 단어 자체에 초점을 맞추어 설명한 적은 없지만 이 책의 도처에서 우리는 진화라는 개념에 관심을 보여 왔다. 영적인 성숙은 곧 개인의 진화이다. 인간의 육체는 생명 주기에 따라 변화하지만 진화하지는 않는다. 새로운 육체적 형태라는 게 만들어질 수는 없다. 사람은 나이가 들면 육체적으로 노쇠하게 마련이다. 그러나 인간의 영혼은 한 사람의 일생 동안 계속해서 극적으로 변화할 수 있다. 새로운 방식으로 다시 태어나는 것이다. 영적인 능력은 늙어 죽을 때까지라도 성장할 수 있는 것이다(비록 대부분의 사람들은 그렇지 못하지만). 우리의 일생은 마지막 순간까지 무한한 영적 성장의 기회를 제공한다. 이 책의 초점은 영적 진화에 있지만 생물학적 진화의 과정도 영적 진화와 근본적으로 비슷하기 때문에 영적 성장 과정과 은총의 의미를 좀더 잘 이해할 수 있는 실마리를 제공해 준다.

생물학적 진화 과정 가운데 가장 주목할 만한 사실은 그것이 일종의 기적이라는 점이다. 우주에 관해 우리가 배운 대로라면 진화는 일어날 수 없다. 그런 현상은 도무지 있을 수 없는 일이다. 자연 법칙 가운데 가장 중요한 것 중의 하나에 열역학 제2법칙이 있는데, 이에 따르면 에너지는 언제나 보다 정돈된 상태로부터 덜 정돈된 상태로, 보다 복잡한 분화 상태로부터 보다 단순한 분화 상태로 흘러간다. 한마디로 말해 우주는 흘러 내려가는 과정이다. 이것을 묘사하는 데 종종 인용되는 예는 낮은 곳으로 흐르는 시냇물이다. 이 과정을 거꾸로 돌려 놓으려면 에너지나 일—펌프, 수문, 양동이로 퍼올리기, 기타 등등—이 필요하다. 흘러내린 물을 다시 원래 연원인 산꼭대기로 운반하기 위해서는 힘이 들어가야 하는 것이다. 그리고 이 에너지는 다른 데서 가져와야 한다. 이 일을 계속하기 위해서는 다른 에너지 체계로부터 에너지를 공급받아야 하는 것이다. 열역학 제2법칙에 따르면 우주는 수백만 년의 세월 동안 아래로 흘러내리기만 하여 마침내는 모양도 없고 질서도 없는 점액질이 되어 버려 더 이상은 어떤 운동도 일어나지 않을 것이라고 한다. 이러한 완전 해체와 미분화의 상태를 엔트로피라 부른다.

엔트로피의 상태를 향하여 에너지가 저절로 흘러내리는 것을 엔트로피의 힘이라 한다. 진화의 흐름은 바로 이 엔트로피의 힘과는 정반대이다. 진화의 과정은 유기체가 단순한 분자구조로부터 보다 고차적인 복합구조, 즉 분화되고 정돈된 상태로 나아가는 것이다. 바이러스는 분자 한 개보다 약간 큰 간단한 유기체이다. 박테리아는 좀더 복잡하며 좀더 분화되었고 세포벽과 여러 개의 다른 종류의 분자들이 분화된 형태이며 동화작용을 한다. 짚신벌레는 핵산과 섬모와 소화기관을 가지고 있다. 연체동물은 세포가 단순히 모여 있는 차원이 아니라, 상호 의존하는 여러 종류의 세포들로 구성되어 있다. 곤충과 어류는 복잡한 방식으로 운동하며 집단적 생활을 할 수 있도록 하는 신경조직을 가지고 있다. 이런 식으로 진화가 진전될수록 조직은 복잡해지고 분화하여 마침내는 인간에 이르게 된다. 인간은 엄청난 두뇌의 피질과 대단히 특별하고 복잡한 행동양식을 지닌 그야말로 정상의 존재이다. 그러므로 진화의 과정은 바로 기적이다. 그것은 점점 조직화되고 분화되어 가는 과정으로 자연법칙에 역행한다. 보통의 변화 경로대로라면 이 책을 읽기도 하고 쓰기도 하는 우리는 존재하지도 않아야 한다.

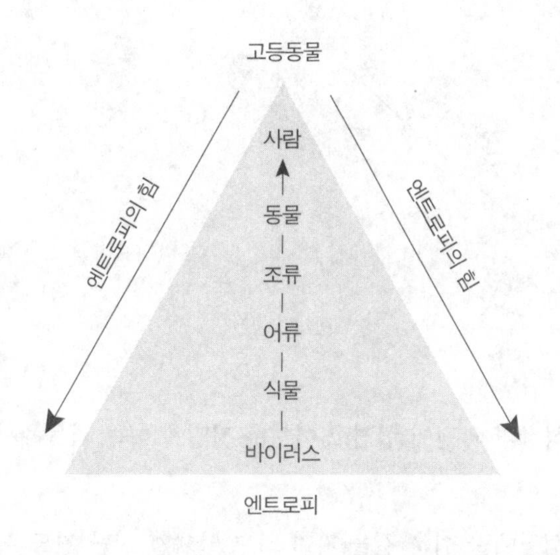

진화가 자연법칙에 위배된다는 것은 나의 독창적인 학설이 아니다. 대학시절에 나는 '진화란 열역학 제2법칙이라는 흐름 속에 역류하는 하나의 소용돌이' 라고 한 어느 학자의 글을 읽은 기억이 있다. 그러나 불행히도 그 글의 출처가 기억나지 않는다. 최근에 나온 문헌인 다음 책을 참조하라. And It Came to Pass-Not to Stay, By Buckminster Fuller(N.Y.; Macmillan, 1976).

진화는 피라미드형의 도식으로 그릴 수 있다. 가장 복잡하지만 수가 적은 인간은 꼭대기에 있고, 가장 단순하고 수가 많은 바이러스는 바닥에 있다.

꼭대기는 엔트로피의 힘에 대항하여 밀고 올라간 셈이다. 피라미드 속에 그려 놓은 화살표는 바로 이 진화의 힘을 상징한다. 이 '어떤 힘' 은 수백만 세대에 걸쳐 끈질기게, 그리고 성공적으로 '자연법칙' 에 도전해 온 결과, 그 자체가 일종의 자연법칙이 되어버렸다.

인간의 영적인 진화도 이것과 비슷한 도식으로 나타낼 수 있다.

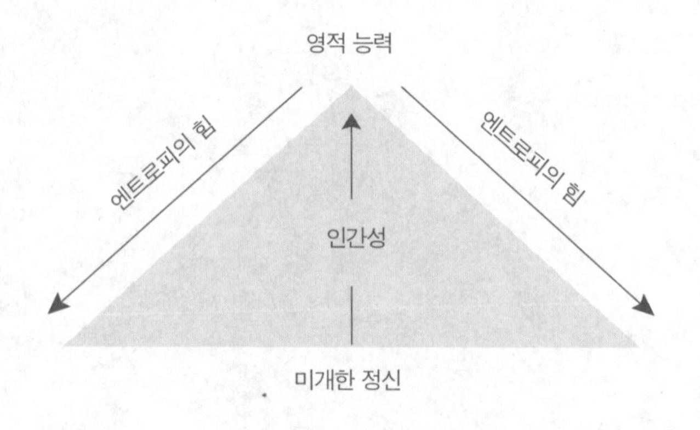

영적 성장의 과정이 힘겹고 어려운 것임을 나는 거듭해서 강조해 왔다.

영적 성장이란 쉬운 길을 가려 하고 날짜가 지난 지도나 낡은 관행에 집착하려 하며 변화를 싫어하는 본능을 극복하고 그에 따라 자기 마음대로 길을 가려는 자연의 저항을 이겨 내야 이루어지는 것이기 때문이다. 그리고 우리는 우리의 정신 속에서 작용하는 엔트로피의 힘이 성장을 방해하는 것도 이겨 내야 한다. 그러나 생물학적 진화의 경우와 마찬가지로 인간의 영적인 기적은 이 저항을 극복해 낸다. 우리는 성장하고, 좀더 나은 사람이 되는 기적을 이루어낸다. 물론 우리 모두가 그럴 수 있는 것은 아니며, 또 쉽게 되는 일도 아니다. 그러나 수많은 사람들이 어떤 식으로든 그들 자신의 교양을 증진시키는 데 성공하고 있다. 우리에게는 태어날 때부터 우리가 태어난 진창구덩이 속에 안주하지 않고 보다 어려운 길을 선택하도록 부추기는 어떤 힘이 내재해 있다.

영적 성장에 관한 위의 도식은 한 개인의 존재 방식에도 적용될 수가 있다. 모든 사람은 각기 자기 나름으로 성장하고픈 욕구가 있다. 그리고 그 욕구를 실현시키고자 할 때는 혼자 힘으로 스스로의 저항과 싸워야 한다. 위의 그림은 인류 전체에도 적용될 수 있다. 한 개인으로서 우리는 우리가 진보하는 것과 같은 방식으로 우리가 속한 사회를 진화시킬 수 있다. 어린 시절의 우리를 양육시킨 문화는 어른이 된 우리들에 의해 보다 나은 방향으로 변화할 수 있다. 이미 성숙한 사람들은 그 성숙의 열매를 맛보는 데서 그치지 않고 그 열매를 세계 전체에 나누어 준다. 한 개체로서 진화했지만 우리는 등에 인류 전체를 지고 있는 셈이다. 그리하여 인류도 진화한다.

인간의 영적 발전의 날개가 날마다 상승해 가고 있다는 나의 주장이 진화라는 꿈의 환상이 깨어져 버린 세대에게는 비현실적으로 보일는지 모른다. 도처에 전쟁과 부패와 오염이 있다. 뭘 믿고 인류가 영적으로 진화하고 있다고 말할 수 있을까? 그러나 내가 말하고자 하는 것이 바로 그것이다. 우리의 환멸감은 우리의 앞선 세대들이 자신들에게 기대했던 것보다 많은 것을 우리 자신에게 기대한 데서 온다. 오늘날에는 역겹고 한심한 것으로 여겨지는 행동들을 옛날에는 당연한 것으로 받아들였다. 예컨대, 이 책의 주요 주제인 자녀의 정신적 성장에 대해, 그리고 부모가 가져야 할 책임감에 대해 생각해 보자. 이 주제는 오늘의 관점에서 보면 그다지 놀라울 것이 없지만 몇 세기 전만 하더라도 사람들의 관심사 밖에 있었다. 비록 오늘날에도 제대로 부모노릇 하는 이가 별로 없기는 하지만, 몇 세대 전에 비해서는 훨씬 나아졌다. 자녀보호의 여러 양상에 관한 최근의 연구는 다음과 같이 시작되고 있다.

로마법에 따르면 아버지는 자녀에 대해 절대권을 가진다. 자녀를 팔거나 죽일 수도 있었다. 절대권이라는 이 개념은 영국법에도 계승되었으며, 14세기까지 별로 변화없이 이어졌다. 중세에도 자녀는 지금처럼 한 개체로서 인정받지 못했다. 일곱 살밖에 안 된 아이를 도장 작업장에 도제로 보내는 것은 흔한 일이었다. 그런 작업장에서는 배우는 것은 부차적인 것이었고 고된 노동이 그 아이들을 기다리고 있었다. 아이들은 거의 노예와 다를 바 없는 취급을 당했다. 언어상으로 구별되지 않는 경우조차 있었다. 자녀에게 특별히 관심을 갖게 되고 그들이 발전적 과업을 지닌 중요한 존재이며 사랑으로 돌볼 가치가 있다고 생각하게 된 것은 거의 15세기가 되어서였다.

그러나 우리 개인과 인류 전체를 떠밀며, 우리 자신의 관성이라

Andre P. Derdeyn, "Child Custody Contests in Historical Perspective", American Jounral of Psychiaty,

는 본능적 저항을 이기고 성장하게 하는 이 힘은 어디서 오는 것일까? 우리는 이미 이 힘에 대하여 이름을 붙였다. 사랑이라고. 사랑을 '자기 자신이나 타인의 정신적 성장을 북돋아 줄 목적으로 자기 자신을 확대시켜 나가려는 의도' 라고 정의한 바 있다. 우리는 사랑을 위해 일하기 때문에 성장하는 것이며, 또 우리가 사랑 그 자체를 위해 일하는 것은 우리가 우리 자신을 사랑하기 때문이다. 우리는 사랑을 통해서 자신을 드높인다. 또한 우리가 다른 사람들을 사랑함으로써 다른 사람들 또한 드높인다. 자아의 확대라고 정의될 수 있는 사랑은 바로 진화다. 그것도 진행중인 진화이다. 모든 생명체 속에 존재하고 있는 진화의 힘은 인간의 사랑으로 인류 앞에 그 모습을 드러낸다. 인간애라고 하는 사랑은 엔트로피의 자연법칙을 무산시키는 기적적인 힘을 가지고 있다.

시작과 끝

그러나 이 책의 '사랑' 에서 제기되었던 의문은 여전히 남아 있다. 사랑은 어디서 오는 걸까?

오히려 더욱더 근원적인 물음으로 확대되었다. 진화라고 하는 전능한 힘은 어디서 오나? 거기에 덧붙여 은총의 근원에 관한 우리들의 궁금증만 배가될 뿐이다. 왜냐하면 사랑은 의식적인 것이지만 은총은 그렇지 않기 때문이다. '인간의 의식 밖에 존재하면서 인간의 영적 성장을 돕는 이 강력한 힘' 은 어디에서 오는가?

우리는 이 질문들에 대하여 밀가루나 강철 또는 구더기가 어떻게 생겨났는지에 대해서와 같은 동일한 과학적 방법으로 답할 수는 없다. 왜냐하면 그것들이 만져질 수 없기 때문이 아니라 현재의 과학이 설명하기엔 너무나 근원적인 질문이기 때문이다. 물론 이러한 질문들이 과학이 해결할 수 없는 질문의 전부는 아니다. 예를 들자면, 우리는 전기의 특성에 대해 정말로 알고 있는가? 에너지의 근원은? 우주는? 아마도 언젠가는 과학이 근본적인 질문들에 정답을 내놓을지도 모른다. 그때까지는—그때가 언제일지는 모르겠지만—

우리는 추측하고, 이론화하고, 가정과 가설을 세울 수 있을 뿐이다.

진화의 기적과 은총의 기적을 설명하기 위해 하느님의 존재를 가정해 볼 수 있다. 하느님은 우리가 성숙하기를 원하며 우리를 사랑한다는 이러한 가설은 많은 사람들이 보기에 너무 단순하고 안이해 보이기 쉽다. 황당하고 유치하고 순진해 보일지도 모르겠다. 그러나 달리 어떻게 가정할 수 있을까? 동굴 속 같은 좁은 시야로 사실을 무시하는 것은 정확한 대답이 될 수 없다. 우리는 질문하지 않고는 답을 얻을 수 없다. 너무 단순화시킨 것인지는 모르겠으나 여러 자료들을 검토해 보고 질문을 던져 본 사람이라면 이보다 나은 가설을 세울 수 있는 사람은 없을 것이다. 다른 누군가가 나타나서 더 그럴듯한 무엇을 내세우기까지는 우리는 사랑을 베푸는 하느님이라는 유치한 가설을 따르던가 이론적 공백으로 있던가 둘 중에 하나를 선택할 수밖에 없다.

그러나 좀더 진지하게 생각해 보면, 사랑의 하느님이라는 일견 단순해 보이는 관념이 결코 안이한 철학이 아님을 알 수 있다.

사랑하는 능력, 성장하고 진화하려는 열망은 하느님이 어떤 식으로든 우리에게 '불어넣어 준' 것이라 가정한다면, 곧이어 우리는 그 목적이 무엇일까를 묻게 된다. 왜 하느님은 우리가 성장하기를 바라는가? 우리는 어디를 향해 성장하는 걸까? 진화의 마지막은 어디일까? 하느님이 우리에게서 바라는 것은 무엇인가? 신학적인 문제를 다루는 것은 이 책의 목적이 아니다. 학자적 관점에서 볼 때는 나의 논의가 제대로 된 학문적 논리를 갖추지 못한 것임을 이해해 주기 바란다. 우리가 아무리 조심스럽게 이 질문에 접근해 가더라도,

사랑을 베푸는 하느님이란 존재를 가정하고 그것을 진지하게 탐구하다 보면 결국은 간단하면서도 끔찍한 결론에 이르게 된다. 하느님이 바라는 것은 우리가 하느님과 같게 되는 일이다. 우리는 하느님의 경지를 향해 나아가고 있는 것이다. 하느님이 곧 진화의 목적이다. 하느님이 바로 진화시키는 힘의 원천이자 기착지인 것이다. 이것이 바로 우리가 하느님은 알파이며 오메가라 말하는 의미이다. 하느님은 처음이자 마지막인 것이다.

나는 이것을 외경스러운 생각이라 말했지만, 그것은 그래도 좀 온건한 표현이다. 이것은 굉장히 오래된 관념임에도 불구하고 그 오랜 세월 동안 우리는 외경스러움 때문에 이 생각을 외면해 왔다. 어떠한 관념도 이보다 더 무거운 마음의 짐을 지우는 것은 없다. 이것은 인류의 역사상 가장 단순하면서도 가장 많은 것을 인간에게 요구하는 사상이다. 그것이 심오하고 까다로운 사상이어서가 아니라 반대로 지나치게 단순하기 때문이다. 그것은 우리가 그것을 믿게 되는 즉시 우리에게 우리가 할 수 있는 모든 것, 바칠 수 있는 모든 것을 바치라고 요구한다. 신에 관한 낡은 관념 가운데는 우리가 도달할 수 없는 높은 곳에서 우리를 보살펴 주시는 하느님이 계신다는 멋있는 개념이 있다. 반면에 우리에게 신의 진리, 신의 권능, 신의 지혜, 신의 주체성을 획득하라고 요구하는 하느님이라는 개념도 있다. 인간이 하느님과 같게 될 수 있다는 것을 우리가 믿는다면, 이 믿음은 본질적으로 우리에게 모든 가능성을 시도해 볼 의무를 지운다. 그러나 우리는 이러한 의무를 바라지 않는다. 우리는 그토록 노력하면서 살고 싶지는 않은 것이다. 우리는 신과 같은 책임들을 짊어지고 싶어하지 않는다. 언제나 모든 것을 생각해야 하는 책임을 지고 싶지는 않은 것이다. 인간이 신과 같이 되는 것은 불가능하다고 생각해 버리기만 하면, 영적 성장에 대해 근심할 필요도, 우리 자신의 의식 수준을 드높이기 위해 애쓸 필요도, 사랑을 실천할 필요도 없다. 그냥 되는 대로 주어진 인간으로 지내면 되는 것이다. 하느님은 하늘에 있고 인간은 땅에 있으며 그 두 가지가 결코 합치될 수 없다면, 우리는 진화라든가 우주의 질서 유지의 모든 책임을 하느님에게 돌리면 된다. 우리는 자신의 몫을 다한 다음 행복하고 건강한 자녀들과 손자 손녀들과 더불어 안락하고 편안한 노후를 즐기기만 하면 된다. 그 이상의 일로 스스로를 괴롭힐 필요가 없다. 물론 이런 목표들도 성취하기 쉬운 것은 아니며, 얕잡아볼 수도 없다. 그러나 인간이 하느님이 될 수 있다고 믿는다면, 그때야말로 "자, 일은 끝났어, 나는 목적을 이룬 거야."라고 말하며 쉬어 버릴 수는 절대로 없는 것이다. 우리는 자기 자신을 더욱더 지혜롭게, 더욱더 현명하게 되도록 밀고 끌어 올려야 한다. 이 믿음에 의한다면 자기 향상과 영적 성장을 위한 끝없는 노력을 죽는 순간까지 게을리해서는 안 된다. 하느님의 책임은 우리들 자신의 책임이다. 하느님이 된다는 가능성을 인간들이 끔찍해 하는 것도 무리는 아니다.

하느님이 인간으로 하여금 자기 자신과 같이 되도록 성숙시키고자 우리에게 적극적으로 개입하고 있다는 사상은 우리를 자신의 게으름과 직면하게 한다.

엔트로피와 원죄

이 책은 영혼의 성숙에 관한 책이므로 필연적으로 그 반대 측면인 영혼의 성숙에 장애가 되는 것들에 대해서도 다루어야 한다. 궁극적으로는 오직 단 하나의 장애물이 있는데, 그것은 게으름이다. 우리가 게으름을 극복할 수 있다면 다른 모든 장애물은 쉽게 뛰어넘을 수 있을 것이다. 그러나 우리가 게으름을 극복할 수 없다면 다른 어떤 장애물들도 뛰어넘을 수 없다. 그러므로 이 책은 게으름에 관한 책이기도 하다. 제1부인 '훈련'에서 꼭 필요한 고통을 피하려 하거나 쉬운 길을 택하려는 게으름에 대해 살펴보았었다. 제2부 '사랑'에서 사랑하지 않는다는 것은 곧 자아의 경계를 확장시키려 하지 않음을 의미한다고 했었다. 게으름은 사랑의 반대말이다. 거듭 강조하거니와 영혼의 성숙에는 노력이 필요하다. 이제 게으름의 본성에 관해 보다 시야를 넓게 가지고 살펴보아야겠다. 게으름은 바로 우리 모두의 삶에서 나타나는 엔트로피의 힘이다.

나는 오랫동안 원죄라는 개념을 무의미한 것으로 여기고 부정해왔다. 나는 섹스를 특별히 죄악시하지 않았다. 그밖의 다양한 욕망들에 대해서도 마찬가지였다. 나는 종종 맛있는 음식을 지나치게 탐닉했고 그 결과로 복통에 시달리곤 했지만, 어떤 죄의식 따위가 주는 고통 때문에 시달린 적은 없었다. 물론 이 세상에 죄악—사기, 편견, 고문, 잔인성 따위의 죄악들—이 있음은 인정한다. 그러나 어린 아기들의 내면에 운명적으로 어떤 숨겨진 죄가 있다고는 생각할 수 없으며, 아이들이 그들 조상들이 선악과를 따먹었기 때문에 저주받고 있다는 것도 믿을 수 없는 것이다. 그러나 점차로 나는 게으름이라는 것은 세상 도처에 존재함을 깨닫게 되었다. 내 환자들을 치료하고자 악전고투하는 동안에 나는 최대의 적은 두말할 것도 없이 그들의 게으름임을 깨달았다. 그런 한편 내 자신 속에도 새로운 학문, 책임, 성숙의 영역으로 나 자신을 열어 확대해 가는 데 있어 게으름과 유사한 머뭇거림이 존재함을 알게 되었다. 나 역시 모든 사람들과 마찬가지로 게으름이란 것을 지니고 있었던 것이다. 바로 그 점에서 뱀과 선악과의 이야기가 갑자기 의미심장해졌다.

이야기의 핵심은 해야 할 일을 빠뜨렸다는 것이다. 창세기는 하느님이 '저녁 무렵에 에덴동산을 거니는' 버릇이 있음을 보여 주고 있다. 그리고 하느님과 인간 사이에는 대화의 통로가 열려 있었다. 만약에 그렇다면 아담과 이브는 함께든 따로 따로든, 뱀이 유혹하기 전이거나 후이거나 하느님한테 이렇게 말했어야 하지 않을까.

"왜 우리에게 선악과를 먹지 말라고 하셨는지 궁금합니다. 우리는 이곳에 사는 것이 정말 좋아서 은혜를 배반하고 싶지 않은데, 이 율법만은 정말 이해하기 힘듭니다. 설명해 주신다면 감사하겠습니다."

물론 그들은 그런 말을 하지 않았다. 그들은 그 율법 뒤에 숨은 이유를 알아보려고 하지 않았고, 하느님의 권위에 의문을 제기하거나 직접 도전해 보려 하지도 않고, 어른답게 대화해 보지도 않고서 그냥 율법을 깨뜨렸다. 그들은 뱀의 말은 경청했지만 행동에 들어가기 전에 하느님의 말을 되새겨 보지는 않았다.

왜 그랬을까? 유혹받고 행동하게 되기까지 그들은 왜 아무 일도 하지 않았는가? 죄의 본질은 바로 이 아무 일도 하지 않은 것에 있다. 즉 토론의 단계를 생략해 버린 것이다. 아담과 이브는 뱀과 하느님 사이에 논쟁을 붙였어야만 했다. 그러나 그렇게 하지 않음으로써 하느님 쪽의 답변은 듣지 못했다. 뱀과 하느님 사이의 논쟁은 인간의 마음 속에 일어나는 선과 악의 갈등을 상징한다. 마음 속에서 선과 악 사이의 논쟁을 붙여보려하지 않는—혹은 힘을 다하여 싸우지 않는—그 태도가 바로 죄를 짓게 하는 원인이다. 어떤 일을 하고자 하며 그 이득을 따져 봄에 있어 사람들은 대개 하느님 쪽의 의견을 따르지 않는다. 자기 내부에 있는 하느님의 말씀, 즉 모든 인간 존재의 마음 속에 있는 올바른 지혜를 경청하고 도움을 받으려고 하지 않는다. 바로 게으름 때문이다. 자기 내면 속에서 논쟁을 벌이는 것은 일종의 일이다. 시간과 노력이 소모되는 고통스러운 일이다. 게다가 우리가 그 일을 진지하게 수행한다면—그래서 '우리 안에 계신 하느님의 말씀'을 진지하게 따르고자 한다면—우리 앞에는 좀더 험난하고 수고로운 가시밭길이 나타나게 되는 것이다. 논쟁을 벌여 보는 것, 즉 심사숙고해 본다는 것은 고통과 투쟁의 길로 들어섬을 의미한다. 우리 모두 정도의 차이는 있을지라도 누구나 그러한 일에서 물러나 고통스러운 단계를 회피하고 싶어한다. 우리 모두가 게으른 것이다. 아담과 이브 이래로 우리의 모든 조상들도 그랬다.

그러므로 원죄는 존재한다. 그것은 게으름이다. 게으름은 실재하는 현실이다. 그것은 우리들 모두에게 있다. 아기들, 어린이들, 청소년들, 장년들, 노인들, 게다가 현명한 자든 우매한 자든, 불구자이든 정상인이든 우리 모두에게. 어떤 사람은 다른 사람보다 덜 게으를지는 모르지만 그것도 정도의 차이에 불과하다. 야심만만하고 정력이 넘치며 영리한 사람들조차도, 진정으로 스스로를 성찰한다면 자기 속에 게으름이 잠복해 있음을 발견할 것이다. 게으름은 우리를 끌어내리고 영혼의 성장을 방해하기 위해 우리 속에 숨어 있는 엔트로피의 힘이다.

어떤 독자들은 이렇게 말할지도 모른다. "난 게으르지 않은걸. 나는 한 주일에 60시간이나 일하는데. 그리고 저녁 때나 주말에는 아무리 피곤하더라도 마누라를 데리고 외출하고, 애들하고 동물원에 가고, 집안 일도 돕고, 그밖에도 많은 일을 하는데. 어떤 때는 일, 일, 일이 내 전부인 것 같기도 한데……." 공감할 수 있는 말이다. 그러나 이런 사람들조차도 잘 살펴본다면 자기 속에서 게으름을 발견할 수 있을 것이다. 게으름이란 단지 일을 열심히 안 한다거나 다른 사람을 위해 헌신하지 않는 것과는 다른 차원의 문제이기 때문이다. 게으름의 주된 형태는 두려움이다. 아담과 이브의 신화를 다시 인용하여 이것을 설명해 보자. 아담과 이브가 하느님의 율법 뒤에 숨어 있는 이유를 묻지 못한 진정한 까닭은 게으름이 아니라 두려움이라고 생각할 수도 있다. 하느님의 분노에 대한 두려움, 무서운 하느님과 마주해야 하는 두려움 말이다. 그러나 모든 두려움이 다 게으름은 아니지만 두려움 가운데 상당 부분이 게으름으로 인한 것이다. 즉 현실을 변화시키는 데 따른 두려움, 현재의 위치에서 더 나아가면 무언가를 잃게 될지도 모른다는 두려움이다. 제1부 '훈련'에서 나는 사람들이 새로운 정보를 위협적인 것으로 생각한다는 점을 지적한 바 있다. 새로운 정보를 받아들인다는 것은 그들이 현실 세계에 대하여 가지고 있는 케케묵은 지도를 개정하기 위한 많은 일을 해야 한다는 뜻인데, 사람들은 본능적으로 이런 일을 싫어한다. 결과적으로 사람들은 새로운 정보를 수용하기보다는 그것에 대항하여 싸우는 경향이 있다. 이 저항은 두려움 때문에 일어나지만, 그 밑바닥에 분명 게으름이 숨어 있는 것이다. 그것은 반드시 해야 할 일 앞에서의 두려움이다. 제2부 '사랑'에서도 나는 자아를 새로운 영역, 새로운 행위, 책임가짐, 새로운 관계, 새로운 차원의 존재로 확대하는 모험에 관해 언급한 적이 있다. 다시 말하지만 여기서 모험이라고 한 것은 지금 그대로의 나 자신을 잃어버릴지도 모르기 때문이다. 그리하여 새로운 상태의 자기 자신으로 나아갈지도 모를 작업을 수행한다는 것은 두려운 일임에 틀림없다. 아담과 이브는 하느님에게 솔직하게 물었을 때 일어날지도 모르는 일을 두려워했을 수 있다. 그래서 그들은 쉬운 길로 갔다. 힘들이지 않고도 지혜를 얻을 수 있는 비겁한 지름길을 택했으며, 그러고도 잘 되어 나가기를 희망했던 것이다. 그러나 그렇게 되질 못했다. 하느님께 묻는 것은 많은 일을 해야 함을 의미한다. 그러나 이 신화가 주는 교훈은 반드시 하느님께 물었어야 한다는 것이다.

심리상담가들은 자신들의 환자가 약간의 변화를 원하기는 하지만 근본적인 변화라든가 그 변화에 따르는 일은 두려워한다는 것을 알고 있다. 대다수의 환자들 중 열의 아홉이 심리치료를 시작하고서 미처 다 끝내지도 못한 채 그만 두곤 하는 것은 바로 이 두려움과 게으름 때문이다. 탈락자들 가운데 대부분이 진료받기 시작한 지 몇 번 만에 혹은 몇 달 만에 그만 둔다. 가장 두드러진 탈락 현상은 결혼생활에 문제를 겪고 있는 사람들에게서 나타나는데, 자신의 결혼이 아주 잘못되어 있거나 파괴적이어서 정신건강을 되찾으려면 이혼하거나 아주 고통스런 과정을 통해 결혼생활을 재정비해야 함을 처음 몇 번의 진료에서 예감한 사람들이다. 사실 이런 환자들은 진료받으러 오기 전에 이미 이런 사실을 어렴풋이나마 알고 온다. 처음 몇 번의 진료가 이미 그들이 알고 두려워하는 사실을 확인시켜 주었던 것이다. 어쨌든 이런 사람들은 혼자 살거나, 관계를 근본적으로 개선시키기 위해 배우자와 더불어 오랫동안 노력해야 하며, 경우에 따라서는 겉보기에 거의 이혼이나 다름없이 불가능해 보이는 어려움을 겪어야 한다는 사실에 두려움을 느끼고 질려 버린다. 그래서 이들은 한동안 상담을 한 뒤에 그만 두어 버린다. 그들의 핑계는 다양하다.

"처음에 생각했던 것만큼 비용이 충분치 않아서 더 이상 진료 받을 수가 없네요."라든가, 때로는 아주 솔직하게 현실을 인정하기도 한다. "이 진료를 계속 받는 게 결혼생활에 영향을 미칠까 두렵습니다. 이게 도망가는 것인 줄 압니다. 언젠가는 다시 상담받으러 오게 될 거예요."

그들은 자신이 처한 특별한 고충을 극복하기 위해 요구되는 엄청난 노력보다 현재 있는 그대로의 고통스런 현실에 안주하는 쪽을 더 좋아한다.

영적 성장의 초보적 단계에 있을 때 사람들은 대체로 자신들의 게으름을 인지하지 못한다. 물론 입으로는 "저 역시 다른 사람들처럼 게으를 때가 있어요."라고 말한다. 이것은 자신 속에 들어 있는 게으른 부분이 악당들처럼 행패를 부리면서도, 겉으로는 화려한 가면을 쓰고 스스로를 은폐하는 데 능수능란하기 때문이다. 게으름은 여러 가지 핑계로 자신을 합리화한다. 따라서 쉽사리 간파되거나 반성의 대상이 되기가 어렵다. 그리하여 나의 환자들은 나의 지적에 대하여 자신이 어떤 새로운 지식이라도 얻은 듯이 말하곤 한다. "이 분야는 많은 사람들이 연구했지만 아직 이렇다할 결론이 없다."거나 "그 분야에 정통한 사람을 하나 알았는데 알콜중독으로 자살했어요."라거나 "새로운 일에 적응하기엔 나는 너무 늙었어."라거나 "선생님은 나를 자신의 복제품으로 만들려고 하시는군요. 정신치료자가 그래도 되는 겁니까?"라는 말로써 회피한다. 나의 환자나 제자들이 보여 주는 이런 반응은 모두 게으름을 감추려는 몸짓이다. 그것은 의사나 선생을 속이기보다는 자기 자신을 기만하는 것이다. 자기 속에 들어 있는 게으름을 깨닫고 인정하는 것이야말로 게으름을 줄여 나가는 첫걸음이다.

그러므로 영적으로 보다 성숙해진 사람은 자신의 게으름을 잘 아는 사람이다. 자신이 게으르다는 것을 잘 알고 있는 사람이야말로 가장 덜 게으를 수 있는 사람이다. 나는 개인적으로는 성숙을 위한 투쟁으로부터 새로운 통찰력을 얻은 바 있다. 그러나 그것들은 쉽게 빠져 달아나는 경향이 있다. 아니 그보다는, 새롭고 건설적인 생각이 뇌리를 스쳐가는 바로 그 순간에 나도 모르게 멈칫거리게 되는 것이다. 대부분의 시간에 나는 이런 귀중한 생각들을 무심코 흘려보내고는 어떻게 해야 할지 당황해하며 이것들을 찾아 헤맨다. 그래서 나는 자신이 주저하고 있음을 깨달았을 때 영 내키지 않는 쪽으로 걸음을 옮기고자 애쓰게 되었다. 엔트로피와의 싸움은 끝이 없다.

우리 모두는 병든 자아와 건강한 자아를 모두 가지고 있다. 우리가 아무리 노이로제에 걸려 있거나 심지어 정신병이 있다 하더라도, 겁이 많아서 마음이 딱딱하게 닫혀 있다 해도, 아직도 우리 마음 속에는 보잘 것 없지만 성장하기를 바라고 변화와 발전을 좋아하고 새롭거나 미지의 것에 마음이 끌리며 일하기를 좋아하고 영적 진보에 따른 위험을 감행할 준비가 된 부분이 당당하게 존재해 있다. 그런가 하면 외견상 아무리 건강하고 영적으로 성숙된 것처럼 보일지라도 그 사람 속에도 조금이나마 자신을 고양시키는 것은 원치 않고 낡고 익숙한 것에 집착하며 변화와 수고를 두려워하고, 그 대가를 생각치 않고서 그저 고통없이 안락하기만 바라며, 쓸모없고 뒷걸음질치는 인간이 되는 쪽을 택하고자 하는 부분이 반드시 있다. 어떤 사람의 경우에는 자아의 건강한 부분이 불쌍하리만큼 작아서 병든 자아의 게으름과 두려움에 전적으로 지배되기도 한다. 또 어떤 사람들은 빠른 속도로 성장해 나가면서 건강한 자아가 하느님의 경지에까지 스스로를 이끌어 올리는 투쟁을 열심히 수행하기도 한다. 그러나 건강한 자아는 우리 속에 숨어 있는 병든 자아에 대해 경계심을 늦추어서는 안된다. 바로 이 한 가지 점에서 모든 인간들은 똑같다. 즉 인간의 깊은 곳에는 병든 자아와 건강한 자아의 두 가지—삶에의 욕구와 죽음의 욕구라고 말할 수도 있다—가 동시에 작용하고 있다. 우리 개개인이 모든 인류 전체를 대표한다. 각자의 내부에는 하느님의 경지에 이르고자 하는 인류의 끈질긴 소망이자 본능이 자리잡고 있음과 동시에 게으름이라고 하는, 인간을 어린이의 차원으로 퇴행시키고 그가 태어났던 자궁 속과 다를 바 없는 수렁으로 되돌리고자 하는 엔트로피의 힘인 원죄가 존재하고 있다.

악이란 무엇인가

나는 앞에서 게으름이 바로 원죄이며, 우리 속에 병든 자아의 형태로 존재하는 악마와 같은 것이라고 말한 바 있다. 따라서 악의 본질에 관해 잠시 언급하면서 그 윤곽이나마 살펴보는 것이 좋겠다. 악의 문제는 모든 신학적인 주제 가운데 가장 심각한 문제일 것이다. 그러나, 다른 모든 '종교적' 주제와 마찬가지로 심리학은 약간의 예외는 있지만 악이란 존재하지 않는 것으로 다루고 있다. 결과적으로 심리학은 이 분야에 많은 기여를 했다. 이 부분에 관해서는 자세히 다뤄 보고 싶지만, 책의 주제와 동떨어진 감이 있으므로, 여기서는 악의 본질에 관한 나 나름대로의 결론을 간단히 언급하는 것으로 그치고자 한다.

첫째, 악이나 악마란 현실에 실존한다. 악마란 어떤 미지의 힘을 설명하기 위해 원시인들의 종교적 상상이 만들어낸 가공의 존재가 아니다. 선의 존재에 대하여 증오를 가지고 그것을 파괴하고자 갖은 나쁜 짓은 다하는 사람이나 단체가 실제로 있다. 그들은 이런 일을 할 때 의식적인 악의를 가지고 있는 것이 아니라 거의 맹목적이며, 자신 속에 들어 있는 악마를 깨닫지도 못하고, 또 알려고 하지도 않는다. 종교서적에서 묘사한 것처럼 악마는 빛을 싫어하고 본능적으로 그것을 피하기 위해 모든 노력을 기울인다. 그들은 자기 자녀들 속의 빛을 꺼버리고, 그들이 영향력을 행사할 수 있는 모든 사람들 속의 밝음을 훼손시킨다.

악한 사람들이 빛을 싫어하는 것은 빛이 자신의 모습을 스스로에게 드러내 보여 주기 때문이다. 그들은 이렇게 스스로를 자각하는 고통을 피하기 위하여 빛과 선량함과 사랑을 파괴한다. 따라서 나의 두 번째 결론은 악이란 게으름의 극한이라는 것이다. 이미 말했듯이 사랑의 반대말은 게으름이다. 보통의 게으름이란 그저 사랑하지 못하는 것이다. 게으른 사람들은 누가 억지로 시키지 않으면 손가락 하나 까딱하지 않을 때도 있다. 그들의 존재는 단지 사랑 없음의 한 표현일 뿐 아직 악은 아니다. 그러나 정말 악한 사람은 자기 자신을 열어 보이는 것이 귀찮아서 회피하는 정도가 아니라 아주 적극적으로 스스로를 닫고 지낸다. 그들은 자신의 게으름을 유지하고 병든 자아를 훼손시키지 않으려고 능력이 닿는 한 모든 행동을 한다. 이 목적을 위해서 행동하다 보면 그들은 남을 돕는 것이 아니라 파괴하게 된다. 그들은 자신의 영적 성장이 주는 고통을 회피하는 데 필요하다면 살인까지도 서슴지 않는다. 병든 자아를 유지하는 일이 주변의 건강한 영혼을 지닌 사람들 때문에 위협을 받게 되면 그들은 수단과 방법을 가리지 않고 그 건강한 영혼을 파괴하려 한다. 따라서 나는 악이란 영적 성장을 촉진할 목적으로 자아를 확대하는 것을 회피하는 정치적 권력의 행사—노골적이거나 은밀히 자신의 의지를 강요하는—로 보고 싶다. 단순한 게으름은 사랑이 아닌 것에 불과하지만 악은 사랑의 반대말이다.

세 번째 결론은 인간의 진화에 있어 적어도 지금 단계에서는 악의 존재가 불가피하다는 것이다. 인간은 자유 의지를 가지고 있고 엔트로피의 힘은 필연적으로 존재하므로, 어떤 사람은 게으름을 이겨 낼 수 있으나 다른 사람에게는 그것이 힘겨울 것이다. 엔트로피의 힘이 존재하는 한편으로는 사랑이라고 하는 진화를 부추기는 힘이 있어 이 두 상반된 힘에 의해 대부분의 사람들은 비교적 균형을 잘 유지해 간다. 그러나 한쪽 극단에는 순수한 사랑만이 드러나는 사람이 있고 반대편 극단에는 순수한 엔트로피나 악만이 드러나는 사람이 있다. 이 둘은 서로 갈등하는 힘이므로 양 극단은 서로 부딪칠 수밖에 없다. 선이 악을 미워하듯 악이 선을 미워하는 것은 자연스러운 일이다.

마지막으로, 나는 다음과 같은 결론에 도달했다. 엔트로피가 사악한 폭력이기는 하지만, 그보다 더 문제가 되며 인간에게 내재한 악 가운데 가장 극단적인 형태는 사회적 권력이라는 것이다. 나는 악의 세력이 행동을 개시함으로써 수많은 어린이들의 심신이 다치고 파괴되는 것을 목격해왔다. 악은 인간의 진화라고 하는 낙관적인 조감도에 불을 질러 버린다. 악은 다른 인간을 구원하는 도구가 될 수도 있었던 수많은 영혼을 파괴한다. 악은 자신의 이러한 특성 때문에 무의식적으로 다른 사람들을 경계하는 횃불이 되기도 한다. 우리들 대부분은 은총으로 말미암아 악의 광폭성에 대해 본능적인 두려움을 가지고 있다. 그래서 악의 존재를 인식하게 되었을 때 우리 자신의 성품은 그것에 대한 경각심으로 말미암아 움츠러든다. 악에 대한 자각은 우리 자신을 정화시키는 출발 신호이다. 예컨대, 그리스도를 십자가에 못박은 것은 악의 세력이었지만 그로 말미암아 우리는 그분을 멀리서도 볼 수 있다. 세상에 넓게 퍼져 있는 악과의 싸움에 우리가 개별적으로 가담하는 것은 성장의 한 방법이다.

의식의 진화

우리는 '알다' 또는 '앎' 이라는 말을 되풀이해서 써 왔다. 악한 사람은 자신의 상태를 알기를 거부한다. 자신의 게으름을 얼마나 아는가 하는 것은 영적 진보를 가늠할 잣대가 된다. 사람들은 흔히 자신의 종교나 세계관을 모르고 있을 때가 많다. 그래서 종교적으로 성숙하는 과정에서 자신의 특별한 성향과 편견에 치우치기 쉬운 경향을 깨달아 알 필요가 있다. 편견에서 벗어나는 훈련과 사랑에 집중하는 것을 통하여 우리는 이 세상과 우리가 사랑하는 것들을 더 잘 알게 된다. 이러한 훈육이 기대하는 바는 책임감과 분별력에 대한 인식을 고양시키는 것이다. 인식하는 능력을 우리는 의식이라고 하는 곳의 일부분으로 포함시킨다. 따라서 정신적 발전은 곧 의식의 성장으로 정의될 수 있는 것이다.

'의식 conscious' 이라는 말은 '함께' 라는 뜻을 지닌 라틴어 접두사 con과 '안다' 라는 뜻을 지닌 scire에서 유래한다. 따라서 의식한다는 것은 '함께 안다' 는 뜻이다. 그러나 이 '함께' 라는 말은 무슨 뜻인가? '무엇을' 함께 안다는 말인가? 우리는 우리 마음 가운데 무의식적인 부분이 놀라운 지혜를 소유하고 있다고 말했었다. 우리가 자신을 의식하는 자아로 정의할 때 무의식은 우리보다 더 많은 것을 알고 있다고 할 수 있다. 우리가 새로운 진실을 깨닫게 되는 것은 그것이 옳다는 것을 인식하기 때문이다: 즉 과거에 이미 알고 있던 것을 다시 아는 것이다. 따라서 의식하게 된다는 것은 무의식과 함께 아는 것이라고 결론 지을 수 있지 않을까? 의식의 발달이라고 하는 것은, 이미 모든 지혜를 쌓아 가는 작업인 셈이다. 인식이란 의식을 무의식과 일치시키는 과정이다. 이것은 치료자들에게는 낯선 개념이 아니다. 정신치료자들은 자신들의 작업을 '무의식을 의식화하는' 과정 또는 무의식과 관련된 의식의 영역을 확장시키는 과정으로 정의하곤 한다.

그러나 우리는 의식이 가지지 못한 이 모든 지식을 무의식이 어떻게 하여 소유하게 되었는가는 설명하지 않았다. 여기서 다시 문제는 근원적인 데로 돌아가고 우리는 어떤 과학적 답변도 할 수 없다는 데로 귀결된다. 단지 가설을 세울 수 있을 뿐이다. 그리고 이 가설들은 바로 우리 곁에 계신 하느님이라는 가설과 마찬가지로—바로 우리 자신의 일부라 할 만큼 가까이 계신 하느님—전혀 만족스럽지 못한 것이다. 우리가 은총을 발견할 수 있는 가장 가까운 장소는 바로 자신의 내부이다. 지금의 자기 자신보다 좀더 현명해지고 싶다면 자신의 내부에서 길을 찾아라. 이 말은 하느님과 인간이 마주 보는 것은 적어도 부분적으로는 의식과 무의식이 마주 보는 것과 같다는 뜻이다. 보다 쉽게 말하자면 우리의 무의식이 바로 신이다. 우리 안에 계신 하느님인 것이다. 우리는 언제나 신의 일부이다. 하느님은 어제도, 오늘도, 그리고 내일도, 언제까지나 우리와 함께 있을 것이다.

어떻게 이럴 수 있을까? 독자들이 무의식이 곧 신이라는 개념에 두려움을 느낀다면 그것이 결코 이단적인 개념이 아님을 상기해 주기 바란다. 그것은 우리 안에 내재하는 성령 혹은 성신이라는 기독교적 개념과 근본적으로 같은 개념이다. 하느님과 우리의 관계를 보다 잘 이해하기 위해서 우리의 무의식을 겉으로 드러난 의식이라는 작은 식물에 영양을 공급하는 튼튼한 뿌리라고 상상해 보면 좋을 것 같다. 이러한 유추는 융에게서 빌어온 것으로, 그는 자기 자신을 '무한한 신성의 편린' 이라고 묘사했다.

> 나의 견해로는 삶이란, 뿌리로부터 영양을 공급받는 식물과도 같다.
>
> 진정한 삶은 뿌리 속에 감추어져 있어 눈에 보이지 않는다. 땅 위에 나타난 부분은 한여름만을 겨우 지탱한다. 그리고는 시들어 버린다.—하루살이와도 같이. 우리의 인생과 문명의 끊임없는 흥망성쇠에 대해 생각할 때 우리는 절대 허무라는 관념에서 벗어날 수가 없다. 그러나 영속적인 변화에도 불구하고 계속해서 살아 남아 있는 그 무엇에 대한 느낌을 나는 결코 잊은 적이 없다. 우리가 볼 수 있는 것은 꽃뿐이고, 꽃은 곧 시든다. 그러나 뿌리는 남아 있다.

융은 하느님이 무의식 속에 존재한다고 적극적으로 주장하는 데까지 나아가지는 않았다. 그러나 그의 저서는 분명히 그런 방향을 지향하고 있다. 그는 무의식을 보다 피상적이고 개별적인 '개인무의식'과 모든 인류에게 공통적으로 해당되는 보다 심층적인 '집단무의식'으로 나누었다. 나에게 있어 이 집단무의식은 바로 하느님이다. 의식은 개인으로서의 인간이며, 개인무의식은 개인과 하느님이 마주 보는 것이다. 이렇게 직접적으로 마주 보는 것이 개인무의식에게 약간 혼란된 상태를 유발하므로 개인의 의지와 신의 의지 사이가 투쟁의 양상을 띠는 것은 당연한 일이다. 나는 앞에서 무의식은 자애로운 사랑의 터전이라 했었다. 나는 이 말이 옳음을 믿는다. 그러나 꿈은 사랑의 지혜를 전달해 주기도 하지만 많은 갈등의 모습을 보여 주기도 한다. 꿈은 우리에게 새로운 활력과 기쁨을 주기도 하지만 어수선한 악몽으로 괴롭히기도 한다. 그러므로 많은 학자들이 정신질환의 원인이 무의식 속에 있다고 생각했던 것이다. 그래서 무의식은 정신병리의 온상이고 각종 증후군은 인간을 괴롭히기 위해 등장한 지옥의 악마나 되는 것처럼 여겼던 것이다. 그러나 이미 이야기했듯 나의 견해는 정반대이다. 내 생각으로는 의식이야말로 정신병리의 온상이고 정신이상은 의식의 혼란이다. 우리가 병이 드는 것은 의식이 무의식의 지혜에 저항하기 때문이다. 의식과 그것을 치료하려는 무의식 사이에 갈등이 일어나는 것은 의식이 혼란되어 있기 때문이다. 다시 말해서 정신질환은 개인의 의식적 의지가 무의식의 신으로부터 근본적으로 벗어나려 할 때 일어난다.

나는 영적 성장의 궁극의 목표가 인간이 하느님과 같이 되는 데 있다고 언급한 바 있다. 즉 신이 아는 만큼 인간도 알게 되는 것이다. 그런데 무의식은 언제나 신과 하나이므로 우리는 영적 성장의 목표를 의식적 자아가 신성을 획득하는 것이라 다시 정의할 수 있다. 우리들 개개인이 모두 완전한 하느님 그 자체가 되는 것 말이다. 그런데 이 말이 의미하는 바는 영적 성장의 목적이란 의식이 무의식에 통합되어 모든 것이 무의식이 되어 버리는 데 있다는 말일까? 천만의 말씀이다. 우리는 이제야 문제의 핵심에 도달했다. 그것은 명징한 의식을 지닌 채로 신의 상태에 이르는 것이다. 무의식의 신이라는 뿌리로부터 자라나는 의식의 새싹이 신 그 자체로 성장할 수 있다면, 신은 전혀 새로운 모습의 삶으로 나타날 것이다. 이것이 우리 인간 개체의 존재 이유이다. 우리는 의식을 지닌 개인으로서 새로운 방식의 삶을 살아가는 신이 되고자 태어난 것이다.

의식은 존재 전체 가운데 실천하는 부분이다. 결정을 내리고 그것을 실천에 옮기는 것은 의식이다. 완전히 무의식적 존재가 된다면 우리는 갓 태어난 어린 아기와 같아서 하느님과 함께 있기는 하지만 이 세상에 하느님의 현존을 드러내 보일 수 있는 어떤 행동도 할 수 없을 것이다. 앞에서 잠깐 언급했다시피 힌두교나 불교의 일부 신비 사상 가운데는 퇴행적인 성격으로 비춰질 수 있는 부분이 없지 않다. 자아의 영역이 없는 유아의 상태를 열반에 비유한다거나 열반에 이르는 것이 자궁 속으로 되돌아가는 것과 유사한 목적을 지니고 있는 것처럼 여겨지는 부분도 있다. 그러나 대부분의 신비주의 철학은 정반대의 목적을 지니고 있다. 그것은 자아가 없는 무의식 상태의 아기가 되는 것이 아니라 하느님이라는 자아가 될 수 있는 성숙한 의식적 자아로 성장하는 것이다. 만약 우리가 자립할 수 있는 성인으로서 이 세상에 영향을 미칠 독자적인 선택을 할 능력이 있다면, 그리하여 우리의 자유 의지를 하느님의 그것과 일치시킬 수 있다면 하느님은 우리의 의식적 자아를 통하여 새롭고도 강인한 삶의 형태를 보여 줄 수 있을 것이다. 따라서 우리는 하느님의 대리자요 그분의 오른팔이요 그분의 일부가 된다. 우리가 의식적 결정을 통해 이 세상이 그분의 의지에 따르도록 영향을 미칠 수가 있다면 우리의 삶 자체가 하느님 은총의 한 모습으로서, 인간들 속에서 그분을 위해 일하며, 사랑이 없던 곳에 사랑을 심고, 이웃들을 깨달음의 길로 인도하며, 인류 자체의 진보를 위해 봉사하는 것이 될 것이다.

권력이란
무엇인가

이제는 권력의 본질에 관해 논의할 차례가 되었다. 이것은 대단히 오해의 여지가 많은 주제이다. 오해의 이유 가운데 하나는 이 세상에 두 가지 종류의 권력—정치적인 것과 영적인 것—이 존재하기 때문이다. 종교 신화학은 이 두 가지를 구분하기 위해 몹시 애를 쓴다. 예를 들자면 석가모니가 태어나기 전에 예언자들이 석가의 아버지에게 말하기를, 이 아이는 지상에서 가장 강력한 군주가 되거나 혹은 가난하기 짝이 없지만 인류 역사상 가장 위대한 정신적 스승이 될 것이라고 하였다. 이것 아니면 저것이고 둘 다일 수는 없다. 예수의 경우에도 사탄이 '세상의 모든 왕국과 그 영광'을 주겠노라 제안했었다. 그러나 예수는 이 제안을 거절하고 무력하게 십자가상에서 죽는 편을 택했다.

정치적 권력이란 은근히, 혹은 노골적으로 타인들을 강요하여 어느 누군가의 의지에 따르도록 하는 능력이다. 이 능력은 어떤 지위에 귀속된다. 예컨대 왕위라든가 대통령직, 또는 돈이라는 것에 귀속되기도 한다. 그러나 그 지위에 올라 있거나 돈을 소유한 사람에게 권력이 귀속되는 것은 아니다. 결과적으로 정치적 권력은 선이나 지혜와는 무관하다. 이 지구상에는 어리석고 사악한 왕들도 수두룩했었다. 그러나 영적인 힘은 전적으로 어떤 개인의 속에 내재해 있으며 타인을 억압하는 능력이 아니다. 강력한 영적 권능을 지닌 사람도 부유할 수 있고 정치적 지도자의 입장에 설 수 있다. 하지만 그들은 가난한 사람들과 별로 다를 바 없게 살며 정치적 권위도 결핍되어 있다. 그러면 강요할 수 있는 능력이 아니라면 영적 권력이 지닌 능력은 어떤 것일까? 그것은 고도의 깨달음을 지니고 어떤 결정을 내릴 수 있는 능력이다. 그것은 의식이다.

사람들은 대부분 대개의 순간에 자기가 하고 있는 일에 대해 거의 알지 못하면서 어떤 결정을 내린다. 그들은 자기의 동기를 조금밖에 이해하지 못한 채, 또 자기 선택의 결과를 알아보려고 시도조차 하지 않은 채 행동에 돌입한다. 미래의 고객을 받아들이거나 거절할 때 우리가 정작 하고 있는 일이 무엇인지 우리는 정말로 알고 있는가? 어린아이를 때릴 때, 아랫사람을 격려할 때, 친구와 놀 때는 어떤가? 정계에 오래 몸담고 있는 사람이라면 누구나 최상의 의도를 가지고 시작한 일이 결과적으로는 해로운 일이 되어 실패로 끝나고 마는 경우가 종종 있음을 잘 알고 있다. 그런가 하면 야비한 동기를 품은 사람이 사악한 씨앗들을 뿌려 놓지만 결과적으로는 건설적인 일이 되는 경우도 있다. 자녀를 양육하는 일에도 그런 경우가 많다. 불순한 이유 때문에 좋을 일을 하는 것이 선량한 의도로 행한 나쁜 행동보다 결과는 훨씬 나을 때도 있다. 우리가 확신에 차 있을 때 오히려 어둠 속에 있고, 가장 혼란에 빠져 있다고 생각될 때 오히려 빛 속에 있을 때가 많다.

무지의 바다를 표류할 때 우리가 해야 할 일은 무엇인가? 어떤 사람들은 허무에 빠져 "아무 것도 할 수 없어."라고 한다. 그들은 계속 표류할 수밖에 없다고 주장한다. 진정한 목표나 의미 있는 행선지로 우리를 안내해 줄 어떤 좌표도 찾아낼 수 없는 망망대해 한복판에 있기 때문이라고 핑계를 댄다. 그러나 또 다른 사람들은 자신들이 길을 잃었다는 사실을 충분히 알고 있으므로, 보다 위대한 깨달음의 경지로 나아감으로써 무지로부터 자신을 건져올릴 수 있기를 희망한다. 그들의 생각이 옳다. 또 그것은 가능한 일이기도 하다. 그러나 좀더 위대한 그 깨달음의 경지라는 것은 단순히 어둠 속에서 불빛이 한 번 번쩍 하듯이 그렇게 오는 것은 아니다. 그것은 천천히 조금씩 조금씩 오며, 그 조금이라는 것도 자기 자신을 포함한 모든 사물을 관찰하고 탐구하는 각고의 노력 끝에 얻어지는 것이다. 그들은 겸손한 학생이다. 영적 성장의 길은 평생이 걸리는 배움의 길이다.

이 길을 따라 열심히 가면 지식의 편린들이 모양을 갖추기 시작한다. 점차적으로 사물들이 의미심장해진다. 막다른 골목과 실망스러운 순간과 폐기해 버려야 할 관념들도 있다. 그러나 우리는 점차 우리 자신의 존재가 무엇인지에 대한 깊고 깊은 이해에 도달할 수 있게 된다. 그리고 점차 자신이 하고 있는 일이 실제로 어떤 일인지에 대해서도 자각할 수 있게 된다. 우리는 권력을 얻게 되는 것이다.

영적인 권능을 경험하는 것은 대단히 기꺼운 일이다. 실제로 전문가가 되어 자신이 하고 있는 일을 진정으로 잘 알고 있는 것보다 큰 만족은 없다. 정신적으로 완전히 성숙한 사람은 인생의 전문가이다. 그러나 또다른 보다 큰 즐거움이 있다. 그것은 하느님과 하나가 되는 즐거움이다. 자신이 무엇을 하고 있는지를 진정으로 알 때 우리는 하느님의 전지전능하심에 가담하고 있는 셈이 된다. 어떤 상황의 본질과 우리가 어떤 행동을 하게 될 때의 동기, 행위의 결과 및 연원 등에 관하여 완전한 통찰력을 얻을 수 있게 될 때, 우리는 일반적으로 하느님에게만 기대할 수 있었던 수준의 깨달음을 직접 얻는 셈이다. 우리의 의식적 자아는 하느님의 정신과 결합하는 데 성공한 것이다. 우리는 하느님처럼 아는 것이다. 그러나 이런 단계의 영적 성장과 위대한 깨달음의 상태에 도달한 사람들은 언제나 즐겁고 겸손하다. 그들의 바로 이런 깨달음 가운데 하나가 그들의 비범한 지혜는 무의식에 그 기원을 두고 있다는 깨달음이기 때문이다. 그들은 무의식이라는 뿌리와 자신이 연결된 통로를 유념하고 있으며, 자신의 지식이 뿌리로부터 그 통로를 따라 흘러온다는 것도 잘 알고 있다. 배우려는 노력은 바로 이 연결통로를 열고자 하는 노력이다. 그들은 무의식이라는 뿌리가 그들에게만 특별히 있는 부분이 아니라 모든 인류와 모든 생명체와 그리고 하느님의 것임을 인식하고 있다. 자신의 지식과 권능의 근원을 질문 받게 되면 진정으로 힘있는 사람은 언제나 이렇게 말한다. "그것은 나의 권능이 아니다. 내가 지닌 이 작은 권능은 보다 위대한 힘의 조그만 표현일 따름이다. 나는 단지 일종의 통로일 뿐이다. 이것은 결코 나의 힘이 아니다." 이러한 겸손은 대단히 즐거운 일이다. 자신이 하느님과 밀접하게 연결되어 있다는 깨달음 덕분에 진정으로 힘있는 사람은 자기

의식의 축소를 경험하기 때문이다. "제 뜻이 아니라 당신의 뜻이 이루어지게 하소서. 저를 당신의 도구로 써주소서."라는 것이 그들의 유일한 소망이다. 그러한 자아의 망각은 언제나 마치 고요히 사랑에 잠긴 것과 같이 조용한 환희로 다가온다. 하느님과 궁극적으로 결합되어 있다는 인식은 외로움으로부터의 탈출도 가능하게 해준다. 합일이 있는 것이다.

그러나 그것이 비록 즐거운 경험이기는 하지만, 영적 권능을 경험한다는 것은 한편으로는 끔찍한 일이기도 하다. 깨달음의 경지가 심오해질수록 어떤 행동으로 돌입하기란 점점 어려워지기 때문이다. 나는 이런 상황을 이 책의 제1부 결론 부분에서 이야기한 적이 있다. 휘하의 일개 사단을 전투에 참가시킬 것을 결정해야만 하는 두 장군을 예로 들어서였다. 자신의 사단을 단순히 일개 전략 단위로만 간주하는 장군은 결정을 내린 뒤에 편안히 잠들 수가 있다. 그러나 자기 휘하에 있는 장병들 한 사람 한 사람의 목숨을 소중히 여기는 다른 장군은 이 결정이 고민스러운 것이다. 우리 모두는 이 장군들과 같다. 우리가 어떤 행동을 취하더라도 그것은 문명의 진로에 영향을 미친다. 어린아이 하나를 칭찬할 것인가 야단칠 것인가를 결정하는 것조차도 엄청난 결과를 초래할 수 있다. 제한된 지식에 근거하여 행동하고서 결과야 나 몰라라 하는 것은 쉬운 일이다. 그러나 우리의 인식이 심화될수록 우리는 어떤 결정을 내리기 위해 더욱더 많은 자료를 필요로 하고 또 소화해 내야 한다. 더 많은 것을 알수록 결정을 내리는 일은 복잡해진다. 그러나 우리가 알면 알수록 결과가 어떻게 될지를 예측하는 것은 쉬워진다. 결과가 어떻게 될지 정확히 예측할 책임을 떠맡는다면 우리는 그 일의 복잡성에 압도되어 무력증에 빠지게 될지도 모른다. 그러나 아무 일도 하지 않는 것이 최선의 방책일 수도 있다. 물론 다른 상황하에서는 그것이 재난이요 파괴적인 태도이겠지만. 그런고로 영적 권력이란 단순한 깨달음의 문제가 아니다. 그것은 보다 심오한 깨달음의 경지로 나아가면서도 여전히 결정을 내릴 수 있는 역량을 유지하는 능력이다. 그리고 하느님과 같은 권능이란 완전하게 결정을 내리는 힘이다. 그러나 상식적인 생각과는 달리 전지전능하다는 것이 의사 결정을 보다 쉽게 해주지는 않는다. 그 반대로 결정을 더 어렵게 한다. 하느님에게로 다가가면 갈수록 우리는 하느님에게 더 많은 공감을 느끼게 된다. 하느님의 전지전능성에 참여한다는 것은 그분의 고뇌를 함께 나눈다는 뜻이기도 한다.

권력에는 또 다른 문제가 있다. 그것은 고독이다. 적어도 이 점에서는 정치적 권력과 영적 권력 사이에 유사점이 있다. 영적 진보의 정점에 접근하고 있는 사람은 정치권력의 정상에 있는 사람과 비슷한 점이 있다. 자기 위에 책임을 전가할 사람이나 비난할 사람도, 일을 어떻게 해야 하는지 일러 줄 사람도 없다. 자신의 고뇌와 책임을 함께 나눌 만한 수준의 사람이 없는 것이다. 오로지 자신에게 책임이 있는 것이다. 영적 권능의 심오함에서 비롯되는 고독감은 정치권력의 그것과는 차원이 다르다. 정치권력자들은 자신의 막강한 지위에 비해서 정신적 수준은 별로 높지 않을 확률이 크기 때문에 거의 언제나 비슷한 수준에서 대화를 나눌 사람이 있다. 따라서 대통령과 왕은 친구와 동지를 가질 수 있다. 그러나 영적으로 최고의 수준에 도달한 사람은 자기 주변에서 자기와 대등할 정도의 이해력을 가진 사람을 발견하기가 어렵다. 복음서의 가장 신랄한 주제 가운데 하나가 자신을 진정으로 이해할 사람이 없는 데 대한 예수의 끝없는 절망이다. 그가 그토록 노력하고 자신을 개방해 보였지만 열두 제자 가운데 단 한 사람도 자신의 수준으로 올라선 사람은 없었다. 가장 현명한 제자조차도 그를 뒤따를 수는 있었으나 따라잡을 수는 없었다. 그렇더라도 그의 무한한 사랑으로 말미암아 그는 전적으로 혼자 앞서 걸으며 제자들을 인도해야 하는 책임감에서 놓여나지 못했던 것이다. 이러한 종류의 고독감은 영적 성장을 향한 여정에서 가장 앞서간 자라면 모두가 겪는 것이다. 그것은 우리가 이웃으로부터 점점 멀어짐에 따라 하느님과의 관계가 점점 밀접해진다는 즐거움이 없다면 감당해 내기 힘든 짐이다. 의식이 성숙하고 하느님과 함께 한다고 하는 일체감에는 우리를 지탱시켜 줄 만한 즐거움이 충분히 있다.

은총과 정신질환 : 오레스테스의 신화

나는 지금까지 정신건강 및 정신질환과 관련하여 겉보기에 서로 무관한 듯한 많은 이야기를 언급해 왔다. "노이로제는 마땅히 치러야 할 고통을 회피하려는 데서 온다."라든가, "건전한 정신은 어떠한 희생이라도 무릅쓰고 진실에 충실하고자 한다." 또는 "정신질환은 개인의 의식적 의지가 자신의 무의식인 신의 의지로부터 근본적으로 벗어날 때 일어난다." 등등. 이제 정신질환의 문제를 보다 면밀히 검토하여 일관된 전체로 통합해 보겠다.

우리는 구체적인 세계에서 살아가고 있다. 인생을 성공적으로 살기 위해서는 이 세계의 실체를 가능한 한 잘 알아야 한다. 그러나 그것이 그리 쉬운 일이 아니다. 세계의 실상과 또 우리 자신이 세계와 관련을 맺고 있는 양상은 고통스러운 것일 때가 많다. 우리는 이것을 수고하고 인내함으로써만 이해할 수 있다. 우리는 특별히 불쾌한 사실들을 우리 의식 밖으로 몰아냄으로써 고통스러운 현실로부터 도피한다. 달리 말해서 우리는 진실에 대항하여 우리의 의식과 인식을 방어하고자 하는 것이다. 정신과 의사들이 방어기제라고 부르는 수단을 통해 이런 일이 수행된다. 우리는 누구나 이러한 방어기제를 작동시켜 우리의 인식을 제한한다. 게으름과 고통에 대한 두려움으로 인해 우리가 자꾸만 인식을 방어한다면 세상에 대한 우리의 이해는 실제와는 전혀 다른 것이 될 것이다. 우리의 행동은 우리의 이해에 기초한 것이므로, 이렇게 될 때 우리의 행위까지도 비현실적인 것이 될 것이다. 정도가 심각해지면 스스로는 건전하다고 생각할지 몰라도 우리 이웃들은 우리가 '뭘 전혀 모르는' 사람이거나 정신이 이상한 사람이라 여길 것이다. 그러나 사태가 이렇게 극단적으로 전개되어 이웃들이 이상하게 여기기 전에 무의식은 부적응 반응을 증가시킴으로써 우리에게 경고해 준다. 무의식은 이런 경고를 악몽이나 불안, 우울증, 기타 증후군 등의 여러 경로를 통해 보내온다. 우리의 의식은 현실을 부정하더라도, 무의식은 전지전능하므로 진정한 현실을 파악하고서 긴장감을 조성하거나 여러 가지 증후를 내보이는 방법으로 우리의 의식에게 뭔가 잘못되었음을 인식시키고자 노력한다. 다시 말해서 정신질환의 고통스럽고 언짢은 증후군은 은총이 모습을 드러낸 것이다. '의식이 바깥에 존재하면서 우리의 영적 성장을 돕는 강력한 힘'의 소산이다.

나는 이미 제1부 '훈련'의 종결 부분에서 우울증에 대해 간략히 논하면서, 우울증이라는 증후는 고통받고 있는 사람에게 무슨 일이 제대로 돌아가지 않아 조치가 필요하다는 걸 알려 주는 표시라고 말했었다. 다른 원리들을 묘사하고자 인용했던 여러 사례들도 이 경우에 적용될 수 있다. 정신질환이라는 기분 나쁜 증후는 사람들에게 그들이 길을 잘못 가고 있으며 그들의 정신이 성장을 멈추고 무덤 속에 들어갈 상황이라는 것을 알려 준다. 그러면 여기서 일련의 증후군이 어떻게 경고하고 있는가를 보여 주는 예를 하나 들겠다.

베씨는 스물두 살 난 예쁘고 똑똑한 처녀였다. 처녀답게 쌀쌀맞은 구석도 있는 그녀가 심한 불안감에 시달리다가 나를 찾아왔다. 그녀는 가톨릭 신자인 부모의 무남독녀로서, 노동자 계층인 그녀의 부모들은 그녀를 대학에 보내려고 절약에 절약을 하여 돈을 모았었다. 그러나 일 년 동안 대학에 다닌 그녀는 공부를 썩 잘했음에도 불구하고 학교를 그만 두고서 옆집에 사는 공장 직공 총각과 결혼하기로 결정했다. 그리고 그녀는 슈퍼마켓의 경리로 취직했다. 두 해 정도가 잘 지나갔다. 그러나 갑자기 불안감이 엄습해 왔다. 그녀는 심한 우울증에 빠졌다. 이 불안감은 그녀가 집 바깥에서 남편 없이 혼자 있게 될 때 엄습한다는 것을 빼고는 언제 일어날지 예측할 수가 없었다. 쇼핑하고 있을 때나 슈퍼마켓에서 일할 때, 혹은 그냥 거리를 걷고 있을 때도 불쑥불쑥 치미는 것이었다. 그녀의 공포감은 극에 달해서 기절할 지경이었다. 그녀는 하던 일을 내팽개치고 집으로 달려가든가 아니면 남편이 일하는 공장으로 뛰어가야 했다. 그녀는 남편과 함께 있거나 집에 있을 때만 안정이 되었다. 이러한 증상 때문에 그녀는 직장도 그만 두어야 했다.

일반병원에 다니면서 약도 먹어보았지만 공포감이 사라지지도 않고 약화되지도 않자 베씨는 나를 찾아왔다.

"뭐가 잘못됐는지 모르겠어요."라고 그녀는 흐느껴 울었다.

“내 생활은 모든 것이 다 괜찮았어요. 남편도 잘해 주고요. 우리는 서로 몹시 사랑하거든요. 일하는 것도 즐거웠구요. 그런데 이젠 모든 게 무섭기만 해요. 왜 이렇게 되어 버렸는지 모르겠어요. 꼭 미쳐버릴 것 같습니다. 선생님, 제발 옛날처럼 만사가 잘 되도록 도와주세요.”

그러나 당연한 일이지만 베씨는 진료를 받는 동안에 과거의 모든 것이 생각처럼 그렇게 ‘잘’ 되어갔던 것만은 아님을 깨닫게 되었다. 제일 먼저, 그녀의 남편이 반드시 그녀에게 잘해 준 것만은 아님이 조금씩 그리고 고통스럽게 드러났다. 그는 여러 가지 일로 그녀를 귀찮게 했던 것이다. 그는 매너가 빵점이었다. 그의 관심거리는 사소한 것뿐이고, 텔레비전을 보는 것이 취미의 전부이다시피 했다. 그는 그녀를 따분하게 했다. 아울러 그녀는 슈퍼마켓의 경리 일도 자신에게는 지루한 것이었음을 깨닫기 시작했다. 그리하여 그녀는 이따위 재미없는 삶을 위해 대학을 떠난 것이 아니라면 진정한 까닭이 무엇인지 스스로에게 질문하기 시작했다.

“저는 날이 갈수록 불편했어요.”라고 그녀는 말했다. “애들은 마약 아니면 섹스에 푹 빠져 있었어요. 나는 그것이 옳게 보이지 않았구요. 남자 애들뿐만 아니라 여자애들까지도 나에게 섹스를 즐기자고 요구했어요. 그들은 나를 너무 순진하다고 생각했죠. 나는 나 자신과 교회와 심지어 제 부모님의 가치관에 대해서까지 회의하기 시작했다는 걸 깨달았어요. 그래서 나는 겁이 났던 것 같아요.”

베씨는 정신요법을 통해 그녀가 대학에서 달아남으로써 회피하고자 했던 그 회의의 과정을 다시 시작했다. 마침내 그녀는 대학으로 돌아갔다. 다행이 그녀의 남편도 그녀와 함께 성장하기를 원했으므로 그도 대학에 들어갔다. 그들의 지평은 급격히 확대되었으며, 당연히 그녀의 불안감도 사라졌다.

이 예는 다소 전형적인 것인데, 여러 가지 측면으로 분석해 볼 수 있다. 베씨를 습격한 불안감은 광장공포증이라는 것인데(글자 그대로 넓은 장소에 대한 두려움이지만 보통은 공공장소에 대한 두려움이다) 자유에 대한 그녀의 두려움을 나타내 보여 준 셈이다. 그녀는 집 밖에서 남편의 간섭을 받지 않고 자유로이 남들과 관계를 맺을 수 있는 자유에 두려움을 느꼈다. 그것은 그녀의 정신질환의 요체였다. 혹자는 그녀의 자유에의 공포를 드러내 주는 불안감의 엄습 그 자체가 그녀의 병이라고 말할지도 모른다. 그러나 나는 다른 방법으로 이 문제를 보는 것이 더 유익하고 유용하다는 것을 알아냈다. 돌연한 불안감이 그녀를 급습하기 오래 전부터 그녀는 자유에의 두려움을 지니고 있었다. 그녀가 대학을 그만 두고 자신의 성장을 억누르기 시작한 것은 바로 이 두려움 때문이었다. 내 생각으로는 베씨는 징후가 나타나기 3년 전부터 벌써 병이 진전되고 있었다. 그러나 그녀는 자신의 증세를 스스로 억압함으로써 자신에게 가하고 있던 타격을 자각하지 못하게 했던 것이다. 그녀로 하여금 마침내 자신의 문제를 알게 하고 올바른 성장의 길로 나아가게 해주었던 것은, 그녀가 바라지도 않았으며 '우울한 세계로' 그녀를 떼밀어 '저주받게' 한다고까지 여겼던 그 불안감의 엄습이라는 증후였다. 대부분의 정신질환에 있어 이러한 패턴은 그대로 적용된다. 증후군과 질병은 동일한 현상이 아니다. 질병은 증후군이 나타나기 훨씬 전부터 생겨난다. 증후군은 병이 아니라 치료의 단서이다. 원하지 않아도 증후군이 나타난다는 사실은 그것이 은총의 한 양상임을 말해준다—이것은 하느님의 선물이며 무의식이 전해 주는 메시지이다. 우리가 원하기만 한다면 자신을 점검하며 재정비할 실마리를 제공해 주는 메시지 말이다.

은총이라고 하는 것이 대개 그렇듯 사람들은 이 선물을 거절하고 그 메시지에 관심을 기울이지 않는다. 그들이 은총을 거절하는 방법은 다양하지만 결국은 그들의 병에 대한 책임을 회피하려는 시도로 모아진다. 그들은 자신의 증후군이 진정한 증후가 아니고 누구나 '이런 정도의 증상은 이따금씩' 겪게 마련이라고 여김으로써 증후를 무시하려고 한다. 직장을 그만 두고, 운전하기를 회피하며, 다른 도시로 이사를 하고 특정한 행동은 하지 않는 등등으로 그들은 문제의 핵심을 피해 가려고 한다. 진통제라든가 의사에게서 처방받은 약물들, 혹은 술과 기타 마약 등으로 자신을 마비시킴으로써 증후군을 제거하려고 한다. 자신이 어떤 증후군을 보이고 있음을 인정할 때조차도 대개는 여러 가지 교묘한 방법으로 바깥 세상에 책임을 전가한다.—무관심한 친척들, 나쁜 친구들, 형편없는 직장, 병든 사회, 심지어 운명까지도—자신의 증후군을 자기 책임으로 받아들이는 소수의 사람들만이 그 증후군은 자기 영혼의 혼란이 겉으로 드러난 것임을 깨닫고 무의식이 주는 메시지와 그 은총을 수용하여 치료에 따르는 고통을 감수한다. 베씨를 위시하여 정신요법에 따르는 고통을 기꺼이 직면하려는 모든 사람에게는 커다란 보답이 온다. 그리스도는 산상수훈에서 여덟 가지 복의 첫 번째는 다음과 같다고 말했다. "마음이 가난한 자는 복이 있나니 천국이 저희의 것이라."

은총과 정신질환의 관계에 대해 그리스 신화의 오레스테스와 퓨리스 편에서 무척 아름답게 묘사해 놓았다.

오레스테스는 아트레우스의 손자이다. 아트레우스는 자신이 신들보다 강하다는 것을 입증하려고 음모를 꾸민다. 자신들을 거역한 죄를 물어 신들은 그 모든 후손들에게 저주를 내림으로써 아트레우스를 처벌했다. 이러한 저주 때문에 오레스테스의 어머니인 클리템네스트라는 자기 남편이자 아들의 아버지인 아가멤논을 살해하게 된다. 이 죄악은 다시 오레스테스의 머리 위에 저주의 멍에를 씌우게 된다. 그리스의 명예헌장에 의하면 아들은 모든 것에 최우선으로 자기 아버지를 살해한 자에게 복수할 의무가 있었기 때문이다. 그러나 한편 그리스에서 가장 큰 죄는 어머니를 살해하는 것이었다. 오레스테스는 진퇴양난에 빠져 고민했다. 그러다가 마침내 의무를 다하기로 하고 어머니를 죽인다. 신들은 이 죄를 물어 오레스테스에게 퓨리스를 보낸다. 퓨리스는 무시무시한 세 마리의 하피(여자의 얼굴과 몸에 새의 날개를 가진 괴물)로서, 오직 그의 눈에만 보이고 귀에만 들리는데 밤이고 낮이고 무시무시한 형상으로 나타나서는 갖은 말로 비난하며 그를 괴롭히는 것이었다.

어디를 가든 퓨리스가 따라다녔으므로, 오레스테스는 자기 죄를 보상할 곳을 찾아 땅 끝까지 헤매었다. 여러 해 동안 외롭게 자기를 반성하고 해체하고 한 끝에, 오레스테스는 신들에게 자신의 가문에 떨어진 저주와 퓨리스의 끝없는 추적을 거두어 달라고 요청했다.

그는 자기 어머니를 살해한 대가를 충분히 치렀다고 믿는다는 것이다. 신들의 재판이 열렸다. 오레스테스를 변호하기 위하여 아폴로는 자신이 오레스테스로 하여금 어머니를 죽일 수밖에 없도록 하는 그 모든 상황을 조작했고 따라서 오레스테스는 실제로는 책임이 없다고 말했다. 이때 오레스테스는 펄쩍 뛰면서 그의 변호사에게 반박했다.

"우리 어머니를 죽인 건 접니다, 아폴로가 아니고."

신들은 놀랐다. 아트레우스 가문의 사람들 가운데 신들을 비난하지 않고 책임을 전적으로 떠맡은 사람은 이전에는 아무도 없었던 것이다. 마침내 신들은 오레스테스를 용서하고 그의 가문에 퍼부어진 저주를 풀어 주었을 뿐만 아니라, 퓨리스를 사랑의 영인 에우메니데스로 변화시켜 현명한 충고를 내려서 그를 행운의 길로 이끄는 역할을 하도록 했다.

이 신화의 의미는 명백하다. 에우메니데스 또는 '상냥한 이'는 '은총을 가져오는 자'이다. 오레스테스만이 인지할 수 있었던 환각 속의 퓨리스는 곧 그의 증후군을 나타내며, 정신질환이라는 개인적 지옥을 의미한다. 퓨리스를 에우메니데스로 변화시킨 것은 우리가 지금껏 말해왔다시피 정신질환을 행운으로 변화시킨 것이다. 이러한 변화는 오레스테스가 자신의 정신질환에 대한 책임을 기꺼이 지려 한 덕분에 일어났던 것이다. 끝내는 퓨리스로부터 놓여나긴 했지만, 그는 그들의 존재가 부당한 형벌이라거나 자신이 이 사회 혹은 다른 무엇의 희생양이라고 생각한 적은 없었다. 퓨리스는 아트레우스 가문에 떨어진 원초적 저주의 피할 수 없는 결과였지만, 한

편으로 아버지의 죄가 자녀들에게 영향을 미치듯 정신질환도 부모와 조부모로 이어지는 가족사의 문제임을 상징하고 있다. 그러나 오레스테스는 당연히 그럴 수 있었음에도 그의 부모와 할아버지를 비난하지 않았다. 그런 한편 그는 신들이나 '운명'도 탓하지 않았다. 대신 그는 자신의 상황을 자신이 스스로 만든 것으로 받아들이고 그것을 극복하려는 노력을 수행했다. 이것은 모든 정신치료가 그러하듯 대단히 오랜 시간이 필요한 과정이다. 그러나 그 결과 그는 치유되었으며, 자신의 노력에 의한 이 치료과정을 통해 그를 괴롭히던 것이 그에게 지혜를 주는 것으로 변화되었다.

모든 경험있는 정신치료자들은 이러한 신화가 자신의 진료에서도 현실화되는 것을 보아왔을 것이다. 그리고 보다 성공적으로 치유된 환자의 마음과 생활에서 퓨리스가 에우메니데스로 변화하는 것을 목격했다. 이것은 쉽게 일어날 수 있는 변화가 아니다. 대부분의 환자들은 자신이 정신요법의 과정 동안에 자신의 상태와 회복에 관해 전적으로 책임이 있다는 사실을 깨닫자마자, 처음에는 정신요법에 대해 아무리 열광하던 사람이라 해도 금방 상담을 그만 두어버린다. 그들은 두 번 다시 남을 비난하지 않는 건강한 삶보다도 신들을 비난해 가면서 병든 채로 살아가는 편을 택하는 것이다. 상담을 계속하는 소수의 사람들은 치료의 한 부분으로서 자신에 대한 책임을 전적으로 떠맡아야 함을 배운다. 이러한 가르침—'훈련'이라는 것이 보다 적합한 표현이다—은 정신치료자가 자기 환자에게 책임을 회피하고 있다는 것을 날이면 날마다, 달이면 달마다 계획적으로 일깨워 주어야 하기 때문에 몹시 힘든 일이다. 자기 자신에 대해 전적인 책임을 져야 한다는 생각 앞에서 환자들은 고집불통의 어린아이들처럼 소리 지르고 발을 구른다. 그러나 끝내 그들은 해낸다. 처음부터 모든 책임을 기꺼이 떠맡으려는 자세로 정신요법을 시작하는 환자는 드물다. 그런 경우에 시간은 1, 2년 걸리더라도 상담 자체는 간략하고 부드러워지게 되므로 환자와 치료자 모두에게 대단히 즐거운 과정이 되곤한다. 상대적으로 쉽든 혹은 어렵고 시간이 걸리든 그 어떤 경우에도 퓨리스를 에우메니데스로 전환시키는 일이 일어난다.

자기의 정신질환을 직면하고 그에 따른 책임을 전적으로 질 뿐만 아니라 그것을 극복하기 위한 변화를 스스로 일으키는 사람은 치유되어 어린 시절과 선조로부터 비롯된 저주를 벗어나 전혀 다른 새로운 세상에서 살게 될 것이다. 한때 문제라고 생각했던 것이 오히려 기회가 된다. 한때는 위험천만의 장애였던 것이 이제는 멋들어진 도전이 된다. 소망하지 않았던 상념들이 유익한 통찰력을 제공하며, 전에는 부정하고 싶던 감정이 활력과 지침의 원천이 된다. 자신이 벗어나버린 바로 그 증후군까지도 포함해서 한때 짐으로 여겨졌던 사건들이 이제는 선물로 느껴진다. 상담을 성공적으로 끝내게 된 사람들은 "내 우울증과 나를 습격한 불안은 내게 일어났던 것 중 최고의 일이었다."라고 말하곤 한다. 이런 현상은 하느님을 믿지 않는 사람의 경우에도 정신치료를 받다 보면 경험할 수 있지만, 성공적으로 치유된 환자들은 그들이 은총을 입었다는 것을 아주 절실하게 느끼고 있다.

은총에 저항하는 사람들

오레스테스는 정신치료자에게 가지 않았다. 그는 스스로를 치료했다. 고대 그리스에 전문적인 정신치료자가 있었다 해도 그는 여전히 스스로를 치료해야만 했을 것이다. 이미 말했다시피 정신치료는 일종의 수단이다. 즉 정신적 성장을 도와주는 훈련과도 같은 것이다. 이 수단을 택하느냐 마느냐는 전적으로 환자에게 달린 문제이고, 일단 선택한 다음에도 그 도구를 어떻게 사용하여 어떤 결과를 얻을지는 환자 자신에게 달려 있다. 온갖 종류의 장애—예를 들어 돈이 부족하다든가, 정신과 의사나 정신치료자들에 대한 좋지 못한 경험, 서로 잘 맞지 않는 친척, 차갑고 사무적인 병원—를 극복하고서 정신치료를 통해 유익한 결과를 얻는 사람들이 있다. 그런가 하면 최고의 상태로 정신치료가 제공되었고, 또 정신치료와 관련있는 분야에 종사하기까지 하면서도 마이동풍으로 버티고 앉아 정신치료자가 그에게 쏟아붓는 기술과 노력과 사랑을 아무 것도 아닌 것으로 만들어 버리는 사람도 있다. 성공적으로 정신치료를 끝냈을 때 나는 내가 환자를 치료했다고 말하고픈 충동을 느낀다. 그러나 나는 사실은 내가 촉매에 지나지 않았음을 잘 알고 있다. 대단히 운이 좋았던 것이다. 정신치료라는 수단의 도움이 있든 없든 궁극적으로는 사람들이 스스로를 치유할 능력이 있는데도 불구하고, 왜 그토록 적은 사람들만이 그런 행운을 잡을 수 있을까? 비록 험하긴 하지만 영적 성장의 길이 모두에게 열려 있는 것이라면, 왜 그토록 적은 사람들만이 이 길을 선택하는가?

그리스도가 "부름받은 자는 많지만 선택받은 자는 적다."고 말했을 때 언급하고자 한 것이 바로 이러한 물음에 대한 답이 아닐까? 그러나 왜 선택받는 자는 소수이며, 그 소수를 다수와 구별하게 하는 것은 무엇인가? 대부분의 정신치료자들은 여기에 대해 정신병리의 정도의 차이가 그 원인이라고 답변하곤 한다. 다시 말해서 사람들은 대다수가 병들어 있으나 좀더 심하게 병든 사람들이 있으며, 그런 사람들일수록 치유되기가 힘들다는 것이다. 또한 그들은 어떤 사람의 정신질환의 심각도는 그 사람이 어린 시절에 경험한 애정결핍의 심각도와 경험의 시기 등에 달려 있다고 생각한다. 특히 정신병에 걸리는 사람들은 태어나서 9개월이 되기 전에 극단적인 애정결핍을 경험했으리라고 추측한다. 그들의 병은 여러 가지 처치를 통해 얼마간 회복은 가능하지만 완치되기란 거의 불가능하다고 보고 있다. 성격장애자들은 유아기에는 보살핌을 잘 받았지만 9개월에서 두 돌이 되는 사이에 애정결핍을 경험했으며, 그리하여 그들의 병은 정신병보다 심각하지는 않으나 역시 치유되기가 몹시 어렵다는 것이다. 신경증 환자들은 어린 시절에는 부모가 잘 돌보아 주다가 두 돌이 지나 대여섯 살이 될 때까지 보살핌이 부족해서 고통을 받은 사람들이라는 것이다. 따라서 그들은 성격장애나 정신병보다는 그 병의 정도가 약하고, 치료하여 완치되기도 보다 쉽다고 생각한다.

내가 보기에 이러한 설명은 상당한 설득력이 있으며 여러 가지 측면에서 정신치료자들을 위해 유용한 이론적 기초가 될 수 있다. 경솔하게 비판만 할 것은 아니다. 그러나 이 가설은 총체적 진실을 얘기하진 못했다. 그 가운데서도 특히 아동기 후반과 청소년기의 부모의 사랑이 지니는 막대한 의미를 간과했다. 다 자란 다음에 겪는 애정결핍도 정신질환의 원인이 된다. 또 성장기에 충분히 사랑을 받았을 때 거의 대부분의 유년기의 애정결핍으로 인한 상처가 회복될 수 있다. 이러한 견해에는 모두 상당한 근거가 있다. 더욱이 앞의 도식이 수치상으로 예측 가능하다는 장점이 있긴 하지만—신경증은 대체로 성격장애보다 치료하기 쉬우며 성격장애는 정신병보다 치료하기 쉽다—이것이 특정 개인에게 적용될 때는 예측이 들어 맞지 않을 때가 많다. 예를 들어 내가 행했던 정신분석 치료 가운데 가장 빨리 성공한 경우는 심각한 정신병 환자였던 어떤 남자였는데, 9개월 만에 끝났다. 반면에 '그저' 약간의 노이로제가 있었던 어떤 여자와의 상담은 무려 3년을 끌었음에도 불구하고 약간의 진전밖에는 보지 못했던 적도 있었다.

정신질환에 대한 앞의 통계적 해석에서는 '성장하려는 의지'라고 하는 개별 환자들의 자질에 속하는 요소는 별로 고려하지 않고 있다. 어떤 사람은 병이 심한 상태이면서도 '성장하려는 의지'가 강한 경우가 있는데, 이럴 때는 빨리 치유된다. 그러나 반대로 정신질환이라 부를 수도 없을 만큼 경미한 증상의 환자이면서도 성장에의 의지가 결여된 사람은 진전이 너무나 느리다. 따라서 나는 환자 자신의 성장하려는 의지야말로 정신치료가 성공하느냐 실패하느냐를 가늠하는 중요한 요소라고 생각한다. 그러나 현대의 정신의학은 이러한 요소를 간과하거나 무시하고 있다.

이러한 성장하려는 의지가 중요하다는 사실을 인식하고는 있으나 나는 내가 이를 이해시키는 데 얼마나 공헌할 수 있을지 자신이 없다. 이 개념은 우리를 저 신비의 언저리로 다시 이끌고 갈 것이기 때문이다. 성장하려는 의지가 본질적으로 사랑과 동일한 현상임은 분명하다. 사랑이란 영적 성장을 위해 자아 영역을 확대하려는 의지이다. 이 정의에 따르면 진정으로 사랑하는 사람은 곧 성장하는 사람이다. 사랑을 베푸는 부모가 그 자녀의 사랑하는 능력을 얼마나 키워 줄 수 있는지는 이미 말했지만, 그러나 모든 사람에게 다 있는 사랑의 능력을 부모의 양육만으로는 키워 줄 수 없다는 것도 이미 말했다. 이 책의 제2부가 사랑에 관한 네 가지 질문으로 끝이 났음을 독자들은 기억할 것이다. 이 가운데 두 가지에 대해 다시 생각해 보자. 왜 어떤 사람은 최고로 실력있고 애정 넘치는 치료자의 처치에도 불구하고 제대로 치료가 되지 못하는가, 그러나 또 어떤 사람은 정신치료의 도움이 있든 없든 어린 시절의 심한 애정결핍을 극복하고서 사랑이 넘치는 사람이 되는가. 독자들은 내가 이 문제에 만족할 만한 답변을 할 수 없다고 말한 것도 기억할 것이다. 그러나 나는 은총이라는 개념을 도입함으로써 이 문제에 약간의 실마리를 얻을 수 있을 것 같다.

사람들이 사랑할 수 있는 능력, 즉 성장하려는 의지는 어린 시절의 부모의 사랑뿐 아니라 그들의 삶 전체에 미치는 하느님의 사랑인 은총에 의해서도 자라난다는 것을 나는 믿게 되었고, 그 후부터 나는 그 사실을 증명하고자 애써 왔다. 은총은 우리의 의식 세계 바깥에 있는 강력한 힘으로서 무의식이라고 하는 대리자를 통해 작용할 뿐만 아니라 부모님말고도 사랑을 베푸는 다른 사람들을 통해 작용하며, 우리가 이해할 수 없는 방식으로 온다. 사람들이 부모로부터의 애정결핍이라는 외상을 극복하고 인간적으로 부모보다 훨씬 나은 사랑을 베푸는 인간이 될 수 있는 것은 은총 때문이다. 그러나 그렇다면 자신의 부모로부터 기인한 환경을 극복하고서 영적으로 성장하고 진보하는 사람들이 그토록 적은 것은 왜일까? 내가 믿기로는 은총은 모든 사람에게 차별 없이 주어진다. 하느님의 사랑은 우리 모두를 감싸고 있으며 다른 어느 누구보다 덜 귀한 사람이란 있을 수 없다. 그런고로 내가 할 수 있는 유일한 대답은 우리 대부분은 은총의 부름에 귀기울이지 않고 그 도움을 거절하기 때문이라는 것이다. "부름받은 자는 많지만 선택받은 자는 적다."고 한 그리스도의 말씀을 "모든 사람이 은총에로 불려가지만, 오직 소수의 사람들만이 그 부름에 귀기울인다."라고 해석하고 싶다.

그러면 다음과 같은 의문이 생긴다. '왜 극소수의 사람들만이 은총의 부름에 귀기울이는가? 왜 대부분의 사람들이 은총에 저항하는가?' 나는 앞에서 질병에 대한 무의식적 저항 능력을 주는 은총에 대해 말했다. 그러나 우리가 건강이라는 것에 대해서도 이와 유사한 저항을 지닌 것처럼 보이는 건 왜일까? 이 질문에 대한 답은 이미 주어졌었다. 그것은 우리의 게으름이다. 즉 우리에게 저주로서 내려진 엔트로피라는 원죄이다. 은총이 인간의 진화라고 하는 사다리로 우리를 밀어 올리는 궁극적인 힘의 원천인 것처럼 엔트로피는 우리로 하여금 그 힘에 저항하여 지금의 편안한 자리에 그냥 머무르게 하거나 훨씬 적은 힘이 요구되는 사다리의 아랫단으로 내려가도록 부추긴다. 우리는 스스로를 가르치고 훈련시켜 진정으로 사랑하며 영적으로 성장하는 인간이 되도록 하는 것이 얼마나 어려운지에 관해 이미 얘기했었다. 이 어려움을 피해가려는 것은 당연한 일이다. 이 문제에 관해서 엔트로피와 게으름이라고 하는 근본적 문제 말고도 또 한 번 더 특별히 언급할 필요가 있는 현상이 있다. 그것은 권력의 문제이다.

정신과 의사들뿐만 아니라 문외한들도 승진한 직후의 사람들에게서 종종 발견되는 정신적 문제에 관해 잘 알고 있다. '승진 노이로제' 라 불리는 이 증상은, 군인들에게서 특히 두드러지게 발견된다. 하사라든가 중사, 또는 상사가 되지 않으려 하는 사병들이 의외로 많다. 그리고 똑똑한 일반 사병들 가운데 장교가 되느니 죽는 편이 낫겠다면서 자신의 능력과 적성에 꼭 맞으리라고 생각되는 보다 높은 지위로의 상승을 보장해 줄 장교 승진 교육을 거부하는 사람들이 아주 많다.

직업에서뿐 아니라 영적 성장에 관해서는 더욱 그러하다. 은총에의 부름은 곧 보다 더한 책임과 권력이 있는 지위로 승진하는 것과 마찬가지이기 때문에 부름에 귀를 기울이는 사람이 적은 것이다.

은총을 인식하고 그것이 언제나 우리 곁에 존재함을 개인적으로 경험하며 자신이 하느님 곁에 있음을 아는 것은 소수뿐이다. 그들만이 은총이 가진 내적 고요와 평화를 알고 계속 경험하는 것이다. 그런 한편 이러한 지식과 인식은 커다란 의무를 지우는 것이기도 하다. 자신이 하느님과 가까이 있음을 경험한다는 것은 또한 자신이 하느님의 권력과 대리자가 되며 하느님처럼 될 것을 강요받는 경험이기도 하기 때문이다. 은총에의 부름은 사랑으로 세상을 돌보고 수고하는 삶에의 부름이며, 봉사와 희생이 요구되는 삶에의 부름이다. 그것은 영적으로 어린이 상태에서 어른의 상태로 나아가라는 부름이며, 인류의 부모가 되라는 부름이다. T.S. 엘리어트의 시극 「성당의 살인 Murder in the Cathedral」의 등장인물 가운데 하나인 토마스 베케트가 크리스마스 설교 도중에 이 문제를 잘 묘사했다.

그러나 이 '평화'라는 말의 의미에 대해 잠시 생각합시다. 세상이 끊임없이 전쟁과 전쟁의 공포에 시달리고 있을 때 천사가 평화를 선포하는 것이 이상해 보입니까? 천사의 목소리는 잘못되었고 그 약속은 실망스럽고 사기처럼 느껴집니까?

그러나 우리의 주님이 평화에 대해 어떻게 말씀하셨던가를 되돌아봅시다. 그분은 사도들에게 "내 평화를 너희에게 두고 간다, 내 평화를 너희에게 준다."고 말씀하셨습니다. 그분이 평화를 우리와 같은 의미로 말씀하셨을까요? 이웃나라와 평화를 유지하는 대영제국, 국왕과 평화롭게 지내는 귀족, 난로에는 불이 타오르고 식탁에는 벗과 더불어 마실 최고급 포도주가 있으며 아내는 아이들에게 자장가를 불러 주는 갖춰진 가정을 보장하는 그의 평화로운 수입과 같은 의미의 평화일까요? 그분의 제자들은 이런 것들을 알지 못했습니다. 그들은 먼 곳까지 여행했고 산전수전을 겪었으며 고문과 투옥을 당하고 실망했으며 순교하기까지 했습니다. 그러면 그분의 말씀은 무슨 뜻일까요? 의문이 생긴다면 그분의 다음 말씀을 기억합시다. "내 평화는 세상의 그것과 같지 않다." 그분은 제자들에게 평화를 주었지만 세상이 주는 것과 같은 것은 아닙니다.

은총이 내려 주는 평화에는 책임과 의무와 임무가 뒤따른다. 충분한 자격을 갖춘 하사관들이 장교가 되지 않으려 하는 것은 놀라운 일이 아니다. 정신치료를 받으러 오는 환자들이 진정한 정신적 건강에 수반되는 권능에 맛들이지 못하는 것 또한 놀라운 일이 아니다. 심한 우울증 때문에 나에게 일 년 동안 상담치료를 받으러 다닌 젊은 여자가 있었다. 그녀는 치료를 받는 사이에 자기 친척들의 정신병리에 대해서도 많은 것을 배우게 되었는데, 어느 날 자기가 지혜롭고 침착하면서도 쉽게 가족간의 문제를 처리해 내었다고 몹시 기뻐했다.

"정말 기분 좋아요,"라고 그녀는 말했다. "좀더 자주 이런 기분을 느꼈으면 좋겠어요."

나는 그녀에게 그토록 기분 좋아하는 까닭은 그녀의 가족과의 관계에서 그녀가 처음으로 힘있는 자리에 섰기 때문임을 지적했다. 그것은 그녀가 자기 가족들이 지금까지 그녀에게 가해 온 여러 가지 비현실적인 요구와 잘못된 의사소통 방식을 깨달았고 그리하여 주도적 입장에 섰기 때문임도 지적했다. 나는 그녀에게 이런 인식을 다른 상황에도 적용할 때 언제나 '주도적 입장'에 있을 수 있으며 따라서 그런 좋은 기분을 더 자주 더 많이 맛볼 수 있다고 말해주었다. 그녀는 두려운 감정을 갖기 시작하면서 나를 보았다.

"그러나 그러려면 언제나 생각을 해야 되잖아요!"

나는 그녀가 자기 우울증의 근원에 있는 무력감에서 벗어나 자신의 힘을 발전시키고 유지시키려면 깊이 생각하는 것이 필요하다는 점에서 그녀에게 동의했다. 그녀는 화를 내었다.

"그 망할 놈의 생각을 언제나 해야 한다는 건 참을 수 없어요. 나는 더 골치 아프게 살려고 여기 온 것이 아니란 말예요. 좀더 긴장을 풀고 자신을 즐기면서 살고 싶단 말예요. 선생님은 제가 하느님 따위라도 되길 바라시나 보죠!"

슬프게도 얼마 후에 이 총명하고 가능성이 있었던 아가씨는 치료받기를 그만 두고 말았다. 아직 완치되려면 멀었는데도 불구하고 정신적으로 건강한 상태가 자신에게 요구하는 것들이 두려웠기 때문에 말이다.

이 이야기는 문외한들에게는 이상하게 들릴지도 모르지만, 우리 정신과 의사들은 사람들이 보통 정신적으로 건강한 상태를 두려워한다는 사실을 자주 경험한다. 정신치료의 주된 업무 가운데는 환자를 정신적으로 건강한 상태에 도달하게끔 하는 것뿐 아니라, 위로하고 위협하고 엄격하게 구는 등 모든 방법을 적절히 뒤섞어서 환자가 일단 도달한 그 지점에서 도망가지 못하도록 하는 것도 포함된다. 이런 두려움은 오히려 당연한 것으로 그 자체만으로는 전혀 병적인 것이 아니다. 강해진 다음에 힘을 오용할지도 모른다는 두려움이기 때문이다. 아우구스티누스가 이런 말을 한 적이 있다. "Dilige et quod vis fac—당신이 사랑할 수 있고 부지런하다면 원하는 것은 무엇이든 할 수 있다." 정신치료를 통해 충분히 성숙해진 사람은, 이 무자비하고 힘든 세상에서 제대로 살아갈 수 없으리라는 감정을 마침내는 벗어나게 되어, 자신이 원하는 것은 무엇이든 할 수 있는 권능을 지니게 되었음을 어느 날 갑자기 깨닫게 된다. 이런 자유를 깨닫는 것은 놀랍고 두려운 일이다. "내가 무슨 일이든 할 수 있다면, 무엇이 나로 하여금 자유를 남용하지 못하도록 할 수 있을까? 내 근면함과 사랑이 나를 충분히 통제할 수 있을까?"라고 그들은 생각할 것이다.

자신의 자유와 힘에 대한 인식이 은총을 경험하는 것으로 이해될 수 있다면 사람들은 아마도 다음과 같은 반응을 보일 것이다.

"오, 주여, 나는 당신이 믿을 만한 가치가 없는 사람입니다."

이런 두려움은 바로 그 자체가 자신의 성실성과 사랑을 이루는 한 부분이며, 따라서 힘의 남용을 막고 자기를 절제하는 데 유용한 수단이 된다. 그러므로 이런 두려움이 없는 것도 곤란하지만, 은총에의 소명을 떠맡지도 못하고 마땅히 지닐 수 있는 권능을 회피할 정도로 커져서도 안 된다. 소명을 받은 사람들 가운데는 자신 속의 그 신성한 목소리를 받아들이기까지 몇 년 동안이나 이 두려움과 씨름을 하는 사람들도 있다. 이러한 두려움과 자격이 없다는 느낌이 권능을 받아들이기를 거부하게끔 할 정도로 커졌을 때 신경증적 문제가 발생한다. 이것은 정신치료의 중심적 주제가 된다.

그러나 대부분의 사람들이 은총에 저항하는 주된 이유는 힘을 남용할 지도 모른다는 두려움 때문이 아니다. 성 아우구스티누스의 가르침 가운데 사람들이 받아들일 수 없는 것은 "원하는 것을 하라."는 부분이 아니라 "근면하라."는 부분이다. 우리들 대부분은 어린이나 청소년과 마찬가지로 어른다움에 따르는 자유와 권력이 우리들의 것임을 알면서도 그에 따르는 책임과 자기 훈련은 별로 하지 않으려 한다. 우리는 부모나 사회, 혹은 운명이 우리를 억압한다고 느끼지만, 사실은 우리의 지금 상태를 대신 책임져 줄 윗사람을 필요로 한다. 우리 자신 말고는 탓할 사람이 없는 그런 권력의 정상에 올라간다는 것은 두려운 일이다. 이미 말했다시피 그 정상에 하느님이 우리와 함께 계시지 않는다면 우리는 고독에 질려버리고 말 것이다. 대부분의 사람들은 권력을 지닌 데서 오는 고독을 견뎌 내지 못하기 때문에, 자기 인생이라고 하는 배의 고독한 선장이 되기보다는 책임감이 없는 상태를 택하려 할 것이다. 그들은 더 이상 성장할 필요가 없는 어른으로서의 자신감을 갖고 싶어한다.

우리는 성장하기가 얼마나 어려운가에 대해 다양한 방법으로 이야기해 왔다. 모순적인 감정에 휘말리거나 머뭇거리지 않고 보다 새롭고 보다 큰 책임을 갈망하는 어른다운 경지에 도달하는 사람은 극소수에 불과하다. 대부분은 어느 특정 부분만 어른이 될 뿐이고 완전한 성인이 되는 것은 거부한다. 영적 성장은 심리적 성숙 과정과 분리될 수 없는 것이기 때문이다. 은총이라는 부름의 궁극적 형태는 하느님과 같이 되어 하느님과 함께 책임을 맡으라는 부름이다. 결국 그것은 완전한 성인이 되라는 소명인 것이다. 우리는 개종이나 돌연히 찾아오는 은총의 순간을 "아, 기쁘다!"라는 현상으로 상상하기 쉽다. 그러나 내 경험에 의하면 그보다는 어느정도 "제기랄!"이라는 반응 쪽이 더 많다. 소명에 귀기울이기로 마침내 결심했을 때에야 비로소 "주여, 감사합니다."라거나 "저는 자격이 없습니다."라거나 "제가 무엇을 하겠습니까?"라고 할 수 있다.

그러므로 "부름받은 자는 많지만 선택받은 자는 적다."는 말은 은총에의 부름에 응답하기가 그토록 어렵다는 것을 감안하면 쉽게 설명된다. 그러면 남은 문제는 사람들이 정신치료를 받아들이지 못하는 까닭이 뭘까, 정신치료가 최상의 방책일 때도 별다른 도움을 얻지 못하는 것은 왜일까, 인간은 왜 은총에 저항하는가 하는 것이 아니다. 문제는 그 반대다. 소수의 사람들은 어떻게 해서 그런 어려움을 극복하고 부름에 응하는가? 이들 소수를 다수와 구별지어 주는 것은 무엇인가? 나는 이 질문에 답할 수가 없다. 이들은 부유하고 교양있는 가문 출신일 수도 있고 가난하고 미신적인 가정에서 태어났을 수도 있다. 부모의 사랑을 듬뿍 받고 자라났을 수도 있지만 부모의 사랑이나 진정한 관심이 근본적으로 결여된 환경 속에서 성장했을 수도 있다. 이들은 사소한 적응장애로 정신과를 찾을 수도 있지만 심한 정신질환으로 상담하러 올 수도 있다. 이들은 나이가 들었을 수도 있고 젊었을 수도 있다. 이들은 은총의 부름에 재빨리 그리고 쉽사리 적응할 수도 있고, 싸우고 저주를 퍼부으면서 조금씩 고통스럽게 접근해 갈 수도 있다. 그리하여 오랜 경험을 쌓은 끝에 나는 내가 치료를 담당할 환자를 스스로 선택하려는 버릇이 줄어들었다. 내가 무지했던 탓으로 진료하기를 거절했던 분들께 사과한다. 나는 정신치료자로서 초보자였을 때에는 내 환자들 가운데 누가 정신치료에 실패할지, 응답하기는 하나 여전히 부분적인 성장에 그치고 말지, 혹은 기적적으로 완전한 은총의 상태로 성장할지를 예측할 수 있는 능력이 내게 없다는 것을 몰랐던 것이다. 그리스도 자신조차도 은총이란 예측할 수 없는 것이라고 니고데모에게 말한 바 있다. "바람은 제가 불고 싶은 대로 분다. 너는 그 소리를 듣고도 어디서 불어와서 어디로 가는지를 모른다. 성령으로 난 사람은 누구든지 이와 마찬가지다." 은총이라는 현상에 대해 지금껏 많은 논의를 해왔지만 역시 그 본질은 신비로운 것임을 인정하지 않을 수 없다.

은총을 맞이하기 위하여

우리는 다시금 역설에 직면해 있다. 이 책에서 나는 영적 성장이라는 것이 마치 질서있고 예측 가능한 과정인 것처럼 말해 왔다. 영적 성장이 어떤 지식의 분야에서 박사학위를 따듯 배워서 얻을 수 있는 것처럼 암시하기도 했다. 등록금을 내고 열심히 공부하기만 하면 물론 학위는 딸 수 있다. 나는 "부름받은 사람은 많지만 선택받은 사람은 적다."는 그리스도의 말씀을 은총에 따르는 데 수반되는 어려움 때문에 극소수의 사람들만이 은총의 부름에 주의를 기울이는 것이라고 해석했다. 이러한 해석에 입각하여 나는 우리가 은총에 의해 축복을 받을 것인지 말 것인지는 선택의 문제라고 했었다. 요컨대 은총은 획득되는 것이라고 말했던 것이다. 그리고 이것은 사실이다.

그러나 동시에 그것이 전혀 틀린 말이라는 것도 나는 알고 있다. 우리가 은총에게로 가는 것이 아니라, 은총이 우리에게로 오는 것이다. 우리가 은총을 차지하려고 아무리 애를 쓴다 해도 은총이 우리를 비껴 갈 수 있다. 그러나 찾으려고 애쓰지 않을 때 은총이 우리를 찾아내기도 한다. 영적인 삶을 의식적으로 몹시 갈망하면서도 그 길의 곳곳에서 장애에 부딪치는 경우가 있다. 그런가 하면 겉보기에는 영적 삶에 별로 취미가 없는 듯이 보이는 사람인데도 자기 감정과는 무관하게 영적인 삶에로 강력히 이끌려가게 되는 경우도 있다. 어떤 차원에서 보면 은총의 부름에 응하고 응하지 않고는 나 자신이 선택하는 것이지만 또다른 차원에서 보면 그 선택을 하는 것은 하느님이라는 사실도 명백해 보인다. 은총을 받아 '하늘로부터 이토록 새로운 삶을' 선사받은 사람들의 공통된 경험은 자신이 처한 상황에 무척 놀란다는 것이다. 그들은 이 경험을 자기가 찾아 얻은 것이라고 느끼지 않는다. 그들은 자신의 본성이 착하다는 것을 알고는 있으나 그 본성이 자신의 의지에 좌우된다고 생각하지는 않는다. 오히려 그들은 그 본성의 선량함이 자기 자신보다 훨씬 숙련되고 훨씬 지혜로운 손에 의해 창조된 것이라고 느낀다. 은총에 가장 가까이 있는 사람들이란 은총이라고 하는 그들이 받게 된 이 선물의 신비로운 성격을 가장 잘 아는 사람들이다.

우리는 이 역설을 어떻게 풀어야 할까? 어려울 것 같다. 아마도 우리가 말할 수 있는 최상의 것은 우리가 스스로의 의지로 은총을 소유할 순 없다해도 은총이 기적처럼 올 때 우리 의지로 자신을 열어놓을 수는 있다는 점이다. 우리는 자신을 기름진 땅, 은총을 맞이할 태세가 된 장소로 준비해 둘 수 있다. 만약 우리들이 자기 자신을 잘 다듬어지고 완전한 사랑을 베푸는 사람으로 만들 수 있다면 신학이라든가 기타 신에 대한 사색에 무지하다 해도 은총을 받기에는 부족함이 없다 할 것이다. 반면에 신학 공부는 그러한 준비에 있어서 상대적으로 빈약한 도구이다. 하지만 은총의 현존에 대한 지식이 영적 성장이라고 하는 아직도 끝없이 가야 할 길을 선택한 사람들에게 사려 깊은 보조자 노릇을 해줄 수는 있을 것이라 생각해서 나는 제4부를 썼다. 이러한 지식은 적어도 세 가지 측면에서 그들의 여행을 쉽게 해줄 것이다. 우선 은총을 이용하는 방법을 가르쳐 줄 것이며, 보다 확실한 방향감각을 주고, 용기를 북돋아 줄 것이다.

우리가 은총을 선택함과 동시에 은총에 의해 선택된다고 하는 역설은 초능력이라고 하는 것의 본질이다. 이러한 초능력은 '가치있거나 호감이 가는 일이나 사물을 일부러 애쓰지 않고도 찾아내는 재능'이라 정의될 수 있다. 부처는 애써 해탈하려는 노력을 멈추었을 때 깨달음을 얻었다. 해탈이 그에게 오도록 한 것이다. 그러나 한편 그가 해탈을 얻기 전 적어도 십육 년간이나 그것을 찾아 헤매었으며 십육 년간이나 그것을 위해 준비해 왔기 때문에 해탈이 그에게로 왔다는 사실을 누가 의심할 수 있을까? 그는 해탈을 찾아 헤매야만 했으면서 또 그래서는 안 되었던 것이다. 퓨리스가 은총을 가져오는 정령으로 바뀐 것도 비슷한 이유에서였다. 즉 오레스테스는 신들의 자비를 얻고자 노력했지만 동시에 신들이 자기 짐을 덜어주리라고는 전혀 기대하지 않았기 때문에 은총을 입은 것이다. 그가 뜻하지 않은 선물, 즉 은총의 축복을 받은 것은 찾아 헤매면서 또 전혀 찾지 않는다는 역설을 교묘히 배합했기 때문이다.

이와 비슷한 현상이 일반적으로 정신치료를 받는 동안 환자들이 꿈을 이용하는 방식에서 드러난다. 어떤 환자들은 꿈이 자신들의 문제에 대한 해답을 지니고 있음을 잘 알고 있기 때문에 이 해답을 찾아내기 위해 재빠르고 기계적으로, 상당히 공을 들여서 자기의 모든 꿈을 아주 자세한 부분까지도 세밀히 기록하여 정신치료자에게 가지고 온다. 그러나 그들의 꿈이 정작 도움이 된 적은 거의 없다. 실제로는 이들의 꿈이라는 재료는 그들의 치료에 방해가 될 때도 있다. 그 모든 꿈을 분석하고 있을 시간이 거의 없다는 것이 한 가지 이유이고 또 다른 이유는 꿈이라고 하는 재료가 지나치게 많은 나머지 보다 생산적 결과를 얻을 수 있는 작업을 저해할 수도 있기 때문이다. 그리고 그 자료들이 분명치 못하고 흐릿할 수도 있다. 그런 환자들에게는 꿈에서 무언가를 찾아내려는 노력을 중단하고 꿈이 자기에게 오도록 내버려 두라고 가르쳐야 한다. 즉 자신들의 무의식이 어떤 꿈을 의식 속에 등장시킬 것인가를 선택하도록 내버려 두어야 한다는 것을 말한다. 이렇게 가르치는 것 자체가 대단히 어렵다. 환자에게 자기 자신을 통제하는 것을 얼마간 포기하고서 자신의 마음을 느긋하게 바라보는 수동적 자세를 유지하라고 요구하는 셈이기 때문이다. 그러나 환자가 일단 꿈에서 무엇인가를 이끌어 내려는 의식적인 노력을 포기해 버릴 수만 있다면, 기억된 꿈은 양에 있어서는 줄어들지만 그 질에 있어서는 극적이라 할 정도로 증가한다. 그 결과 환자의 꿈은—더 이상 찾아 헤매진 않지만 무의식으로부터 주어진 선물인—치료에 결정적인 도움을 줄 수 있게 된다. 그러나 이제는 동전의 반대편을 살펴보도록 하자. 환자들의 대다수가 꿈이라는 것이 지니는 중요성에 대한 자각이나 이해가 전혀 없다시피 한 상태에서 정신치료를 받으러 온다. 결과적으로 그들은 꿈이라고 하는 재료 자체가 무가치하거나 중요하지 않다고 생각하고는 의식에서 내몰아 버리게 된다. 이러한 환자들은 우선 꿈을 기억하고 그 꿈이 포함하고 있는 부분들을 붙잡아 건져 내는 법을 배워야 한다. 꿈을 효과적으로 이용하기 위해서는 우선 그것의 가치를 늘 의식하고 꿈이 우리에게 왔을 때 잘 이용하도록 애써야 할 뿐만 아니라, 때때로 꿈을 찾거나 기대하지 않으려는 노력도 해야 한다. 우리는 그것이 진짜로 선물이 될 수 있도록 내버려두어야 한다.

은총의 경우도 마찬가지다. 우리는 이미 꿈이라고 하는 것이 은총이라는 선물이 우리에게 주어지는 여러 가지 형태 가운데 하나임을 알았다. 은총이 취할 수 있는 다른 여러 형태의 선물—갑작스런 통찰력, 예감, 동시발생적이고 초능력적인 사건들 등등—에 대해서도 똑같이 역설적인 접근이 필요하다. 그리고 사랑이라는 것에 대해서도 마찬가지다. 누구나 사랑받기를 원한다. 그러나 그러려면 먼저 우리 자신을 사랑받을 능력이 있는 사람으로 만들어야 하며, 또한 사랑받을 준비가 되어있도록 만들어야 한다. 우리는 자기 자신을 잘 훈련하여 사랑을 베푸는 사람으로 만들어 감으로써 사랑받는 사람이 될 수 있다. 사랑받고자 노력한다 해서—사랑받고자 원한다 해서—사랑받을 수 있는 것이 아니다. 그럴 때는 오히려 우리는 의존적이 되고 거머리같이 되어 진정으로 사랑하는 것과는 더욱 거리가 멀어지게 된다. 그러나 보답을 받고자 하는 원초적 욕망 없이 자기 자신과 타인들을 잘 보살핀다면 우리는 정말 사랑스러운 사람이 될 것이고 굳이 구하려 하지 않았던 사랑의 보답이 자신에게로 되돌아올 것이다. 인간을 사랑하는 일도 그러하고 하느님의 사랑도 그러하다.

은총에 관한 이 장의 주된 목표는 영적 성장을 위한 여행을 하고 있는 사람들에게 병적으로 집착하며 추구하지 않고도 은총이라는 선물을 인식하고 이용할 수 있는 능력을 학습시켜 도움을 주는 것이다. 이 능력에 의해서, 우리들의 영적 성장을 향한 여행은 우리의 의식적 의지가 할 수 있는 것보다, 눈에 보이지 않는 하느님의 손과 상상할 수 없는 하느님의 지혜를 따라 훨씬 정확하게 바른 길로 인도된다. 그리하여 여행은 더욱 빨라진다.

이러한 개념들은 부처, 예수 노자, 그 밖의 여러 성현들에 의해 이미 여러 가지 방식으로 제시되어 왔다. 이 책의 독창성은 20세기를 살아가는 인간인 내가 나 나름의 특별한 방식으로 같은 이념에 도달했다는 데 있다. 당신이 이 현대적인 주석—이 책—이 제공하는 것보다 더 깊은 이해를 원한다면 수단과 방법을 가리지 말고 스스로 진보하거나 아니면 고대의 문헌으로 되돌아가야 할 것이다. 그러나 더 깊이 이해하기를 원하되 더 자세한 것을 기대해서는 안 될 것이다. 수동성과 의존성, 그리고 두려움과 게으름 때문에 가야 할 길의 전부를 미리 보기를 원하며 그 한 걸음 한 걸음이 안전하고 가치 있다는 것을 미리 보장받기를 원하는 사람들이 많이 있다. 그러나 그것은 불가능하다. 영적 성장의 여행은 용기와 주체성, 생각과 행동에서의 독립심을 요구하기 때문이다. 예언자들의 말이나 은총의 도움이 얼마간 힘은 되겠지만 그 길은 반드시 혼자 가야 할 길이다. 그 길을 데리고 가 줄 스승은 없다. 확고한 공식도 없다. 종교의례는 그 길을 가는 데 도움은 되지만 가는 방법 자체는 아니다. 영성체를 하고, 아침 식사 전 성모송을 다섯 번 외고, 동쪽이나 서쪽을 향해 경배를 하고, 일요일 아침에 교회엘 가는 일들이 우리를 목적지까지 데려다 주지는 못한다. 어떤 말로도, 어떤 가르침으로도, 영적인 순례자가 자신의 길을 택하여 노력하고 고뇌하면서 하느님과 하나되기 위하여 자기 삶의 고유한 환경을 극복하며 나아가야 할 필요성을 덜어 주지는 못한다.

이러한 문제들을 우리가 진정으로 이해하고 있다 하더라도 영적 성장을 향해 가는 여행은 너무나 외롭고 어려워서 우리는 종종 의기소침해진다. 우리가 과학의 시대를 살고 있다는 사실은 한편으로는 유익하지만 다른 한편으로는 커다란 실망을 주기도 한다. 우리는 우주의 기계론적 원리를 믿으나 기적은 믿지 않는다. 과학을 통해서 우리가 살고 있는 곳이 수많은 은하계 중의 한 은하계의 길 잃은 혹성 가운데 하나라는 것을 알게 되었다. 끝없는 우주의 광대함 속에서 길을 잃어버린 것처럼, 과학은 우리 자신이 자기 의지에 의해 좌지우지될 수 없는 어떤 내적인 힘의 지배를 받고 무기력하게 끌려 다니는 존재라는 느낌을 가지게 만들었다. — 실제로는 우리가 무얼 하는지 자각하지도 못하면서 어떤 방식으로 느끼고 행동하게끔 강제하는 무의식 속의 갈등이나 대뇌 화학물질이 있다는 따위의 느낌 말이다 — 과학적 정보가 인간의 신화를 대치하게 되자 인간은 자기 존재의 의미를 상실했다는 느낌으로 괴로워하게 되었다. 과학으로는 측정할 수조차 없는 거대한 우주 속에서 내면적으로는 이해할 수도 없고 눈에 보이지도 않는 심리적 · 화학적 힘에 의해 좌우

되는 우리라는 존재가, 개체로서든 종족으로서든, 무슨 의미가 있겠는가?

그러나 바로 과학이 어떤 방식으로든 은총이라는 현상이 실재함을 깨닫게 해주는 도구가 되기도 한다. 나는 이러한 깨달음을 전파하려고 애써 왔다. 은총이 실재하고 있음을 일단 깨닫기만 한다면 우리 자신이 무의미하고 무가치하다는 생각은 사라질 것이기 때문이다. 우리 자신과 의식적 의지를 넘어서 우리의 성장과 진보를 돕는 강력한 힘이 존재한다는 사실은 자기 자신이 무가치하다고 느끼는 우리의 느낌을 뒤집어 엎을 수 있다. 이러한 힘의 존재는(우리가 일단 그 존재를 용납하기만 하면) 인간의 영적 성장이 인간 자신보다 더 위대한 어떤 존재에게 대단히 중요하게 여겨진다는 사실을 확신시켜 준다. 이 어떤 존재를 우리는 하느님이라 부른다. 은총이 실재한다는 사실은 하느님이 실재한다는 사실뿐 아니라 하느님의 의지가 인간 개개인의 영혼이 성장하는 것을 현실적으로 돕는다는 사실을 가장 명백하게 입증해 주는 증거다. 한때는 옛날 이야기처럼 여겨졌던 것이 현실이 된다. 우리는 이제 변두리가 아니라 하느님의 보살핌과 하느님의 관심을 받으며, 하느님이 원하는 삶을 사는 것이다. 이 우주는 하느님의 왕국으로 들어가는 도약의 역할을 하고 있는건지도 모른다. 우리는 더 이상 우주의 길잃은 미아가 아니다. 오히려 은총의 실재는 인간이 우주의 중심에 있음을 가르쳐 준다. 오늘의 시간과 공간은 우리가 가야 할 길을 위해 존재하는 것이다. 나의 환자들이 자신의 중요성에 대한 확신을 잃어버리고 우리의 작업에 수반되는 노력이 너무 힘들어 마음 상해할 때, 나는 가끔 인류는 진화라는 뜀틀판 위에 있다고 말해 준다. "이 뜀틀 넘기에서 성공하든 실패하든 전적으로 당신의 개인적 책임이에요."라고 나는 말한다. 그것은 나 역시 마찬가지이다. 이 우주라고 하는 도약대는 우리의 길을 예비하기 위해 만들어졌다. 그러나 우리는 한 사람 한 사람이 스스로 뛰어넘어야 한다. 은총으로 말미암아 우리는 흔들리지 않을 수 있다. 은총으로 말미암아 우리는 따뜻이 맞아들여지고 있음을 알 수 있다. 우리가 더 이상 무엇을 바라겠는가?

옮긴이의 말

세상에는 많은 책들이 소개되고 있으나, 정작 우리에게 도움이 되는 책들은 그리 많지 않은 것 같다. 대개의 책들은 지식의 전달, 사실 보도, 또는 우리의 실제 삶과는 동떨어진 추상적이거나 이념적인 내용, 또는 단지 단순한 흥밋거리 위주의 내용들이 많기 때문이다. 물론 예술 관련 책들은 때로 도움이 되긴 하지만, 역시 우리의 삶에 지속적인 영향이나 도움이 되는 것은 매우 드물다.

사실 남들이 좋다고 하는 책들을 접해 보아도, 기껏해야 그러한 책들은 읽을 때 받았던 감동 이상으로 우리의 기억 속에 오래 그 감동이 지속되기 어렵고, 더욱이 책을 다 읽고 나서 새롭게 반성하게 하는 책은 매우 드물다는 것을 발견한다.

좋은 책은 글 속에 숨어 있는 뜻이 우리의 삶을 구체적으로, 그리고 질적으로 향상시키도록 삶을 깊이 반성하게 하는 책일 것이다.

역자는 이런 뜻에서, 미국의 정신과 의사인 스캇 펙이 쓴 본서를 우리나라의 일반 독자들에게 권하고 싶다. 이 책은 특히 저자의 실제 일상적 경험에서 우러나온 것이며, 이 책에 나오는 사례들은 구체적인 우리의 일상적 삶 속에서도 흔히 부딪치게 되는 문제들이기에 우리에게 흥미를 더해 주고 있다.

흔히 정신분석학적 치료라는 것이 무슨 어마어마한 인간 심리의 비밀을 캐는 복잡한 이론으로 무장되어서, 일반인들이 가까이 하기 어려운 것이며, 그래서 굳이 이해할 필요성이나 엄두조차 안 내는 사람이 있다면 바로 이와 같은 책이 독자들에게 정신의학의 실체를 이해하는 데 좋은 안내서가 될 것 같다. 정신의학이란 결코 사변적이거나 철학적인 종류의 것이 아니라, 우리의 구체적 삶과 아주 밀접하게 연결된 것이며, 얼마든지 쉬운 일상적 용어로 풀이되어 이해할 수 있는 인간학의 하나라고 할 수 있다.

바로 그런 점에서, 이 책은 효과적이면서도 실천적인 인간 이해의 원리를 잘 설명해 주고 있다고 생각된다.

이 책의 저자가 의도하는 바는, 바로 사람을 있는 그대로 이해하자는 것이 그 핵심이라 할 수 있다. 신경증 환자나 현실적응에 곤란을 느끼는 사람들은 예외 없이 사람을 있는 그대로 보지 못하기 때문에 고통을 겪고 있다. 그러나 보통 사람들도 대부분 사람을 있는 그대로 이해하지 못하고 있다. 사람마다 각기 다른 복잡한 심리적 메커니즘을 갖고 있으며, 개인마다 과거의 경험이 다르기 때문에 이런 것들의 상호교차로 인해 결국 각자의 인생에서 사랑스럽거나 창조적인 인간 관계를 맺는 것을 어렵게 한다.

있는 그대로 사물을 인식하려는 욕구는 자연의 섭리이기도 하고, 또 우리 인간이 지향하고 있는 긍정적 감정의 하나이다. 그러나 그러한 자연적인 본성은 우리의 의식을 왜곡시킨 과거의 개인적 경험에 의해 방해를 받거나 억제를 받고 있다는 것이다. 따라서 우리의 참다운 본성과 이성을 회복할 방법은, 이같은 요소들을 정리해야 하는 것이라고 단순화시켜 말할 수 있다. 그러나 이러한 제거 작업은 결코 쉬운 일이 아니다. 그것은 단순한 종교적 믿음이나 철학적 사색, 평범한 대화, 선생이나 부모의 충고, 또는 어떤 외적인 물리적 방도에 의해서는 결코 근본적 해결이 이루어질 수 없다. 또 정신분석적 방법만이 해결의 유일한 방법이라고 저자는 말하지 않는다.

요컨대 그것은 자기의 마음을 자세히 읽는 방법에 의해서만이 가능해진다고 말할 수 있다. 주관적 판단에 의하면, 이같은 마음 읽기란 것이 아주 쉬운 일로 생각하는 사람도 있을 것이다. 그러나 자신의 마음을 보다 자세히 잘 읽기 위해서는 이를 도와주는 사람이 있을 때, 보다 객관적으로 그리고 보다 잘 이해될 수 있다. 이같은 자기의 마음 읽기란, 거울(남)을 통해서 자기를 보아야 자기가 어떻게 생겼는지를 잘 알 수 있는 것과 같은 이치이다.

정신과 의사의 자리는 바로 그런 곳에 위치하고 있다고 말할 수 있다. 이 책의 저자도 역시 그런 자기의 위치를 설정하고, 남(정신과 의사)을 통한 자기의 마음 읽기의 한 방법을 설명해 주고 있다. 저자가 소개한 몇몇 사례와, 사례들에 대한 분석과 설명이 바로 그런 것이다.

궁극적인 자아 실현이란 어떤 철학적 사색이나 광신적인 종교적 믿음에서 저절로 얻어질 수 있는 그런 것이 아니다. 궁극적인 자아 실현은 각자에 따라, 그 방법이나 과정이 다를 수 있다. 그리고 그 점은 이 책을 다 읽고 나서, 독자들이 스스로 반문을 해보면 보다 잘 이해할 수 있으리라 생각된다.

과학, 철학, 종교 등 다방면의 저서들을 섭렵하고, 또 이들 내용을 적절히 인용하면서, 저자가 자신의 종교관, 우주관에까지 언급하고 있는 점은 다른 정신과 의사들의 저서에서 찾아 보기 힘든 것이다. 특히 인간의 악(惡)이라는 문제에 관해, 그것이 비판받아야 할 인간 본성의 악의(惡意)의 개념이 아니라, 게으름의 한 표현이라고 주장하는 것이 흥미롭게 보인다.

어려운 여건 속에서도 이 책을 출판해 주신 열음사 김수경 사장님께 감사드린다. 역자가 미국 텍사스 대학에 잠시 머물 적에 이 책을 소개해 주신 이은설 교수님께도 감사드린다. 이 책의 공동 번역자인 이종만 선생님은 바로 이은설 교수님의 부인이시기도 하다.

의학박사
연세의대 정신과 교수
신승철